JN022119

人類を変えた7つの発明史

火からＡＩまで技術革新と歩んだホモ・サピエンスの20万年

Rootport

KADOKAWA

はじめに

私たちは歴史の変わり目に立っている？

生成ＡＩは人類社会を変える発明だと言われています。

たとえばMicrosoftドイツ法人のＣＴＯアンドレアス・ブラウンは、ＧＰＴ－4の登場を「初代iPhone」に匹敵するターニングポイントだと述べました。東京大学副学長の太田邦史（くにひろ）[※1]は、学生や教職員に向けた声明文の中で「組換えＤＮＡ技術」に匹敵する変革だろうと指摘しました。ビル・ゲイツは、ＡＩは「ＧＵＩ」[※2]以来の革命的なテクノロジーの進歩だと主張しています。要するにＡＩが社会に与える影響の大きさを、それぞれ自分にとって一番身近な「インパクトがあった過去の発明」に喩（たと）えています。

こうした比喩は、どれくらい妥当なのでしょうか？

昨今の生成ＡＩブームは、２０２２年7月の「Midjourney（ミッドジャーニー）」のデビューに始ま

※1 専門分野は分子生物学。

※2 ＧＵＩ／Graphical User Interfaceとは、マウス等でウィンドウを操作する現在では一般的なコンピューターのインターフェイスのこと。これに対してWindowsの「コマンドプロンプト」やmacOSの「ターミナル」のように、文字でコマンドを打ち込むことでもコンピューターを操作できる。こちらはＣＵＩ／Character User Interfaceと呼ぶ。

ると言っていいでしょう。これはtext 2 image（テクスト トゥ イメージ）、つまり文章から画像を生成するAIでした。さらに8月には、同じくtext 2 imageのAI「Stable Diffusion（ステイブル ディフュージョン）」が公開され、オープンソース化されました。同年12月には、「ChatGPT（チャット・ジーピーティー）」がデビュー。これはLLM[※3]の「GPT－3・5」を土台としたサービスであり、過去に例がないほど自然な対話ができるAIとして世間を驚かせました。

さらに2023年3月にはChatGPTに「GPT－4」が加わり、私たちを震撼させました。GPT－4は目を見張るほど的確な機械翻訳ができるだけでなく、大学入学試験や司法試験、医師試験を次々と突破しました。さらにGPT－4のアドバイスを受ければ、プログラミング経験のないユーザーでも簡単なアプリを作れるようにまでなったのです。

LLMは「言葉を他の言葉に変換するタスク」を得意とする装置（マシン）だと、私は理解しています。

たとえば機械翻訳は、典型的な「言葉を他の言葉に変換するタスク」です。あるいは、「ぼく今日ぽんぽんペインでぴえんだから会社休むわ、よろ！」というくだけた文を、「本日は体調不良のため大変恐縮ですが有給を取得したく存じます」というビジネスメールに書き直すことも得意です。長いブログ記事や論文も、GPT－4は上手に要約してくれます。さらに入学試験や資格試験は、教科書とい

※3 Large Language Model／大規模言語モデル

う言葉の塊を、テストの解答欄という小さな言葉へと変換するタスクです。プログラミングは（広い意味では）要件定義書や仕様書に記された言葉を、コードという別の言葉へと変換するタスクだと言えます。

GPT－3・5、およびGPT－4は、「もしやAGI[※4]まであと一歩なのでは？」とさえ囁（ささや）かれました。のちにそれは過大評価だと理解されるのですが、それでも当時は「万能のAI」に見えたのです。その理由は、私たちの日常生活には「言葉を他の言葉に変換するタスク」が満ちているからではないか……と私は考えています。

たしかに全知全能ではありませんが、これらLLMは驚くほど多様なタスクに対応できます。また、text 2 image のAIは、クリエーターやアーティストの間で激しい議論を巻き起こしました。さらにこの原稿を書いている現在、text 2 music のサービスが乱立し、text 2 video や text-to-3DCG のAIの開発も猛スピードで進んでいます。

こうして見ると、生成AIは人類社会を変えるほどの発明だと言いたくなる気持ちも分かります。

では、どれほど変えるのでしょうか？

過去の発明に比べて、どのくらい変えるのでしょうか？

※4 Artificial General Intelligence／汎用人工知能

人類を変えた発明を4つに分類する

歴史を振り返ると「人類社会を変えた発明」と呼べるものがたくさん見つかります。ここでは便宜上、大きく4つのジャンルに分類してみましょう。

①人類の生理学に影響を与えて、生物学的に進化させた発明
②情報を民主化した発明
③人類にはできなかったことをできるようにした発明
④人類にできることをより効率よくできるようにした発明

たとえば、火の管理・利用は①に相当します。

石器や木の棒などの簡単な道具であれば、他の動物も利用します（現代のラッコは〝旧石器時代〟を生きていると言えます）。山火事などの自然発火を利用する生物も決して珍しくありません。しかし火を管理し、自発的に熾（おこ）せるようになった動物は、私の知るかぎりでは人類だけです。

霊長類の脳のサイズと消化管の長さには、負の相関があることが知られています。脳と消化器官はどちらも燃費の悪い器官なので、一種のトレードオフが成立するのです。果物のようなエネルギー効率のいいエサを探せるほど賢い脳を持つか、それとも、脳を小さくする代わりに何でも食べられるほど強靭な消化器官を持つか……という綱引きが、哺乳類の進化の過程では生じたようです。

ところが火を通した食品は、生のままよりも消化しやすくなります。硬すぎる肉や苦すぎる野菜も、火を通せば柔らかくなりアクが抜けます。火の利用は、脳と消化器官とのトレードオフを打ち破り、人類の脳が大きく進化することを可能にした——少なくとも、その下地を作ったのです。

このような「①人類の生理学に影響を与えて、生物学的に進化させた発明」では、酪農も代表的でしょう。大抵の哺乳類は、大人になると乳汁を飲めなくなります。いわゆる「乳糖不耐症」が哺乳類のデフォルト設定であり、牛乳を飲むとお腹を壊してしまうのです。乳離れをうながすことに役立つ形質だと考えられています。

ところが酪農の発明は、これを変えました。大人になってからも畜乳を飲める突然変異の持ち主のほうが、生存・繁殖の面で有利だったために、その突然変異が世界中に広まったのです。

同じジャンルの発明には、ペニシリンや、先述の組換えDNA技術、体外受精技術も当てはまるかもしれません。かつて膝を擦りむいた程度の怪我でも死に至り、梅毒が不治の病だった時代がありました。しかし抗生物質の実用化により、それは過去のものになりました。百年後~千年後の人類は、現代ほど強靭な免疫を持たなくても生きていけるかもしれません。また、組換えDNA技術や体外受精技術が一般化してから百世代後に人類がどのような進化を遂げているか、想像もつきません。

情報を民主化(大衆化)した発明

「②情報を民主化した発明」には、文字・活版印刷・インターネットなどが当てはまります。

現代の私たちは生まれたときから文字に囲まれているため、それが水や空気と同様に「ごく自然にそこにあるもの」だと誤認しがちです。しかし人類の歴史のうち、文字のない時代のほうが圧倒的に長かったことを忘れてはなりません。その時代には、重要な知識や規範(一族の掟(おきて)など)は、物語や詩歌として口承していくほかありませんでした。知識の担い手であるストーリーテラーたちは、社会的に高い地位を得ていたようです。

文字のない時代には、情報が極めて**高価**だったと言ってもいいでしょう。知識を得たければ、その都度、それを知っている人を訪問し、その人から直接聞かなければなりませんでした。遠隔地と通信するためには伝令を送らなければならず、さらに、その伝令には言葉を間違えずに伝えるという責任が伴いました。知識の複製も簡単ではなく、誰かが話を聞くことでしかコピーできませんでした。さらにコピーの正確性は、聞く側の記憶力に依存していました。

文字の発明により、情報は一気に**安価**になりました。知識や規範を碑文に刻んでおけば、いつでもそれを読める――。つまり「時間差での情報伝達」が可能になったのです。さらに手紙を送ることで、伝令の記憶力に頼らなくても正確な情報を送れるようになりました。加えて、その手紙を書き写せば、いくらでも知識を複製できるようになったのです。国家が領土全体に同じ法律を(ほぼ)同時に布告することも、文字の発明により可能になりました。

6000〜5700年前に文字体系が完成すると、メソポタミアの都市国家は巨大な帝国へと発展していきました。またエジプトでも、ヒエログリフが成立して間もなく統一王朝が生まれました。もちろん「文字が国家を生んだ」と言ったら言いすぎでしょう。インカ帝国のように、文字を持たない巨大国家も存在したからです。とはいえ、文字の発明により、巨大な国家が生まれやすくなる土台が整ったことは間違いないでしょう。

文字というイノベーションにより、情報のコストが極端に安くなった――。

これは、活版印刷やインターネットの発明前後によく似ています。

西洋で15世紀半ばに活版印刷が発明されると、教会は知識の独占を守れなくなりました。古代ギリシャや古代ローマの知識へのアクセスが容易になり、ルネサンスの文化が花開きました。さらに、誰もが（ラテン語ではなく）母国語で聖書を読めるようになり、聖職者の発言の正誤を確認できるようになったのです。そして16世紀以降の宗教改革・宗教戦争の時代へと突入していきます。

おそらく活版印刷がなければ宗教改革は起こらず、宗教改革がなければイギリスの清教徒革命は起こらず、啓蒙思想も発展せず、それらがなければアメリカ合衆国の独立もフランス革命も起こらず、さらに「独立宣言」や「人権宣言」がなければ、現代の私たちが生きる民主主義の日本も存在していなかったかもしれない――。活版印刷は、世界を変えたのです。

インターネットのインパクトは、ここで改めて紹介するまでもないでしょう。読者の皆さんの多くが、それを実際に目撃しているはずだからです。１９８５年生まれの私は、10歳のときにWindows95が発売され、20歳になるまでの10年間でインターネットが急速に普及する過程を体験しました。

1995年には、日本におけるポケベルの契約者数がピークを迎えました。

一方、2005年にはYouTubeが誕生しました。

これ以上の説明が必要でしょうか？

たとえばレコードや映画の発明も、「②情報を民主化した発明」と呼べるでしょう。かつて音楽や演劇はその場かぎりのものであり、上演されている場に足を運ばなければ楽しめませんでした。ところが記録技術が誕生したことで、同じ演奏・演技を、どこでも繰り返し楽しめるようになったのです。

人類にはできなかったことをできるようにした発明

船や飛行機は、「③人類にはできなかったことをできるようにした発明」だと言えます。

人類はもともと大洋を横断するほどの遊泳能力はありません。空を飛ぶこともできません。私たちはイルカでも鳥でもないのです。ところが船や飛行機の発明は、それを可能にしました。

　たとえばモアイ像で有名なイースター島は、もっとも近い陸地まで415キロメートル離れた絶海の孤島です。ところがポリネシア人たちは、（おそらく）高度に発達した大型カヌーによって、この島への入植に成功しました。メラネシア人やミクロネシア人、ポリネシア人の居住地域を地図で見ると、その広さにため息を禁じえません。コロンブスが大西洋を横断する何世紀も前に、彼らはこれだけの偉業を成し遂げたのです。

　同様に、北欧のヴァイキングも優れた船を発明することで活動範囲を広げた民族です。彼らは西側はアイスランドやグリーンランドまで入植し、さらには北米大陸にまで到達していた可能性があります。彼らの「ロングシップ」は担いで山を越えられるほど軽く、かなりの浅瀬でも座礁しない喫水の浅い船でした。この船は、彼らが東側に広がることも可能にしました。ユーラシア大陸の大河をさかのぼることで、内陸部を冒険できたのです。

　ヴァイキングのうち、首領リューリクの率いる「ルーシ」と呼ばれる一派は、9世紀には現在のウクライナ・ドエニプル川まで到達しました。彼らはやがて、その地でキエフ公国を建国。10世紀末には最盛期を迎えます。モンゴル（元（げん））の侵入によりキエフ公国は崩壊・分裂しますが、その後、交易の要衝であったモスクワ公国が勢力を拡大。これが現代のロシアの礎（いしずえ）となります。ロシアという国名は、遠い祖先の「ルーシ」が由来です。

　空を飛ぶことに思いを馳せると、なぜ人類はもっと早く飛ばなかったのだろうという疑問が浮かびます。

　モンゴルフィエ兄弟が熱気球の公開実験で有人飛行に成功したのは1783年です。ところが凧（たこ）は、紀元前には発明されていました。また、ディズニー映画『塔の上のラプンツェル』にも登場した〝天灯〟も、モンゴルフィエ兄弟よりもずっと以前に発明されていた可能性があります。それらを大型化するだけで、人間を乗せることができます。人権意識の存在しない時代なら、奴隷や捕虜を乗せて飛ばせたはずなのに――。

　おそらく、単純には大型化できない何かしらの技術的制約があったのでしょう。

　人類の飛行が可能になったことで、真っ先に変わったのは戦争です。熱気球が発明されて間もなく、それは砲弾の着弾地点の観測に用いられるようになりました。さらに飛行船が発明されると、敵国の偵察や長距離爆撃も可能になりました。しかし飛行船が空を支配する時代は長くは続かず、固定翼機の登場により駆逐されていきました。

私たち一般庶民の生活という観点では、大型旅客機――とくにボーイング747の登場を無視できません。1970年に就航したボーイング747は、あまりの巨体のために座席が埋まらず、これが「エコノミークラス」の誕生に繋がりました。第二次世界大戦後の経済成長と格差縮小、中産階級の台頭と相まって、海外旅行・海外留学は富裕層だけに許された贅沢（ぜいたく）な行為ではなく、一般庶民でも手の届くものになったのです。

このジャンルの発明品には、イヌやネコも含めることができるでしょう。

人類はイヌの家畜化に成功したことで、自分では感じ取れないほどわずかな匂いをたどって獲物を追いかけられるようになりました。現代でも、ネコを飼育するだけで屋根裏のネズミがいなくなったという話を耳にします。ネコの発する肉食獣の匂いだけでも、小動物を遠ざける効果があるようです。これは人類の体臭では不可能なことです。ネコの飼育が、まだ生産力の脆弱（ぜいじゃく）だった初期の農耕民族にとってどれほど素晴らしいイノベーションだったか、想像に難くありません。

人類にできることをより効率よくできるようにした発明

最後に「④人類にできることをより効率よくできるようにした発明」ですが、ウマや蒸気機関、さらにコンピューターが当てはまります。

人類は歩くことができます。走ることも、重い荷物を運ぶことも、畑を耕すこともできます。戦場で敵を殺すこともできます。しかしウマを使えば、より効率よくそれらの行為が可能になります。

大抵の家畜には、人類には食べられないエサ（残飯や牧草）を食用可能な肉に変換するという利点があります。もちろんウマも例外ではなく、〝桜肉〟は私の大好物の1つです。が、その点でウマは、他の家畜に比べて少々異質です。じつは、与えたエサの量に対する食肉の生産効率が悪いのです。人類がウマの飼育を続けてきた第一の理由は「動力として魅力的だったから」であり、食肉や皮革・骨を得られることは、いわば副産物だったと言えるでしょう。

1712年にトマス・ニューコメンが蒸気機関を実用化するまで、人類が利用可能な動力源は、基本的には人間や家畜の筋肉だけでした。もちろん水車や風車はもっと古い時代から存在しますが、それらは立地が限定されます。18世紀に普及した蒸気機関は、人類が初めて手に入れた筋肉以外の汎用動力だったのです。

ニューコメンの蒸気機関は、炭鉱の排水作業を行う装置でした。ゴミとして捨てられていた石炭くずを燃料として利用できたので、人間や家畜を使うよりも経済的だったのです。

その後、18世紀末にジェームズ・ワットが改良に成功したことで、蒸気機関はあらゆる分野に進出しました。蒸気稼働のドリルは、人間の振るうハンマーよりも効率よく岩を砕くことができました。蒸気機関車は人間やウマよりも速く、確実に、大量の荷物を輸送することができました。蒸気船の登場により、航海は帆船時代のように「風任せ」ではなくなりました。

かつて「計算手」と呼ばれる職業がありました。電子計算機が実用化される以前の時代に、企業や研究機関で計算作業に従事していた人々のことです。統計調査やロケットの弾道計算のような複雑で巨大な計算を、小さく分解して、大人数のチームで並行して計算していたのです。第二次世界大戦で男性が減ったことで、計算手は「女性の仕事」になりました。

英語では「計算手」のことを、そのものずばり「computer」と呼びます。私たちが日常的に使っている「コンピューター」の語源です。

現代のコンピューター――電子計算機は、人間にもできる計算作業を、より効率的に行える装置でした。20世紀後半の電子計算機の普及に伴い、計算手はその役割を終えて、現在では消滅しました。

生成ＡＩは人類社会をどのように変えるのか？

現在の生成ＡＩは「④人類にできることをより効率よくできるようにした発明」だと見做(みな)せるでしょう。

先述の通り、ＬＬＭは「言葉を別の言葉に変換するタスク」を効率よく行える装置(マシン)だと私は考えています。また、画像生成ＡＩは（品質の面では人間のクリエーターにまだ及びませんが）生成の速さと量では人間を凌駕(りょうが)しています。翻訳も資格試験もコーディングも、あるいは絵画や音楽などの創作活動も、人間がもともとできる作業です。現在の生成ＡＩは、それらをより効率よく実行できる発明品だと言えるでしょう。

最初は人類にできることを代替するだけだった発明でも、とことんまで進歩すると、不可能を可能にする発明へと姿を変えます。

ヒトは霊長類の中で、もっとも「投擲（とうてき）」の得意な動物です。可動域の広い柔軟な肩と、大きくひねることのできる腰を持ち、おそらく投石によって獲物を仕留めていた時代があったのだろうと推測されています。しかし、かつて筋肉によって行っていた遠距離攻撃は、やがて弓矢により代替され、大砲や鉄砲が使われるようになり、ミサイルが登場し、最終的には人類の月面着陸へと繋がりました。

生成ＡＩも進歩の果てには、月面着陸並みの不可能を可能にするかもしれません。早くも化学分野では、新しい有機分子の設計をＡＩに行わせる試みが進んでいます。医薬品の開発が高速化すれば、遠い未来ではあらゆる疫病を根絶できるかもしれません。材料科学が発達すれば、ゴミ問題は終結するかもしれません。あるいは大規模な経済・社会統計データをＡＩで処理すれば、飢餓や貧困を無くせるかもしれません。戦争すら止められるかもしれません。

一方、悲観的な考え方もできます。

どれほど素晴らしい発明でも、経済的利益がなければ普及しないからです。

蒸気機関が実用化されたのは18世紀ですが、その歴史はもっと古いのです。紀元後の１世紀頃、古代ローマ属州時代のエジプト・アレクサンドリアのヘロンが

「アイオロスの球」[※5]と呼ばれる装置を文献に記しています。これは蒸気を吹き出すことで中央の球を回転させる、一種の蒸気タービンでした。

この装置が実際に制作されたかどうかは定かではありません。しかし人類はこの時代から、蒸気を動力源にできることを知っていたのです。

古代ローマで蒸気機関が普及することはなく、産業革命が始まるまでにざっくり2000年も待たなければなりませんでした。なぜなら、当時のローマでは貴重な薪を燃やして蒸気機関を動かすよりも、人間の奴隷を使ったほうが安上がりだったからです。

現在の生成AIが、素晴らしい技術革新であることは間違いありません。

とはいえ、「ありとあらゆる職業がAIに代替される」と断言することは早計でしょう。人間を使ったほうが安上がりな分野では、AIで代替することに経済的利点がありません。そういう分野では、生成AIは、「アイオロスの球」や平賀源内の「エレキテル」のような〝興味深いおもちゃ〟にしかならないでしょう。

たしかに生成AIは驚異的な発明品です。

しかし、人類社会が「驚異的な発明」と出会うのは、今回が初めてではないのです。むしろ人類の歴史は、驚くべき技術革新の連続でした。そうした発明に出

※5 アイオロスの球

会ったとき、人々はどのように反応し、社会はどのように変わったのか――。それを調べれば「生成ＡＩはこの世界をどう変えていくのか？」という疑問にヒントを得られるはずです。

反面、「今回だけは別」という主張もありえます。生成ＡＩは過去のどのような発明品にも似ていないという仮説です。この仮説の是非を検証するためにも、やはり歴史を振り返らざるをえません。

未来を占うために、過去への旅に出かけましょう。

◇

私の本業は作家・マンガ原作者であり、物語作家です。その私が歴史の本を書くことは、かなり勇気が要ります。専門分野の深い知識では、研究者には歯が立たないからです。むしろ作家業に要求されるのは、専門性とは真逆のできるだけ広くて浅い知識です。

したがって本書の難易度は、高校生程度を想定しました。世界史にまったく興味のなかった高校時代の私自身でも、楽しく読めることを意識しています。[※6]本書はあくまでも、この分野に興味を持ってもらうための1冊という位置づけです。

※6　付言すれば、こういう「通史モノ」は本来なら複数の著者で書くべきだろう。

本書を踏み台に、より厳密かつ深い内容の書籍へとステップアップしていただけたら嬉しいです。

第3章 活版印刷の発明──真の破壊的イノベーション……107

第4章 科学の発明──世界を変えた印刷物……137

第5章 鉄道の発明——マルサスの罠を打ち破る……209

第6章 コンピューターの発明——思考を代替するデバイス　271

第7章 インターネットの発明——情報の民主化の功罪　337

終章〈後編〉

AIは敵か？——超知能の登場する未来

第1章

火の発明

――ヒトをヒトたらしめたテクノロジー

火があればできること

「無人島に何か1つだけ道具を持っていけるとしたら、何を持っていくか?」という質問に、私は冗談めかして「マンガ『寄生獣』全巻」と答えています。

しかし、真剣に考えるのなら「火打石もしくは大きな虫眼鏡」になるでしょう。どちらも(たとえば「錐揉み式」などに比べて)熟練を要さない着火器具です。ライターやマッチのような燃料切れもありません。小学生の頃に、虫眼鏡で太陽光を集めて火を熾すというイタズラをしてこっぴどく叱られたのは、私だけではないでしょう。

火は、太古のテクノロジーです。

ヒトは食料がなくても、水さえあれば数週間は生きられます。が、煮沸消毒していない生水を飲むことは大変危険です。未加熱の食品を食べる実験では、栄養学上は充分なカロリーを摂取していたにもかかわらず、わずか12日間で被験者の体重が平均4・4キログラムも減少したという報告があります。[1] タンパク質もデンプン質も、生のままでは消化効率が悪いからです。「飲・食」のどちらでも、人類にとって火は必須です。

体温維持にも火は欠かせません。暑さなら服を脱いで日陰に入り、水浴びをすればしのぐことができるでしょう。ところが寒さはそうはいきません。風雨を防げるシェルターを作るだけでも、かなりの知識と経験が必要です。たとえそういう家屋を作ることができても、暖房なしで室温を維持するのは至難のわざです。

さらに、もしもその無人島にヒョウやオオカミ、クマのような肉食獣が生息していたら？　暗闇の中で地面に横たわって眠るのは、想像を絶するほど危険です。しかし、大抵の動物は炎を恐れます。燃えさしを投げつければ、追い払うこともできるでしょう。もちろん中には炎を恐れない個体もいるでしょうが、焚火の近くで眠るだけで安全性を大幅に高められます。

火は道具の制作にも役立ちます。たとえば木の棒を鎗ややすに加工する場合、石のナイフで削るのは重労働です。しかし、炎であらかじめ棒の一端を焦がしておけば、比較的簡単に尖らせることができます。植物の繊維を編んで紐を作ることができたとして、ナイフがなくても炎があれば切断できます。松脂などを接着剤として使用する場合にも、火で加熱できれば便利です。丸木舟を作る際にも、くり抜く部分をあらかじめ炎で焼いて炭化させておくという工法があります。

飲食・防寒・安全確保・道具加工――。火があるだけで、私たち人類の生存能力は格段に高まります。

じつのところ、火は最新のテクノロジーでもあります。

この原稿を書いているパソコンの電力は、大半は火力発電所で発電されています。原稿を書きながら私が飲んでいるコーヒーの豆は、ガソリンを燃やして動く船や自動車によってここまで運ばれました。身の回りの工業製品のうち、原材料の精錬から加工まで、火の熱エネルギーを使わずに作れるものはほとんどありません。スペースX社の最新鋭の宇宙船ですらロケット燃料を燃やして飛びます。

私たちは「火」という太古のテクノロジーから卒業できたわけではなく、その延長線上を生きているのです。

人類にとって、これほど大切な「火」——。

私たちは、いつから火を利用してきたのでしょうか？

私たちはどこから来たのか

チャールズ・ダーウィン[※1]が1859年に『種の起源』を刊行すると、西欧社会は衝撃に包まれました。じつのところ進化論——生物の種は別の種から生まれた

※1 チャールズ・ロバート・ダーウィン（1809年〜1882年）。自然科学者、地質学者、生物学者。『種の起源』を著して自然選択説を提唱した。

という発想――そのものは、ダーウィン以前から存在しました。たとえばジャン＝バティスト・ラマルク[※2]の「用・不用説」が有名でしょう。簡単に言えば、キリンの首が長くなったのは高いところのエサを食べるために首を伸ばし続けたからだ……という理論です。また、万物にはより高次の存在に進化したいと願う欲求のようなものがあるという、現代の水準で見ればオカルティックな理論もありました（詳しくは第4章で紹介します）。

比べると、ダーウィンの進化論――自然選択説――には神秘的な要素がありません。人間に身長の高い人と低い人がいるように、キリンの祖先には首の長さに個体差があったはずです。より首の長い個体のほうが、より高い場所のエサを食べることができ、敵の接近にも気づきやすかったので、より生き残りやすく、よりたくさんの子孫を残した。それが何百世代、何千世代も繰り返された結果、キリンの首は長くなったのだ――と、自然選択説では説明されます。

ダーウィンの進化論[※3]はオカルトや宗教的な要素を排した、史上初めての科学的な進化理論だったのです。

『種の起源』の中で、ダーウィンは人類の起源についてほぼ言及していません（それは後年の『人間の由来』で詳しく論じています）。にもかかわらず、自然選択説の示唆するところは読者の目には明らかでした。

※2
ジャン＝バティスト・ラマルク（1744年〜1829年）。フランスの博物学者。

※3
厳密には「ダーウィンとウォレスの進化論」と書くべきだろう。アルフレッド・ラッセル・ウォレスはダーウィンと同時代に類似の仮説にたどり着いた。自然選択説は当初、ダーウィンとウォレスの共同論文という形で発表された。詳しくは第4章を参照。

ヒトはサルから進化した——。

人類は神の姿に似せて創造されたと信じていた当時の大半の読者にとって、それはにわかには受け入れ難い発想でした。だからこそパニックとも呼べるほどの激しい反応を引き起こしたのです。

最近30年ほどで、人類進化のストーリーはかなり細かい部分まで解明されつつあります。しかし世間には、その知識があまり浸透していないようです。「直立二足歩行と大きな脳のどちらが先に進化したのか？」「サルとヒトの間には進化の〝失われた環（ミッシング・リンク）〟※4があるのではないか？」といった、19世紀と同様の疑問をしばしば目にします。

ここでは人類の進化史を、かいつまんで紹介しましょう。

入門編として、ここで登場する化石人類は3種類だけです。

第一に**アウストラロピテクス**。彼らは土踏まずのある扁平な足を持ち、直立二足歩行をしていた猿人です。しかし上半身はチンパンジーと同様、木登りに適した強靭な腕を失わずにいました。また脳の容量も（多少は多いものの）チンパンジーと大差ありませんでした。なぜ彼らは地上を歩き回るようになったのでしょう

※4 生物の進化史において、中間的な段階の種の化石が発見されていない場合、その間隙をミッシング・リンクと呼ぶ。『種の起源』が発表された当時は化石人類の発掘がほとんど進んでおらず、大型霊長類からヒトへと進化する中間的な段階の多くがミッシング・リンクになっていた。

か？

第二に**ホモ・エレクトス**。かつてはピテカントロプスと呼ばれていた原人です。私たち人類は、かぎ爪も牙もない非力な動物だと考えられがちです。しかし1つだけ、どんな哺乳類にも負けない身体能力があります。それは長距離走の能力です。ホモ・エレクトスの時代には長距離走に適応した身体的特徴が出揃っており、くびれた腰や長い手足など、現代人と変わらない体つきになっていました。いったい何のために私たちはこんな体を手に入れたのでしょうか？

第三に、**ホモ・ネアンデルターレンシス**。ネアンデルタール人の名前で親しまれている旧人です。彼らの脳容量は平均1450㎖に達し、私たちホモ・サピエンスの平均1350㎖を上回っていました。にもかかわらず、彼らの道具は私たちほど創意工夫を凝らしたものではなく、また、装飾や葬儀などの文化的習慣もあまり発達していませんでした。いったいどこに彼らと私たちの違いがあったのでしょうか？

大型霊長類が膝を伸ばす

約１６００万年前、地球はサルの惑星でした。

温暖な気候により、アフリカやヨーロッパからユーラシア大陸の東端まで巨大な森林に覆われていたのです。私たち大型霊長類はこの森林の中で誕生し、大いに繁栄したようです。

その後、地球の寒冷化と乾燥に伴い、大陸の中央から森林が失われていきました。その結果、大型霊長類たちは残った森林に「取り残される」ことになりました。

現生の大型霊長類は（ヒトを除けば）、アフリカの森林地帯に生息するゴリラやチンパンジーの仲間と、東南アジアのスマトラ島およびボルネオ島に生息するオランウータンが生き残っています。彼らの祖先はインド洋を泳いで渡ったわけではなく、かつては１つの巨大森林に暮らしていた祖先が、別々の「飛び地」に分断されたことで、それぞれの地域で独自の進化を遂げたのです。

サルの楽園だった巨大森林の中で、私たちの祖先はある重要な特徴を身に着けました。それは「膝をまっすぐに伸ばせること」です。もともとは樹冠（じゅかん）で、より遠くの枝へと移動することに便利だったと考えられています。ただ腕を伸ばすだけでなく、膝も伸ばせれば、より遠くの枝へと手が届くわけです。

この「膝をまっすぐに伸ばす」という特徴を身に着けたからこそ、私たちは直立二足歩行が可能になりました。ヒト以外では、オランウータンもこの特徴を残しています。YouTubeで検索すると、動物園のオランウータンが（まるでヒトのように）膝をまっすぐに伸ばして二足歩行している動画を見つけることができます。

よりヒトに近縁のゴリラやチンパンジーでは、この特徴は失われてしまいました。彼らはナックルウォーク――前肢をじゃんけんの「グー」の形にして、四つ足で歩く歩行法――に適応した結果、膝を伸ばすという特徴を失ったのです。こちらもやはり、YouTubeを検索すると動物園で飼育されている個体の動画がたくさん見つかります。それらを見ると、膝をまっすぐに伸ばせないため、二足歩行をしようとしても前屈（まえかが）みの不安定な姿勢になってしまうことが分かります。

私たちが共通祖先から分かれた時期については、いまだに議論が続いています。少なくともゴリラの仲間は、ヒトとチンパンジーよりもひと足先に分岐したようです。また、チンパンジーとヒトが分岐した時期は、遺伝学的な研究ではおよそ500万年前だと計算されています。が、正確な年代は今でも結論が出ていません。[2]

　一方、化石の記録はもっと古く、2001年にアフリカのチャドで発見されたサヘラントロプス・チャデンシスのものは、少なくとも600万年前、ことによると720万年前のものだと推測されています。[3] この他にもケニアでは「ミレニアム・マン」というニックネームで呼ばれる610万～572万年前の化石が出土しました。[4] また、エチオピアでは「カダバ」の名で呼ばれる化石が出土しました。こちらは577万～554万年前のものだと見られています。[5] いずれも直立二足歩行していた可能性があります。

　もちろん、こうした年代測定はどれほど正確でも数十万年の誤差があるものです。したがって、これらの化石人類が私たちの

ヒト亜科の分岐図

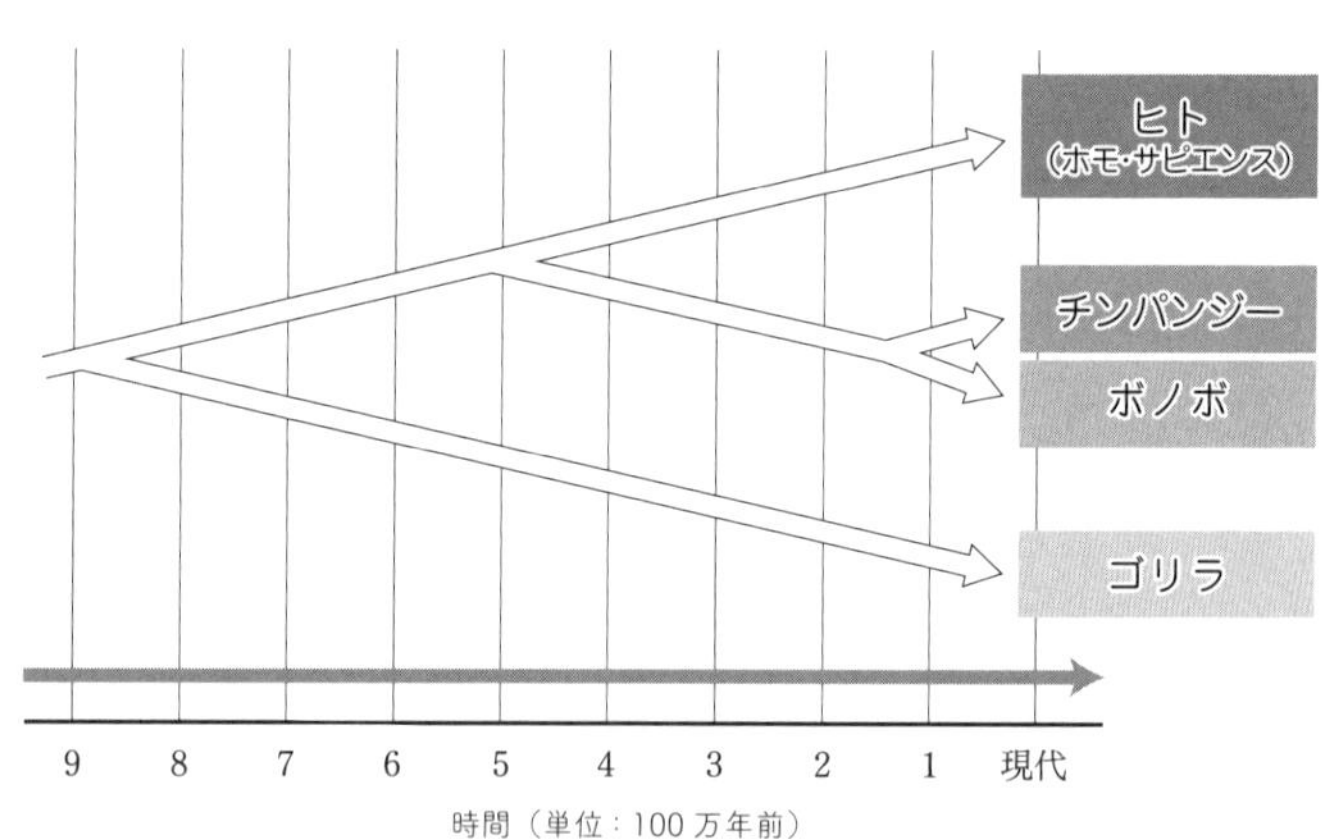

直接の祖先だと見做すことが定説になっているようです。

反面、もしも遺伝学的研究と化石の年代測定のどちらも正しいとしたら、彼らは、私たちとは直接の血の繋がりはないことになります。現代でこそホモ・サピエンスしか生き残っていませんが、もしかしたら700万〜500万年前のアフリカでは「直立二足歩行する大型類人猿」は、さほど珍しい存在ではなかったのかもしれません。

直立二足歩行の利点とは？

チンパンジーは縄張り意識の強い動物です。群れから群れへと移動できるのは若いメスだけで、もしも孤立したオスが不運にも他の群れのチンパンジーたちに出会ってしまった場合、暴力的な襲撃を受けて、最悪の場合には殺害されてしまいます。[※5]

私たちとチンパンジーの共通祖先も、同じくらい縄張り意識の強い動物だったかもしれません。だとすれば、私たちの祖先は競争に負けて森の中心部にいられなくなった「弱い集団」だった可能性が高い。なぜなら直立二足歩行は、森の外

※5 ―― 最近ではNetflixのドキュメンタリー番組『チンパンジーの帝国』で、この様子が詳しく描かれていた。ややチンパンジーを擬人化しすぎているようにも感じたが。

縁部の木々がまばらで草原と接しているような環境――ゴリラやチンパンジーが好まない環境――に適応した特徴だからです。

森林の中心部では、地上の水平方向の移動だけでなく、樹冠と地上との上下方向の移動――三次元的な移動能力が重要になります。一方、木々がまばらになると、上下移動の重要性は下がります。枝から枝へと飛び移ることが難しくなり、地上を歩く時間が長くなります。

また森林外縁部では、エサを探して移動しなければならない範囲も広がります。密林の中心部では、果物や若葉、昆虫、小動物などのエサとなりうるものが三次元的に分布しています。一方、樹木が減るほど、利用可能な資源は地面近くに――二次元的に配置されることになります。同じ量の資源を獲得するためには、より広い範囲を移動する必要があるはずです。

直立二足歩行は、このような環境に適応した移動方法です。

まずエネルギー消費の面で、どうやら私たちの直立二足歩行はゴリラやチンパンジーのナックルウォークよりも効率がいいらしいのです。[6] 全身の筋肉を使うナックルウォークに対して、手足を振り子のように使うことで余計なカロリーの消費を抑えることができるようです。

また、資源探索の面でも直立二足歩行には見逃せない利点があります。単純すぎてバカバカしく感じる話ですが、両手が自由になることで、よりたくさんのエサや荷物を運べるようになります。

日本では2020年よりレジ袋が有料化されましたが、両手と両脇を使えばかなりの量の荷物を袋なしでも運べるのだ……と実感した読者は多いはずです。たとえばラッコは、自分のお気に入りの石を脇の下に挟んで持ち歩きます。チンパンジーと同程度の知性を持っていた初期人類もごく原始的な道具は使っていたはずで、愛用の石や棍棒(こんぼう)を脇に挟んで歩き回っていたかもしれません。

さらに、視点が高くなることも直立二足歩行の利点の1つです。この時代のアフリカは、霊長類にとって危険な場所でした。現在のライオンやオオカミ、ハイエナの祖先たちや、サーベルタイガーなどの肉食獣がうじゃうじゃと生息していたのです。大型の猛禽(もうきん)類に襲われたアウストラロピテクスの子供の化石も出土しています。[7] 視点が高くなれば、そうした外敵にもいち早く気づくことができたでしょう。

加えて、直立二足歩行なら日光の投射面積を小さくできるという利点もあります。

哺乳類は体温を維持する能力があるため寒さに強く、恐竜を絶滅させたK－Pg境界[※6]の気候変動を生き延びました。ところが私たち哺乳類の恒温性には思わぬ欠

※6 地質年代区分のうち、約6500万年前の中生代と新生代の境目を指す。巨大隕石の衝突による気候変動などにより(鳥類を除く)恐竜が絶滅した。K－T境界とも呼ばれる。

点がありました。体がオーバーヒートしやすく、最悪の場合には自分自身の体温で死に至る——熱中症の危険性があるのです。

これはサバンナや森の外縁部のような、木陰の少ない環境では深刻な問題です。ただでさえ日中の気温が高いだけでなく、四つ足歩行では背中全体を太陽に熱せられてしまうからです。そのためライオンを始めとした肉食獣たちは、気温の低い明け方や夕方、夜間に狩りを行います。熱中症を避けるために日中は木陰で休んでいます。

一方、直立二足歩行なら、四つ足歩行に比べて日光の当たる面積が小さく、太陽熱による体温上昇を最小限にできます。肉食獣たちが暑さでへばっている日中にも活動しやすくなるのです。外敵に襲われるリスクを減らしながら、エサを求めて歩き回ることが可能になります。

以上のように、森の外縁部では直立二足歩行の得意な個体のほうがより生き残りやすくなり、より多くの子孫を残したのです。「大きな脳と直立二足歩行のどちらが先か?」という疑問の答えは、現在では明確に出ています。直立二足歩行が先であり、それは木々の少ない開けた環境への適応でした。

アウストラロピテクスの繁栄

直立二足歩行をする霊長類の中で、この時代にもっとも成功した動物がアウストラロピテクスです。およそ400万〜100万年前のアフリカに暮らしていた**猿人**です。現生のホモ属が私たちサピエンス1種なのに対して、アウストラロピテクス属には約10種が知られています。彼らはまず間違いなく、私たち現生人類の祖先だと見做されています。

とはいえ、もしも彼らが今もまだ生き残っていたとしても、人間として選挙権を認められることはなく、動物園で飼育されることになったでしょう。その外見は「直立二足歩行するチンパンジー」という形容がぴったりでした。

アウストラロピテクスの体毛はまだ薄くなっておらず、全身が毛皮で覆われていたと想像されています。脳容量は（やや大きいものの）チンパンジーと同程度で、口吻（こうふん）※7はゴリラやチンパンジー、オランウータンと同様に大きく前に突き出していました。平均身長は1・1〜1・4メートルほど。[8] 現代の私たちのように俊敏に走ることはできず、敵に襲われたときや夜間の就寝時には木に登って安全を確保し

※7 口の周りの飛び出した部分のこと。愛犬家なら「マズル」という呼び方のほうが馴染み深いかもしれない。

ていたと見られています。

その一方で、アウストラロピテクスは私たちにも共通する特徴を、すでに数多く持っていました。先述の通り土踏まずのある扁平な足を持ち、後肢で枝を掴めるという類人猿の特徴を失っていました。骨盤はお椀やボウルのように広がっており、直立した際に内臓を下から支えることができました。一歩ごとの衝撃を吸収できる、大きく発達したかかとの骨を持っていました。直立時に上体を安定させることに役立つ（横から見ると）弓型にカーブした腰椎を持っていました。[9] これらの特徴は私たちホモ・サピエンスにも受け継がれています。

アウストラロピテクスの生態を、その骨格から推測してみましょう。

彼らはがっちりした頬骨と大きな臼歯※8を持っていました。また、理科室の骨格標本を見たことがある人なら分かる通り、ホモ・サピエンスの肋骨は樽のような形状に組み立てられています。一方、アウストラロピテクスの肋骨は裾の広がった、逆さにしたプリンカップのような配置でした。これは彼らの消化器官が（体重比で）現生人類よりも大きかったことを示唆しています。彼らは長く頑丈な胃腸を持っていたのです。

ここから、彼らがかなり硬いものを食べていたことが想像できます。

チンパンジーは果実を主食としています。一方、森林を追われたアウストラロ

※8 奥歯のこと。

ピテクスたちは、デンプン質の多い塊茎（かいけい）や根を主食にしていたと見られています。[10]大きな臼歯と頬骨は、食物繊維の多いエサを時間をかけて噛み砕くことに役立ったはずです。

脳の容量から言って、アウストラロピテクスはチンパンジーと同じかそれ以上に賢い動物だったはずです。地上に見えている植物から地下の様子を想像してエサを探すことなど、お手のものだったでしょう。木の棒などを道具として使って、土を掘り返すくらいのこともできたはずです。

隠れ家の多い森林に比べて、開けた場所では肉食獣に襲われるリスクが高くなります。このような場合、哺乳類は群れのサイズを大きくすることで対抗します。[11]個体数が増えるほど外敵に襲撃されにくくなるからです。これがアウストラロピテクスにも当てはまるとしたら、彼らはチンパンジーよりも大きな群れを作っていたかもしれません。それが、ホモ属の協調性や協力行動の萌芽に繋がったのかもしれません。

約500万年前、私たちの祖先はチンパンジーの祖先とは別の道を歩み始めました。そして約400万年前にはアウストラロピテクスが現れ、ホモ・サピエンスへと続く進化の旅の第一歩を踏み出したのです。2本の足で。

ホモ・エレクトスと持久狩猟

17世紀の哲学者ブレーズ・パスカルは「人間は考える葦である」と述べました。ここには、人類の最大の武器は知性であり、肉体は脆弱だという暗黙の了解が横たわっています。ヒトにはかぎ爪も牙もありません。イヌのような嗅覚も、ウサギのような聴覚もありません。身体能力では劣るものの、知性のおかげでどうにか生き延びることができた――。パスカルに同意する人は多いでしょう。

しかし肉体的に脆弱であるという見方は、誤りです。じつは人類には、コウモリの飛行能力やイルカの遊泳能力に匹敵するほどの、哺乳類で随一の身体能力があるのです。

それが長距離走の能力です。

2020年のコロナ禍で外出制限がなされたとき、運動不足解消のために私はルームランナーを買いました。そして驚くべきことに、時速10~12キロメートルで、20~30分間も走り続けることができたのです!

なぜ驚くべきかと言えば、私は大の運動音痴だからです。

小中学生の頃には、いつも体育の授業をサボる理由を探していました。現在の職業は作家であり、1日の大半をパソコンの前で座って過ごす小太りの中年男性です。これほど条件の悪い個体でも、ヒトは4〜6キロメートル程度であれば有酸素運動で走り抜くことができるのです。野生のチンパンジーの1日の移動距離が平均2〜3キロメートルにすぎないことを考えると、これは驚異的な移動能力だと言えます。

たとえばアキレス腱を考えてみましょう。ヒトの成人は長さ10センチメートルを超える巨大なアキレス腱を持ちます。一方、ゴリラやチンパンジーのそれは1センチメートルにも満たず、アウストラロピテクスも大差なかったと考えられています。[12] 直立二足歩行をするだけなら、アキレス腱はさほど重要ではありません。これが真価を発揮するのは走行時です。アキレス腱がバネとして働くことで、走るときの力学的エネルギーの約35%を蓄えたり放出したりできるのです。

人体で最大の筋肉は大臀筋(だいでんきん)——すなわち、お尻の筋肉です。これも歩行時にはさほど使われていません。この筋肉が役立つのはやはり走行時で、着地時に固く引き締まることで、上体を安定させる機能を果たします。私たちが転倒せずに走れるのは大臀筋のおかげです。

さらに三半規管も、私たちは他の霊長類より発達しています。たとえば公園でジョギングしているポニーテールの女性を思い浮かべてください。彼女の髪は激しく上下左右に揺れているはずです。本来であれば、頭部全体に同じだけの揺れが加わっています。それでも彼女が目を回さないのは、三半規管が敏感に揺れを感知して、それを打ち消すように首や目の筋肉が働いているからです。歩くだけなら、これほど高性能のジャイロセンサーは必要ありません。

約190万年前に現れた**原人**のホモ・エレクトスは、これらの身体的特徴をほぼすべて身に着けていました。脳容量こそ約1000㎖と現代人の4分の3ほどしかありませんでしたが、四肢のプロポーションは私たちとほぼ同じになっていました。もしも彼らが現代まで生き延びていたとして、銀座や原宿で売っている衣服を難なく着こなすことができたはずです。

化石に残らない体毛や汗腺も、ホモ・エレクトスは現代人と同様になっていただろうと推測されています。

じつは皮膚1平方センチメートルあたりの毛根の密度は、ヒトとチンパンジーにさほど違いはありません。私たちの表皮が露出しているのは、毛の1本ずつが細いからです。また、汗腺も発達しており、大量の汗をかくことで体温を下げることができます。ヒトは哺乳類の中では極めて暑さに強い動物なのです。

先述の通り、哺乳類には体がオーバーヒートしやすいという欠点があります。汗をかくのが苦手な四つ足歩行の動物の場合、浅い息を繰り返すことで体内の熱を放出します。あなたが愛犬家であれば、ハアハアと荒い息をして体を冷ますイヌの姿を見たことがあるでしょう。ところが四つ足の動物では肺が足の動きの影響を受けるため、襲歩（ギャロップ）で走行しているときにはこの呼吸法ができなくなり、体を冷やせなくなるのです。

したがって四つ足の動物が狩りをする場合、あるいは敵から逃げる場合には、襲歩による高速走行と涼しい場所での休憩を繰り返す必要があります。体温を下げて、乳酸を始めとする疲労物質が筋肉から洗い流されるのを待たなければなりません。

もちろんヒトも全力疾走時には無酸素運動になります。しかしその間も、汗をかいて体を冷やし続けることができます。有酸素運動から無酸素運動に切り替わる走行速度も、他の哺乳類に比べて高めです。

2004年のアテネオリンピック・女子マラソンは、気温30度を超える猛暑の中で行われました。[※9] この過酷なレースを野口みずき選手は2時間26分20秒で駆け抜けて金メダルに輝きました。こんな芸当ができる哺乳類は、ヒト以外に存在し

※9 乾燥した地中海性気候であるギリシャと単純な比較はできないが、気温だけなら2021年の東京五輪のマラソン（会場は札幌）よりも高かったことになる。

ません。

この並外れた長距離走の能力は「持久狩猟」に役立ったので発達したと考えられています。これは原始的な狩猟法の1つで、獲物が熱中症で倒れるまで炎天下で何時間も追いかけ続けるという方法です。

もちろん全力疾走するシマウマやレイヨウに、ヒトは追いつけません。しかしヒトは（イヌのような嗅覚がなくても）優れた視覚と知能でアニマル・トラッキングを行い、獲物の休憩場所を探し当てることができます。獲物に休む暇を与えず、暑さで身動きが取れなくなったところを、石や棍棒で撲殺して仕留めるわけです。この方法なら鋭い牙もかぎ爪も必要ありません。

BBCのYouTubeチャンネルでは、現代のアフリカのサン族の持久狩猟を撮影したドキュメンタリー番組が公開されています（動画内では8時間にわたって獲物を追いかけています）。※10[13] おそらくホモ・エレクトスも似たような方法で狩猟を行っていたのでしょう。アウストラロピテクスの時代には、私たちの祖先は草食中心の雑食性でした。しかしホモ・エレクトスの時代には、捕食者（プレデター）として進化していたのです。

※10 とはいえ動画の中のサン族の人々は、ゴム底のスニーカーを履き、プラスチック製の水筒を装備している。長距離走で獲物を追うという点は同じでも、細部は現代のテクノロジーでアップデートされている。

遅すぎる技術革新

ホモ・エレクトスは握斧(ハンドアックス)と呼ばれる石器を制作していました。これは獲物の解体などに使われていたと推測されています。

残された石器を見ると、技術の進歩に数十万年という単位で時間がかかったことが分かります。インテルのプロセッサが過去50年でどれほど進歩したかを考えると、技術革新の遅さに驚かされます。

彼らの名誉(?)のために言えば、綺麗な握斧を作るのは現代人でも難しく、熟練が必要です。しかし彼らに、現代人と同じような創意工夫の才能があったとは思えません。どちらかと言えば「大人の作っている石器を子供が真似して作っていただけ」ではないでしょうか。そして模倣の過程でコピーのエ

コンソ遺跡のアシューリアン石器の変遷。右下から左上に、約175万年前、160万年前、125万年前、85万年前のハンドアックス(提供:諏訪 元[東京大学総合研究博物館・特任教授])

ラーが起きて、偶然にも「以前よりもちょっといい作り方」が生まれたら、それが集団内に広まっていったのではないでしょうか。

ホモ・エレクトスの技術の進歩には、現代人の創意工夫とは違うメカニズムが働いていたはずだと、私には思えます。

ホモ・エレクトスは成功した動物でした。ジャワ原人や北京原人という名前を聞いたことがある読者は多いでしょう。それらも現在ではホモ・エレクトスに分類されています。つまり彼らはアフリカを出て、はるか彼方の極東アジアにまで生息域を広げていたのです。ジャワ島では11万年前まで生息していたようです。[14]ホモ・サピエンスが現れたのがざっくり20万年ほど前ですから、彼らは私たちの9倍ほども長く生き延びたことになります。

彼らの繁栄に知能が必要なかったとは言いません。しかし、ホモ・エレクトスの成功の一番の要因は、人間らしい創意工夫の才能ではなく、哺乳類最強の長距離走の能力でした。

毎晩、風呂場で自分のアキレス腱を見るたびに私はこう感じます。

人間は考える脚である、と。

ネアンデルタール人の盛衰

ホモ・エレクトスはあまりにも広く分布していたので、彼らがそれぞれの地域で、それぞれの環境に適応して現生人類へと進化したのだと、かつては考えられていました。モンゴロイドやニグロイド、コーカソイドのような「人種」は、それぞれ独自にホモ・エレクトスから進化したという仮説です。これを**多地域進化説**と呼びます。

20世紀末の分子生物学と遺伝学の進歩により、多地域進化説は現在ではほぼ完全に否定されています。ＤＮＡの突然変異は一定の頻度で起きるので、誰と誰がどれくらい近縁で、どれほど昔に共通の祖先を持つのか、はっきりと分かるのです。

その結果、今の地球上で暮らすすべての人類は30万〜20万年前のアフリカに暮らしていた1万4000人ほどの集団から生まれたことが分かりました。彼らこそが最初のホモ・サピエンスでした。さらにその集団から、わずか3000人ほどが10万〜8万年前にアフリカを出て、全世界に広まったことが分かっています[15]。

長きにわたる論争に終止符が打たれ、現生人類はアフリカに共通の祖先を持つという仮説——**アフリカ単一起源説**が勝利を収めました。

人類が「出アフリカ」を果たしたのはホモ・エレクトスのときの1回きりではありませんでした。新しい人類がアフリカで現れては、何度も繰り返しシナイ半島を越えて世界中に広まったのです。

ネアンデルタール人——ホモ・ネアンデルターレンシスも、アフリカを旅立った人類の一種でした。およそ23万～4万年前まで生きていた**旧人**です。[16] 遺伝的にホモ・サピエンスの祖先と分岐した時代はもっと古く、80万～40万年ほど前に枝分かれした別の集団から進化しました。[17] 彼らは中東から西ヨーロッパにかけて広がり、ホモ・サピエンスと同時期に同じ場所で暮らしていました。

簡単に覚えられるネアンデルタール人とホモ・サピエンスの見分け方は「おとがい」の有無です。私たちの頭蓋骨は顎（あご）の先端が小さく飛び出しています。この突起をおとがいと呼びます。おとがいはホモ・サピエンスの特徴で、とくに成人男性で大きく発達します。一方、ネアンデルタール人にはこれがありません。もしも博物館などで彼らの頭蓋骨を見る機会があれば、ぜひ確認してみてください。

ネアンデルタール人とホモ・サピエンスは近縁種であり、混血が可能でした。

現代人の多くが、わずかですがネアンデルタール人由来のＤＮＡを持っています。また、アジアの一部ではネアンデルタール人の姉妹集団であるデニソワ人とも混血したようです[18][19]。

私たちホモ・サピエンスとネアンデルタール人はどこが違ったのでしょうか？なぜ絶滅したのは彼らであり、生き残ったのは私たちだったのでしょうか？

この疑問に誠実に答えようとすると「よく分からない」という回答になってしまうでしょう。もちろん解剖学的には（先ほどのおとがいを筆頭に）様々な差異があります。それでも、そうした差異は微々たるもので、私たちと彼らはチワワとチベタン・マスティフほども違いません。

何より注目すべきは行動です。初期のホモ・サピエンスは、現代の私たちとは行動が大きく異なりました。現代人のような創意工夫を重ねた道具制作をせず、装飾品を身に着けず、壁画を描かず、彫像を彫らず、土偶を作らず、死者の埋葬ですら10万〜9万年前まで行っていなかったようです[20]。その埋葬行為も、死者を悼むものだったのかどうかは定かではありません。副葬品がないからです。ただ単に、腐敗による悪臭を防ぎたいとか、屍肉を狙う肉食獣が集まるのを防ぎたいとか、そういう実用上の目的から死体を埋めた可能性も否定できません。

約20万年前に誕生したホモ・サピエンスは、最初から現代人のような認知能力と「心」を持っていたわけではないのです。[※11]

そして、それはネアンデルタール人も同様でした。

もちろん彼らは祖先のホモ・エレクトスに比べて、はるかに洗練された道具を使っていました。有名なものでは、たとえばムスティエ文化の尖頭器があります。これは石を薄く加工して刃をつけたもので、槍の先端に取り付けて使ったようです。ひと目見ただけで、制作には熟練した技術が必要だと分かります。

彼らはマンモスのような大型哺乳類を主な獲物としており、至近距離から槍を投げつけて奇襲攻撃を仕掛けていたようです。[21] これはかなり危険な狩猟法だったようで、複数ヶ所の骨折や失明を伴う重傷を負ったネアンデルタール人の骨が見つかっています。

それら重傷者のうち、怪我を負ってから何年も生きたことが明らかな骨も出土しています。つまりネアンデルタール人は、体が不自由になった仲間の世話を焼いていたのです。現代人の「思いやり」に近い感情が、彼らにもあったのかもしれません。[22] ネアンデルタール人は死者の埋葬も行っていたようです。[※12]

さらに2018年には、スペインの3つの洞窟で発見された壁画が6万5000年以上前のものだという推定結果が発表されました。[23] この時代の

※11 ここで列挙したような現代のホモ・サピエンスを特徴付ける行動を「現代的行動」と呼ぶ。考古学や人類学では、現代的行動を持たなかった初期のホモ・サピエンスを「早期現生人類」と呼び、私たち現生人類とは区別する。解剖学的には同じホモ・サピエンスでも、行動があまりにも違うからだ。

※12 ただし、これは同時期のホモ・サピエンスによる埋葬行為と同様、「死者を悼む気持ち」があったかどうかまでは分からない。

ヨーロッパにはまだホモ・サピエンスは到達していなかったと見られており、もしも年代測定が正しければ、この壁画を描いたのはネアンデルタール人だったということになります。後述しますが、私たちホモ・サピエンスが多数の芸術品を残し始めるのは約4万年前からです。つまり、彼らは私たちよりも2万年以上も早く芸術活動を始めていたことが示唆されます。

歴史は勝者により語られます。私たちは絶滅しなかった勝者であり、ネアンデルタール人は生き残れなかった敗者です。そのため私たちは、つい「ネアンデルタール人よりもホモ・サピエンスは何らかの点で優れていたから生き延びることができた」というストーリーを思い浮かべてしまいがちです。

しかし技術の面・精神面・文化の面のいずれでも、ネアンデルタール人が同時期のホモ・サピエンスに比べて劣っていたという証拠はないのです。

私たちホモ・サピエンスが「現代人らしい行動」の萌芽を見せるのは、早くとも約10万年前です。この時代のアフリカや中東からは、穴を開けた貝殻をレッドオーカーという顔料で着色したビーズが発見されており、これは装飾品として用いられたと考えられています。[24] 装飾品の存在は、この時代のホモ・サピエンスが「他者から自分がどう見えるか」を認識する能力と「他者からの評価をよくしたい」という願望を身に着けていたことを意味します。

現代人らしい行動の証拠が急速に増え始めるのは、ざっくり4万年前からです。約4万5000年前には、動物の歯のビーズ（ブルガリア）や骨製のフルート（ドイツ）が作られていました。4万年前には、オーストラリアや南アフリカで死者の埋葬が行われていた可能性があります。さらに3万5000年前の縫い針がジョージアで発見されており、この時代には人類はまず間違いなく衣服を着用していました。この時代以降、洞窟壁画が爆発的に増えていきます。[25]

誕生当初は他のホモ属と変わらない行動をしていたサピエンスは、10万〜4万年前の期間に大きく認知能力を進化させ、現代人と同様の「心」を持つに至ったのです。

この期間に何が起きたのでしょうか？

「トバ・カタストロフ理論」という仮説があります。7万3500（±2000）年前に、インドネシア・スマトラ島のトバ火山が大爆発を起こしました。このときにできたトバ・カルデラは世界最大のカルデラで、阿蘇カルデラや屈斜路（くっしゃろ）カルデラよりもはるかに巨大——と書けば、日本人にはその爆発の凄まじさが想像しやすいのではないでしょうか。吹き上げられた火山灰は太陽光を遮り、千年単位で地球の寒冷化と気候変動をもたらしたと考えられています。[26]

この環境激変が強烈な選択圧[※13]となり、ホモ・サピエンスの認知能力の進化をうながした――。

これがトバ・カタストロフ理論です。

先述の通り、現代の私たちはごく少数の集団を共通祖先として持ちます。これは、当時のホモ・サピエンスの大半がトバ火山の噴火の影響で死滅してしまい、わずかに生き残った人々が私たちの先祖だったから――と、考えられるのです[27]。

同時代のネアンデルタール人も、同じ気候変動を経験しました。しかし彼らには、私たちのような認知能力の進歩は起きなかったようです。彼らは私たちと同等かやや大きい脳を持っていました。脳の大きさだけで言えば、人類を月面に送り込み、インターネットで世界を繋ぎ、ChatGPTを開発したのが彼らだったとしてもおかしくありません。

ところがネアンデルタール人は弓矢や銛(もり)を発明することもなく[28]、ホモ・サピエンス並みに芸術活動を百花繚乱させることもありませんでした。約4万5000年前にホモ・サピエンスの集団がヨーロッパに到達したとき、ネアンデルタール人の人口はすでに減少傾向で絶滅の途上にあったので[※14]す[29]。

※13 「選択圧」とは、自然選択の強さを示す概念。環境が過酷で、ごく限られた形質の持ち主しか生き残れないような状況を「選択圧が高い」と言い、そうでない状況を「選択圧が低い」と言う。

※14 余談だが、ホモ・サピエンスとネアンデルタール人を分けたのは言語の有無だったという仮説がある。喉の解剖学的な特徴を比較すると、ネアンデルタール人に比べて、私たちホモ・サピエンスのほうが複雑な音声を発音可能だからだ[30]。しかし、この仮説に私は懐疑的だ。詳しくは第2章「文字の発明」で考察する。

私たちはいつ「火」を発明したのか

以上の3つの化石人類――アウストラロピテクス、ホモ・エレクトス、ネアンデルタール人――の名前を知っていれば、考古学や人類史のニュースを最低限は読み解けるようになります。入門編としては、まずはこの3種を覚えるといいでしょう。

さらに、アウストラロピテクスとホモ・エレクトスの中間的な種として「ホモ・ハビリス」が知られています。体つきはアウストラロピテクスに似ていましたが、石器を使って石器を作る――すなわち「道具の二次制作」を行っていた証拠が見つかっています。チンパンジーやカラスを始め、道具を使う野生動物はさほど珍しくありません。しかし、道具の二次制作を行うのはヒトだけの特徴とされています。

また、ホモ・エレクトスとホモ・サピエンスの中間的な種として「ホモ・ハイデルベルゲンシス」という名前を覚えておいてもいいでしょう。これは私たちホモ・サピエンスとネアンデルタール人との共通祖先だと見做されています[31]。ホモ・エレクトスはまずホモ・ハイデルベルゲンシスに進化し、そこからサピエンスとネアンデルターレンシスに分岐したわけです。

つまり私たちの進化を大雑把にまとめるなら‥

①チンパンジーとの共通祖先である大型類人猿→②アウストラロピテクス→③ホモ・ハビリス→④ホモ・エレクトス→⑤ホモ・ハイデルベルゲンシス→⑥ネアンデルタール人と私たちホモ・サピエンス……というストーリーになります。

ややこしくなるのはここからです（すでに充分ややこしいかもしれませんが）。

まず、ネアンデルタール人を（私たちとは別種ではなく）ホモ・サピエンスの亜種だと見做す研究者がいます。また、ホモ・ハイ

人類の起源

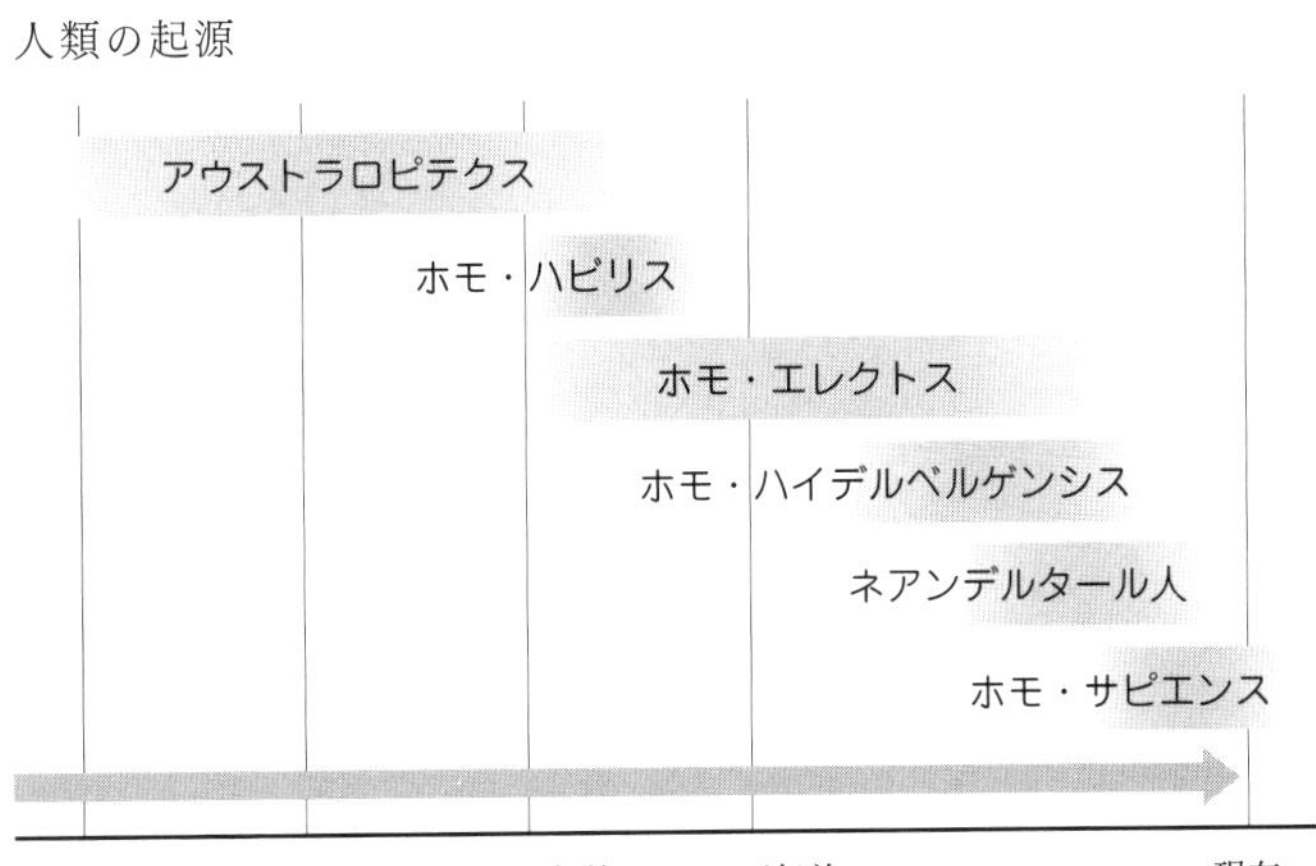

デルベルゲンシスをホモ・エレクトスの亜種だと見做す研究者もいます。さらに、ホモ・エレクトスのうち（北京原人やジャワ原人とは違い）アフリカに残った集団を、ホモ・エルガステルという別種として扱う研究者もいます。

このような学名・分類の混乱が生じるのは、化石の数が豊富で、なおかつそれぞれの解剖学的な差異が小さいからです。いわばグラデーションを描いているので、専門の研究者から見てもどこで「別種」の線引きをすればいいのか議論が分かれてしまうのです。もはや人類の進化に「失われた環（ミッシング・リンク）」は存在しません。[32]

ここまでの話を前提知識として、ようやく「私たちはいつから火を使っているのか？」という当初の疑問に答えることができます。

火を操ることは、かなり難しい技術です。

今の日本に、木の棒を板にこすりつける「錐揉み式」で着火できる人が何人いるでしょうか。冒頭で私が無人島に持っていくと述べた虫眼鏡など論外です。ガラス製の凸レンズなど、人類が進化した太古のアフリカには存在しませんでした。たとえ火打石を拾ったとしても、薪の上でどんなに火花を散らしても火はつきません。燃えやすい火口（ほくち）にまず着火して、それを少しずつ大きな燃料へと引火させて育てていくという技術を学ぶ必要があります。

実際、着火技術はあまりにも難しく、それを失ってしまった狩猟採集民族もいました。アンダマン諸島の先住民族、アマゾンのシリオノ族、スマトラ島のアチェ族などは自力では火が熾せなくなったため、種火を絶やさないよう大切に燃やし続け、もしも嵐などで消えてしまったときには種火を維持している他の集団を探しに向かいました[33]。

こうした事情から、火の利用は人類の知性の象徴のように見做されがちです。進化の物語の終盤近くで、具体的にはネアンデルタール人やホモ・サピエンスになってから使い始めたのだろうと考える研究者が珍しくなかったのです。たしかにネアンデルタール人や、行動が現代化しつつあった10万年前以降のホモ・サピエンスでは、火を利用していた明白な考古学的証拠が多数見つかっています[34]。

ところが――。

「火の管理」は難しくても、「火の利用」にはさほど高い知能は必要ないようです。オーストラリア・ノーザンテリトリーのアボリジニの間では、古くから「火を使う鳥」の伝承がありました。乾燥したオーストラリア北部ではしばしば自然発火により山火事が起きます。少なくとも3種類のトビの仲間が、燃えさしを嘴(くちばし)や足で運んで、意図的に山火事を広げることが確認されているのです。これはエサとなる小動物を炙(あぶ)り出すためだと考えられています[35]。

また、「調理済みの食べ物を好む」という性質を、人類は火を使い始める以前から持っていた可能性があります。

あなたがヴィーガンでなければ、肉や魚の焼ける匂いだけで食欲が増し、空腹を覚えるでしょう。炭火で焼かれる肉を想像してください。表面にはぷくぷくと脂の小さな泡が浮かび、肉汁がしたたり落ちるたびに、ジュワッと音が鳴る――。そんな光景を思い浮かべるだけで、私はよだれが溢れてきます。あるいは野菜でも、火を通したほうが美味しくなるものは多いでしょう。トマトが苦手だという人でも、生のサラダは無理でも火を通したものであれば食べられるという人をしばしばお見かけします。

このような「調理済みの食べ物を好む」という特徴は、ヒトが火を使うようになったことで身に着けた性質だろうと私は考えていました。ところが、そのはるか以前から私たちは焼肉が好きだった可能性があるのです。

火を通すとあらゆる食材が柔らかくなり消化が容易になります。デンプン質もタンパク質も吸収されやすくなります。火を通したエサを与えると、ウシやヒツジなどの家畜は成長が速くなり、イヌやネコなどのペットは太りやすくなります。昆虫ですら、調理済みのエサを与えたほうが盛んに繁殖します。[36] 火を通した食べ物のほうが効率よく栄養を摂取できるというのは、多くの動物で共通の法則らしいのです。

野生の類人猿を対象とした調査でも、生のエサよりも調理済みのエサのほうが好まれたという報告があります。この調査で注目すべきはコンゴのチンポウンガ自然保護区のチンパンジーたちで、それまで肉食するところが目撃されていませんでした。（記録上は）初めて肉を食べた彼らは、はっきりと生肉よりも調理済みの肉を好んだというのです。[37]

要するに私たちはアウストラロピテクスだった頃から、山火事などで焼けた芋や肉を見つけたら、喜んでそれを食べていた可能性があります。火を管理する技術を覚える以前から、調理済みの食べ物を「美味しい」と感じるように前適応していたのかもしれません。

考古学的な証拠も、火の利用に高い知能や創意工夫が必要ないことを裏付けています。火を利用した痕跡は、ホモ・サピエンスの誕生よりもずっと古いのです。[38]たとえば約40万年前の遺跡では、イギリスのビーチズ・ピットやドイツのシェーニンゲンのものが知られています。獲物を解体し、焼肉にしていた痕跡があります。発見されている中で最古のものはイスラエルのゲシャー・ベノット・ヤーコヴ遺跡で、約79万年前の囲炉裏や煤（すす）けた壁が見つかりました。ここまで読んできた皆さんならお分かりの通り、これらの遺跡はホモ・サピエンスの誕生よりもはるかに先んじています。これらの遺跡で火を使ったのはホモ・エレクトス（少なくともその近縁種）だったはずです。

さらにアフリカに目を向ければ約150万〜100万年前の興味深い痕跡が見つかります。南アフリカのスワートクランズの焼けた骨、ケニアのチェソワンジャの熱せられた土の塊、ケニアのコービ・フォラの変色した土壌などです。ただし、これらが人類の手による意図的な火の利用によるものなのか、山火事などの自然現象によるものなのか、議論が分かれています。

火こそがヒトをヒトたらしめた

これらの知見に基づき、霊長類学者・人類学者のリチャード・ランガム[※15]は大胆な仮説を提唱しています。人類が火の利用を開始したのは、アウストラロピテクスからホモ・エレクトスに至る過程のどこかの時点――ホモ・ハビリスの頃だったというのです。発見されている最古の囲炉裏が約79万年前のものであるにもかかわらず、人類は約200万年前から火を使っていたはずだとランガムは主張し

※15 リチャード・ランガム（1948年〜）。ハーバード大学生物人類学教授。霊長類の行動と人類の進化を専門とする。

ています。

思い出していただきたいのですが、アウストラロピテクスと私たちは肋骨の形が違います。アウストラロピテクスは内臓が大きく、逆さにしたプリンカップのように裾の広がった胸郭を持っていました。一方、私たちの胸郭はホモ・エレクトスの時代から樽型です。これは、ホモ・エレクトスの時代にはすでに胃腸がコンパクトになっていたことを示しています。さらに、アウストラロピテクスは頑丈な顎と大きな臼歯を持っていました。一方、ホモ・エレクトスではこれが大幅に小型化しています。これは加熱調理した柔らかい食事を摂るようになったからではないかと、ランガムは指摘しています。

作業仮説はこうです。

アウストラロピテクスから少し進化して、道具の二次制作ができるようになった私たちの祖先――ホモ・ハビリスは、日常的に石器を制作していました。その過程で、偶然にも火打石を叩いてしまうこともあったでしょう。飛び散った火花が、枯れ葉や動物の抜け毛に燃え移ることもあったでしょう。最初こそ、彼らも他の獣と同様に火を恐れたはずです。しかし、やがて（現在のオーストラリアのトビのように）火に近づきすぎなければ安全だ、燃えさしであれば持ち運んでも安全だと気づき、学習する個体が現れたかもしれません。

火を恐れなくなると、それだけで生存競争で大幅に有利になるはずです。火のそばに放置しておけば、芋や球根はホクホクに焼けたことでしょう。野生のチンパンジーは1日の大半を咀嚼(そしゃく)に費やしますが、柔らかな焼き芋を食べれば時間を節約できます。さらなるエサの探索や、異性への求愛、縄張りのパトロールなどに時間を使えるようになります。

猿人たちは火があれば冷え込む夜にも体温を維持できると気づいたでしょう。焚火のそばでは肉食獣を遠ざけることも容易になったでしょう。もはや毎晩樹上の寝床に登る必要はなく、地上で横になれるようになったかもしれません。木がない場所でも夜を越せるようになったとすれば、それはサバンナ全域に行動範囲が広がることを意味します。種火さえ持ち運べば、どこでも野営できるようになるからです。

こうして「火の利用」を覚えた個体は生存競争で有利になり、やがて調理した食物に適応したホモ・エレクトスへと進化した――。これがランガムの仮説です。

この仮説の弱点は考古学的な証拠が一切ないことです。正しい仮説だと頭から信じるわけにはいきません。その一方で、ホモ・エレクトスの登場時期と解剖学的特徴という状況証拠は揃っています。荒唐無稽(こうとうむけい)な妄想にすぎないと一笑に付すこともできない説得力があると私は感じます。

火の利用が人類の進化にもたらした恩恵は、**脳の巨大化を可能にした**ことでした。

火の利用には高い知能が必要なので脳が大きく進化した、というわけではありません。繰り返しになりますが(火の管理は難しくても)火を利用するだけなら、さほど高い知能は必要ないからです。問題は栄養学――消費カロリーと脳の燃費です。

脳は、極めて燃費の悪い臓器です。

体重のわずか2%しかない私たちの脳は、1日に消費するエネルギーの約20%を消費します。さらに筋肉や消化器官とは違い、脳をあまり使っていないときでも消費エネルギーがほとんど変わりません。眠っているときですら、ずっとカロリーを要求し続けるのです。

私たち人類は、霊長類でもっとも体脂肪率の高い動物です。これは脳の燃費の悪さによるものかもしれません。食糧不足で身動きが取れないときでも、脳にはエネルギーが必要です。ただ横になって眠っているだけでもカロリーを消費してしまうのです。私たちの肉体は、飢饉(ききん)に備えて、飽食のときには可能なかぎりカロリーを蓄えるよう進化したのかもしれません。

要するに脳は、偶然や奇跡で巨大化するような器官ではないのです。ある動物の脳が大きく進化していたら、そこには何かしらの理由があるはずなのです。

その理由として有力視されているのは**「マキャベリ的知性仮説」**です。ひとことで言えば、賢くなるほど群れの中の「政治」で有利になるから脳が大きくなったという仮説です。

たとえばあなたがサルだとして、１匹の友達と一緒に暮らしていたとしましょう。覚えておくべき人間関係（サル関係）は１ペアだけ。その友達と仲がいいかどうか、過去に恩や仇があるかどうかだけです。

ところが、群れのサイズが大きくなると、覚えておくべき関係は指数関数的に増えていきます。３匹の群れなら３ペア。４匹の群れなら６ペア。５匹の群れなら10ペアです。さらに「この３匹は仲がいい」のような組み合わせを覚える必要もあるでしょう。群れのサイズが大きくなるほど、把握すべき関係性は複雑化し、高い知能が必要になります。

このことを証明するかのように、私たちが学校の教室やランチタイムのカフェで交わす会話の大半は「知り合いの誰か」の噂話です。電車の中吊り広告を見れば、週刊誌には著名人のスキャンダルが満載です。

さらに、賢くなるほど嘘をついて仲間を騙し、利益をせしめることも容易になります。ここにはある種の軍拡競争が存在します。嘘で利益を得る者が集団内に増えるほど、その嘘を見抜く能力に長けた個体が有利になります。嘘をつく能力とそれを見抜く能力の間で「正のフィードバック・ループ」が成立し、嘘をつくこともそれを見抜くことも世代を経るごとにどんどん得意になっていくはずなのです。

マキャベリ的知性仮説に基づけば、大型霊長類にとって「大きな脳」の利益は計り知れません。もしもカロリーを極端に浪費するという欠点がなければ、ゴリラやチンパンジー、オランウータンなどのすべての霊長類が人類並みに脳を肥大化させていてもおかしくありません。

火の利用は、この消費カロリーの足枷を取り払ったのです。

加熱調理したエサは、栄養の吸収効率が高まります。咀嚼の回数が減ったことや両手が自由になったことは、さらなる食糧探索・収集を可能にし、食事の回数すら増やすことができたかもしれません。火の利用によりカロリーの摂取効率が高まったからこそ、私たちは燃費の悪い臓器・脳を巨大化させることが可能になったのでしょう。その脳を使って焚火を囲みながら一族の神話を語り継いだり、マンガ『寄生獣』を楽しめるようになったのでしょう。

ランガムの仮説が正しいとすれば、火の利用は人類の運命を変えました。

森の中心部から追い出された「弱い集団」が、出アフリカを何度も繰り返すほど成功した動物へと進化し、やがて自分自身よりも（少なくとも特定分野では）賢いＡＩを開発できるまでになったのです。

第2章

文字の発明

——時間と距離をゼロにする

文字は「自然」なものではない

私は人の顔を覚えるのが苦手です。子供の頃からクラスメイトの名前と顔が一致するまでに時間がかかりました。大人になった今でも、初対面の編集者とたっぷり2時間の打ち合わせをして、帰りの電車の中ではすでにどんな顔だったか思い出せなくなっている……なんてことが珍しくありません。そして2回目の打ち合わせのときに「そういえばこんな顔だったかなあ?」と思い出すわけです。

私のこの欠点は、私が作家であることと関係があるかもしれません。というのも、脳の読み書き能力と顔認識の能力にはトレードオフの関係があるらしいからです。[1] もちろん私は三島由紀夫のような美文家・名文家ではありませんが、それでも商業媒体で記事を書く程度の読み書き能力を持っています。この能力をつかさどる領域は左脳の側頭葉・後頭葉にあり、そこが発達すると、近傍の顔認識にかかわる領域・紡錘状回(ぼうすいじょうかい)が割を食うらしいのです。

このことは、2つの事実を示しています。

第一に、ヒトの脳は柔軟性・汎用性が極めて高いということです。私たちの脳は、進化の過程では別の用途で使われていた部位を、たとえば読み書き能力のような後天的な能力のための新たな神経回路として転用できます。

第二に、文字の使用は決して「自然」ではないということです。人類の歴史の長さは前章で書きました。一方、私たちが文字を使い始めてから、まだ1万年も経っていません。一般庶民が読み書き能力を身に着けたのは産業革命以降であり、最近100~200年ほどのことです。脳内に「読み書き専用の部位」が特別に進化するほどの時間は経っておらず、だからこそ、それを発達させると顔認識の能力が犠牲になる(かもしれない)のです。[※1]

現代日本人は生まれたときから文字に囲まれているため、文字の使用が人類にとってごく自然なことだと錯覚しがちです。しかし、文字は人工的なテクノロジーなのです。

私たちはどのようにして、文字の使用というイノベーションにたどり着いたのでしょうか? 逆に言えば、なぜこれほどまでに便利な文字を、人類は(地質学的に言えば)つい昨日まで発明できなかったのでしょうか?

この疑問に答えるためには、2つの歴史物語を紐解く必要があります。

1つは、私たちはいつ言語を身に着けたのか。

そしてもう1つは、私たちはなぜ農耕定住生活を開始したのか。

※1 この話のオチは、私の知人には人の顔を覚えるのが得意な同業者もたくさんいるということ。単純に私の頭が悪いのかもしれない。

歌うサルと言語の誕生

ホモ・サピエンスとネアンデルタール人の運命を分けたのは言語の有無だったという、人口に膾炙（かいしゃ）した仮説があります。

まず事実を確認しましょう。

咽頭（いんとう）や口腔（こうくう）の解剖学的な構造を比較すると、ネアンデルタール人はサピエンスよりも単純な音声しか発声できなかった可能性が示唆されています[2]。また、前章で紹介した通り、約10万～4万年前の期間にサピエンスは認知能力を大きく変え、創意工夫に満ちた発明や芸術活動、死者の埋葬などを行うようになりました。

ここから、次のような仮説が提唱されています。

約7万年前の〝トバ・カタストロフ〟による気候変動に見舞われた人類は、強烈な選択圧にさらされました。そして、突然変異により「言語」を身に着けた集団だけが生き延びることができたというのです。

鳴き声でコミュニケーションを取る動物は珍しくありません。したがって、ここでの「言語」とは現代人と同等の複雑さや再帰性を持つ「高度な言語」と呼ぶべきでしょう。これを身に着けたことで、私たちは文化を効率よく伝えられるようになり、道具を効率よく発明できるようになり、また深遠な精神性を身に着けたのだ――。ベストセラーになったユヴァル・ノア・ハラリの『サピエンス全史』でも、このような見方が紹介されていました[3]。

この「突然変異仮説」は、ノーム・チョムスキー[※2]の「普遍文法」仮説とも相性がいいと言えます。チョムスキーの功績は、言語学に生物学的な視点を導入したことです。地球上に存在する数千の言語の背景には共通の構造――普遍文法――が存在し、それは私たちの脳に生得的な神経回路として組み込まれていると彼は考えました。

要するに、トバ火山の噴火に伴う絶望的な状況の中で、突然変異により脳内に「普遍文法」を持つ赤ん坊が奇跡的にも生まれた、そして私たちホモ・サピエンスは大きく飛躍を遂げた――。と、考えれば辻褄(つじつま)が合うわけです。

しかし、私はこの仮説に懐疑的です。理由は3つあります。

第一に、複雑な音声を発声可能であることは、複雑な言語の存在を意味しません。

たとえばモールス信号[※3]はトン・ツー・空白というわずか3つの記号で構成され

※2　エイヴラム・ノーム・チョムスキー（1928年〜）。アメリカの言語学者。マサチューセッツ工科大学の言語学・言語哲学の研究所教授兼名誉教授。

※3　第7章342ページを参照。

ていますが、世界大戦の遂行という複雑な目的に広く用いられました。生物の遺伝情報は極端に複雑ですが、その媒体であるDNAにはアデニン・グアニン・シトシン・チミンというわずか4種類の塩基の組み合わせで記録されています。言ってしまえば、情報は「伝わりさえすればいい」わけで、情報媒体の複雑さとは関係がないのです。※4

たとえばピダハン語※5はもっとも音素の少ない言語の1つで、母音はわずか3つ、子音は7～8つしかありません。[4] 現生人類の使う言語だからといって、複雑な音声で構成されているとはかぎりません。

あるいは、英語には(方言にもよりますが)13～15個の母音があります。[5] 一方、日本語の母音はおおむね5個です。しかし英語と日本語とで、伝達可能な情報に大きな差があるとは思えません。

東南アジアのキュウカンチョウや、世界中のインコ・オウムの仲間、さらにオーストラリアのコトドリなど、鳥類には私たち人類よりも複雑な音声を発声できる種がたくさんいます。しかし、彼らは人類並みに高度な言語を使うわけではありません。私たちサピエンスが複雑な音声を発話できることには(たとえば求愛行動で有利になるなどの)何かしらの繁殖上の利点があったのでしょう。しかしこれを理由に、ネアンデルタール人には言語がなく、サピエンスには言語があった

※4 遺伝子とDNAとの関係は、いわば音楽とカセットテープとの関係である。DNAは情報の記録媒体であり、そこに記録されている情報のことを遺伝子と呼ぶ。また、ある1種の生物の個体1つを作るのに必要な遺伝子のセットのことを「ゲノム」と呼ぶ。音楽に喩えるなら、ゲノムとは「アルバム」のようなものだと言える。

※5 ブラジルのアマゾンに暮らす少数民族ピダハン族の言語。

と考えるのは、あまりにも短絡的だと私には思えます。

第二に、文化の伝達に言語は必要ありません。

大抵の哺乳類には「閉経」がなく、寿命の直前まで妊娠可能です。ヒトに閉経があるのは、ある年齢を超えると自分自身が赤ん坊を産むよりも、孫の世話を手伝うほうが効率的に遺伝子を残せるようになるからだと考えられています。これを「おばあちゃん仮説」と呼びます。[6] どうやら私たち人類にとって、「おばあちゃんの知恵」は生存に欠かせない重要なものだったらしいのです。※6

ヒトと同様に閉経の存在する哺乳類には、アフリカゾウやシャチがいます。彼らにとっても「おばあちゃんの知恵」が重要であるらしいことが分かっています。

たとえば1993年、タンザニアの国立公園を半世紀に一度の過酷な旱魃（かんばつ）が襲い、幼いゾウの20％が命を落としました。この地域には約200頭のアフリカゾウが生息しており、年長のメスをボスにした21の家族が大きく3つの群れに分かれて暮らしていました。このとき、高齢のメスに率いられている家族ほど子ゾウの死亡率が低かったことが報告されています。[8]

同レベルの旱魃がこの地域を襲ったのは、前回は1960年頃でした。その後の1970年代に密猟が横行したことで、以前の旱魃の記憶があるゾウのほとん

※6
ヒトに閉経があるのは、近代化により寿命が延びたからではない。前近代の世界で平均寿命が短かったのは主に乳幼児死亡率が高かったからであり、最長寿命はそれほど延びていない。狩猟採集生活などを送る伝統社会でも、20歳時の平均余命は40年ほど[7]。旧約聖書にも「私たちの齢は70年、健やかであっても80年」という文言が登場する（詩篇90：10）。

どが殺害されてしまいました。ところが3つの群れのうち2つには、それぞれ1頭ずつ当時の記憶を持つ高齢のメスがいました。この2つの群れは水場を求めて国立公園の外に脱出。結果、公園内にとどまった群れよりも、はるかに死亡率が低かったというのです。彼女たちは干魃を生き延びる知恵を覚えていたからこそ、孫世代を死なせずに済んだのでしょう。

アフリカゾウと同様に、シャチも年長のメスを中心とした母系の家族集団で生活します。群れのボスである高齢のメスが死亡すると、翌年の子供たちの死亡率が(30歳を超える成獣であっても)跳ね上がることが報告されています。具体的にはメスの子供で5・4倍、オスの子供ではじつに13・9倍にも死亡率が上昇します。[9]シャチの「おばあちゃん」がどのような知恵を授けているのかは不明ですが、彼女たちが非遺伝的な情報——つまり、文化——を子供に伝達していることは間違いないでしょう。

じつのところ、シャチはかなり文化的な動物です。

自然ドキュメンタリー番組などで、シャチが浜辺に勢いよく乗り上げてオタリアの子供を襲うシーンを見たことがある読者は多いでしょう。じつは、あの狩猟法を行うのはアルゼンチン・バルデス半島のプンタノルテで暮らす2頭の兄弟だけです。[10]本能的に組み込まれた狩猟法ではなく、彼らが発明して、(さらに重要な

ことに）2頭で共有したものなのです。※7

文化はヒトの専売特許ではありません。宮崎県の幸島（こうじま）は「芋を洗うサル」で有名です。この島では1953年に1匹の子ザルが「芋を海水に浸してから食べる」という行動を取るようになりました。そして周囲のサルたちもそれを真似るようになり、群れ全体に同じ行動が広まったのです。

文化が生じるためには、言語は必要ありません。

脳が、本能にない行動ができるほどの柔軟性と、他の個体を真似できるだけの認知能力を持っていれば充分なのです。

第三に、コミュニケーションには受け取る相手が必要だということです。

突然変異説の一番苦しいところは、ここでしょう。周りの大人たちが「ウホウホ」としか鳴けない世界に、ウィットに富んだジョークを飛ばせる天才児がいきなり生まれても何の意味もありません。

進化論の基本に立ち返りましょう。生物はしばしば突然変異により新たな形質を身に着けます。その形質が生存・繁殖に有利であれば、その形質は次世代に受け継がれ、やがて集団内に広まっていきます。しかし（言語にかぎらず）コミュニケーションの手段は発信者だけでは意味がなく、受信者がいるからこそ価値があ

※7　哺乳類の狩猟のような複雑な行動には、通常、数え切れないほど多数の遺伝子がかかわる。この兄弟が突然変異により「浜に乗り上げてオタリアを狩るという行動の遺伝子」を得たとは考え難い。

ります。[※8] ある日突然「言語」を話せる子供が誕生しても、聞き手がいなければ生存・繁殖の有利には繋がらないのです。

突然変異説は「出アフリカ」の時期とも一致しません。

前章のおさらいをしましょう。ホモ・サピエンスの歴史は30万～20万年前のアフリカに暮らしていた1万4000人ほどの集団から始まり、10万～8万年前にわずか3000人ほどが「出アフリカ」を果たして世界中に広まりました。もしも約7万～4万年前の期間[※9]に突然変異が起きて言語を身に着けたとすれば、それは「出アフリカ」よりも後だったことになります。

その一方で、日本人でもアフリカのスワヒリ語を問題なく学べます。アメリカで生まれた中国人の子供は、問題なく英語を母国語として習得できます。これは、私たちホモ・サピエンスの言語能力に遺伝的な差異がほとんど存在しないことを意味しています。

つまり突然変異説が正しいとしたら、世界のまったく違う場所で、なぜか同じ時期に、なぜか同じ遺伝子の、なぜか同じ箇所で、どういうわけか同じ突然変異が起きた……という奇跡が必要になってしまうのです。

たしかに生物にはしばしば「収斂(しゅうれん)進化[※10]」が起きますが、これほどまでに完全な一致が起きることはありえません。

※8 つまり言語そのものに「ネットワーク外部性」があると言える。電話回線のようなネットワークの価値は、回線それ自体だけでなく加入者の数によって決まる。これをネットワーク外部性という。詳しくは第7章358ページを参照。

※9 トバ・カタストロフから芸術活動が花開くまでの期間。

※10 収斂進化とは、まったく違う系統の生物間で似たような形質が進化すること。たとえば鳥類とコウモリはどちらも前肢が翼になるが、ここに系統的な繋がりはない。「空を飛ぶ」という生態に適応する過程で、それぞれ独自に似たような器官が進化した。

かつては「ＦＯＸＰ２（フォックスピーツー）」と名付けられた遺伝子が、ヒトの言語遺伝子だと見做されたこともありました。[11] イギリスに暮らす重度の言語障害を持つ家系で、この遺伝子が破壊されていることが分かったからです。じつのところＦＯＸＰ２遺伝子はさほど珍しいものではなく、大抵の脊椎（せきつい）動物が持っています。ところが遺伝子の配列を他の動物と比較すると、サピエンスのＦＯＸＰ２遺伝子には特別な突然変異が生じていることが判明しました。したがって、この突然変異こそが言語能力を――ひいては普遍文法を――もたらしたのだと考えられたのです。

しかし化石骨からＤＮＡを抽出する技術の発達により、ネアンデルタール人のＦＯＸＰ２遺伝子にもサピエンスと同様の突然変異が生じていると分かりました。もしもＦＯＸＰ２遺伝子が「言語遺伝子」だとしたら、ネアンデルタール人も言語を話せたことになり、彼らと私たちとを分けたのは言語の有無だったという仮説は成り立たなくなってしまいます。

結論を言えば、ＦＯＸＰ２遺伝子は言語遺伝子ではありませんでした。

この遺伝子が、言語の使用に必要な神経回路の形成にかかわっていることは間違いなさそうです。しかし「ＦＯＸＰ２遺伝子に突然変異が生じたから普遍文法を身に着けた」などという単純なものではなかったのです。

加えて、チョムスキーの「普遍文法」仮説も、現在では大幅な見直しを迫られています。すべての言語に共通する普遍的な文法の構造など存在しなかったからです。[12]現存する約7000の言語を研究して明らかになったことは、言語は1つの普遍的な文法の無数のバリエーションなどではなく、無秩序とも呼べるほど多種多様だということでした。

私たちの言語能力が、脳の生得的なアーキテクチャに制約されることは間違いありません。アヒルのヒナが生まれて初めて目にした動くものを母親として追いかけるように、私たちは生まれて初めて耳にした言語を「母語」として習得します。一定の年齢を過ぎると言語の習得が困難になる——いわゆる「臨界期」が存在します。これらのことは、私たちの言語能力が（たとえばビデオゲームのルールを覚えるような）後天的なものではなく、先天的な脳の機能に立脚していることを思わせます。言語学に生物学を持ち込んだチョムスキーの功績は、少しも減じることはないでしょう。

反面、文法のルールまでもが脳内にあらかじめインストールされているという見方は、どうやら怪しそうです。喩えるなら、パソコンのGPUのようなものかもしれません。GPUは、3DCGなどのグラフィックを処理することを専門に設計されたパーツです。しかしソフトウェア次第で、暗号資産のマイニングや、AIの学習・実行にも転用できます。同様に、ヒトの脳内にも言語処理を専門にしている部位が、まず間違いなく存在します。しかし、その部位でどのような言語（ソフトウェア）を動かすのかまでは、おそらく生得的には決まっていないのです。

毛繕いから日常会話へ

突然変異による普遍文法の獲得ではないとしたら、どのようにして私たちは言語を身に着けたのでしょうか？

ヒントの1つは、人類にとっての「お喋り（しゃべ）」が他の霊長類にとって「毛繕い」のようなものだという点かもしれません。

霊長類にとって毛繕いは、社会的な絆（きずな）を深めて、お互いの地位・立場を確認するために重要です。キイロヒヒの場合、毛繕いをする仲間の数で「友達の数」を調べることができます。そして友達の多い――つまり毛繕いをし合う相手の多い――メスは、そうでないメスよりも子供の死亡率が低いことが報告されています。[13]友達が多ければ、たとえば栄養価の高いエサを優先的に得られたり、（同種のオスを含む）外敵から赤ん坊を守りやすくなったりするのでしょう。私たちホモ・サピエンスも美容院や床屋で髪をシャンプーされると心地よさを覚えます。これは、かつて毛繕いが決定的に重要だった時代の名残かもしれません。

とはいえ、ホモ・サピエンスは日常的には毛繕いをしません。代わりに私たちは、友人と他愛もない会話を楽しみます。軽い冗談を叩き合い、誰かの噂話に花を咲かせることで、友好的な関係であることを確認します。このような軽い「お喋り」は、他の霊長類における「毛繕い」を代替するものだと進化心理学者たちは指摘しています。[14]

この仮説の優れている点はたくさんあるのですが、たとえば「なぜヒトはユーモアを持つのか」という疑問にも明快な答えを与えてくれます。ユーモアのセンスがある人物とは、要するに「毛繕いが上手い個体」です。誰もがその人とお喋りをしたいと望むようになる――言い換えれば毛繕いをする相手が増えるわけで、社会的なプレステージが高まるのです。

ここから先は私の想像です。

直立二足歩行を始めたアウストラロピテクスは「歩きながらでは毛繕いがしにくい」という問題に直面したはずです。前章で書いた通り、森林で暮らした祖先に比べて、彼らは行動範囲が広がりました。毛繕いに時間を割くほど、資源を探したり縄張りをパトロールしたりする移動時間が削られてしまう、という二者択一を迫られたはずです。

しかし、もしも音声で「毛繕い」を代替できるとしたらどうでしょうか？　小鳥たちがさえずりによってお互いを「敵ではない」とアピールするように、あるいはシャチたちが独特の歌で仲間を識別するように、声によって「私たちは友達だ」と確認できるとしたら？　音声であれば、移動中でも簡単に交わすことができます。

実際、テナガザルの中には複雑な歌を歌う種がおり、彼らは敵を威嚇しているときとそうでないときで歌声を変えます。[15]　敵対心の有無を声色によって示すことは、アウストラロピテクス以前の大型霊長類の時代から可能だったはずです。1日のうちの移動時間が増えるにつれて、社会的な絆を確かめる方法として「歌」の比重が増していき、反面、「毛繕い」の重要度が減じていったのではないでしょうか。

もちろん、小鳥のさえずりやシャチの歌、テナガザルの歌を「言語」だと見做す言語学者はいないでしょう。これらはただの「鳴き声」であり、複雑で再帰性のある「高度な言語」ではありません。しかし、「鳴き声」と「高度な言語」との中間的な段階が300万年ほど続いたのではないかと私は想像しているのです。

私たちの祖先も、最初はテナガザルのような歌しか歌えなかったはずです。しかし現代人の子供が母国語を習得していくのと同様に、まずは指差しで誰かの視線を追うことができるようになり[※11]、やがて指差されているものを特定の音声のパターン――すなわち「名詞」――で呼べるようになり、さらに名詞で呼ばれたものをどうしたいのかという「動詞」が生まれて……。という具合に、ゆっくりと進化を重ねてきたのではないでしょうか。突然変異説に対して、こちらは漸進進化説とでも呼びましょう。

休日の新宿御苑に行くと、様々な年齢層のグループが徒党を組んで歩いています。2人で寄り添って散歩するカップルもよく見かけます。彼らはみんな楽しそうに「お喋り」をしています。300万年前の私たちの祖先も、同じように歩きながら絆を確かめ合っていたのではないか――。私にはそう思えてなりません。

おそらく「言語」は、小鳥のさえずりのような敵意がないことを確認し合う歌や、求愛の歌から始まりました。そして、世代を重ねるごとに複雑さを増していき、やがて「出アフリカ」の前までに「高度な言語」として完成したのでしょう。これが私の仮説です。少なくとも、ある日突然に天才児が生まれたという仮説よりは説得力があると思うのですが、いかがでしょうか？

いずれにせよホモ・サピエンスの行動が現代化する約4万年前には、私たちは

※11――指差しはヒトに特有の行動で、他人が指差した先を目で追える動物はヒト以外にほぼいない。数少ない例外の一つはイヌで、飼い主の指差しによる命令を理解できる。一万年を超えるヒトとの共同生活で、イヌたちはこの能力を身に着けたようだ[16]。

「言語」を持っていたはずです。しかし、それを記号として何かに刻んで記録する――すなわち「文字」を発明するまでには、さらにもう1つの大きなイノベーションが必要でした。

それは、農耕定住生活です。

なぜ狩猟採集から農耕定住に変わったのか

大ヒットしたマンガ『ゴールデンカムイ』の功績は、（マンガとしての誇張はあるとはいえ）アイヌ民族を「豊かな文化を持つ人々」として描き、そのイメージを広めたことでしょう。

かつて、狩猟採集民族には「常に飢えと隣り合わせの貧しい人々」というイメージがあり、人類は農耕定住生活という素晴らしい発明によってそこから脱したのだと、まことしやかに語られていました。現代の日本でも同様のイメージを持つ人は珍しくないでしょう。

しかしマンガの中でも描かれた通り、アイヌの人々はコタンと呼ばれる村を作り、チセという家を作って暮らしていました。和人との交易があったとはいえ、彼らの経済は基本的には狩猟採集に立脚していました。じつのところ狩猟採集と農耕定住とは綺麗に二分できるものではなく、その中間段階の生活様式がたくさんあるのです。北海道のような生物資源の豊かな地域では、狩猟採集生活であっても、定住や半定住が可能になります。

農耕の開始によって人類が貧しさから抜け出したという見解も、現在ではほぼ否定されています。古人骨の研究により、狩猟採集民族が農耕定住生活を始めると、体格・身長・骨密度のすべてが低下することが確認されているからです[17]。

身長は栄養状態に敏感に反応する指標です。幼少期に栄養失調を経験すると、ヒトは身長があまり伸びません。体のサイズが小さければ、それだけ基礎代謝が少なくて済みます。食糧難の環境に適応して省エネの肉体になるのです。農耕の開始後に身長低下が見られたことは、それだけ人々の食生活が貧しくなったことを意味しています。

狩猟採集生活では、食事のメニューは多彩です。穀類や芋類などのデンプン質、肉・魚・昆虫などのタンパク質、さらに果物や野草、キノコ類——。栄養バランスに優れた食事を摂ることができます。

一方、農耕定住生活では食事のメニューはデンプン質に偏りがちです。麦や米などの炭水化物は入手しやすい反面、たとえば畜肉は年に数度しか食べられないご馳走(ちそう)になってしまうのです。栽培技術も品種改良も未熟だった初期の農耕民族では、このような偏食が子供の栄養状態に深刻な悪影響を及ぼしたのでしょう。農耕開始後に身長が低くなった要因の1つだと考えられています。

また、農耕定住生活では疫病が蔓延(まんえん)しやすくなります。人口増加率が高いため、集落の人口密度が高まるからです。

狩猟採集民族では、農耕民族よりも乳離れが遅くなります[18]。1日あたりの移動距離や移動時間が大きくなるので、子供が自立して歩き回れるようになる3歳くらいまで乳離れさせられないのです。狩猟採集民族の女性は大抵、4〜5年に1人のペースで子供を産みます。一方、農耕定住生活では1歳くらいで乳離れが可能です。結果、女性の出産間隔は短くなり、合計特殊出生率が高くなるのです※12。

人口密度が高まれば、それだけ身体接触の機会が増えます。土壌や飲用水も糞尿で汚染されやすくなります。ウィルスや微生物、寄生虫にとっては品種改良の実験室のような環境となり、新たな感染症が生まれやすくなります。

大航海時代以降、ヨーロッパ人たちは新世界の行く先々で疫病を流行らせ、現地の先住民に壊滅的な打撃を与えました。その原因は、人口過密なヨーロッパで

※12 出生率はその社会の女性の年齢に影響される。若い女性が多い社会では出生率は高くなり、高齢の女性が多い社会では低くなる。そういう年齢の影響を補正したものが合計特殊出生率であり、しばしば「一人の女性が生涯に産む子供の数」と呼ばれる。

は黒死病を始めとした疫病がたびたび流行していた一方、人口密度の低い地域で暮らしていた先住民たちには免疫がなかったからです[19]。

農耕定住生活は、人類を飢えと貧しさから救ったイノベーションなどではありませんでした。考古学者マーシャル・サーリンズの言葉を、歴史学者イアン・モリスは次のように引用しています。

> 農業によって得られるものが労働であり、不平等であり、戦いでしかないのなら、なぜ狩猟採集に取って代わったのか
>
> （イアン・モリス『人類5万年 文明の興亡 なぜ西洋が世界を支配しているのか』筑摩書房、２０１４年、上巻 P.125）

気候変動や過伐採により生活環境が悪化し、食糧難に陥った人類は、仕方なく農耕を始めたのではないか――。これが、現在の定説です[20]。

ところが――。

話が二転三転してややこしいのですが、この定説にも近年では異議が申し立てられています。というのも、考古学的な証拠と一致しないからです。遺跡発掘の結果から言えば、農耕定住生活は食糧難に陥るような貧しい地域ではなく、むし

ろ豊かな生物資源に恵まれた地域から始まったようなのです。[21]

人類の農耕定住生活はチグリス川とユーフラテス川の流域の「肥沃な三日月地帯」で始まりました。2つの大河はたびたび氾濫を起こし、上流から養分に富んだ土壌をもたらしました。大麦や小麦の原種が、天然の麦畑のように自生していたのです。現在でこそ乾燥しているこの地域ですが、当時は今よりも海面が高く、湿地帯が広がっていました。タンパク源としてリクガメ、魚類、軟体動物、甲殻類、鳥類、小型哺乳類、さらに季節ごとに移動してくるガゼルなどを好きなだけ捕れる場所でした。[22]

こうした豊かな環境のもとで、狩猟採集生活でありながら定住する人々が現れました。彼らは採集した野生の穀類を（冬に向けて保管するだけでなく）やがて大地に蒔くようになりました。農耕の始まりです。さらにヤギなどの動物を飼い慣らすようになりました。畜産の始まりです。

紀元前8000〜紀元前6000年の間に、穀草類や豆類、亜麻などの栽培が始まりました。さらにこの2000年間に、ヤギ、ヒツジ、ブタ、ウシも登場しました。[23]

いずれにせよ、証拠から推測される農耕の始まりは定説とは異なります。食糧難のために仕方なく農耕を始めたというストーリーからは乖離しています。

新石器時代にもオタクがいた？

初期の農耕定住生活は、狩猟採集生活よりも貧しかったこと。そして、最古の農耕は資源の豊かな地域から始まったこと――。

この2つの事実から、私は次のように想像しています。

農耕や畜産を始めたのは、新石器時代の「オタク(ギーク)」だったのではないでしょうか？

ここでは「オタク」という単語の意味を広くとって、「退屈を持て余したときにやらなくてもいいことに探究心を発揮し、『面白いから』という理由だけで無駄なことに労力を注ぎ込む人々」と定義しましょう。私たちホモ・サピエンスなら誰しも、心のどこかに（オタクではなくても）そういうオタク気質な部分があるはずです。

たとえば1万年前のある日、村の穀物庫を眺めながらこんなことを考えた人がいたはずです。

「ここには野生の麦粒がたくさん備蓄されているが、もしもこれを土に蒔いたらどうなるのだろう？」

あるいは親ヤギを仕留めた狩人が、茂みの奥で悲しげに鳴く子ヤギを見つけたのかもしれません。その子ヤギも殺して、獲物として持ち帰ることもできたはずです。しかし、彼はこう考えました。

「もしも私が親代わりになって、この子ヤギを育てたらどうなるのだろう？」

彼らの心に現代人と同じオタク気質な部分があれば、きっと次にこう考えたはずです。

「面白そうだから試してみよう！」

生活に余裕がなく、飢餓と隣り合わせの環境では、このような発想は決して出てこないはずです。空腹に苛（さいな）まれていたら、柔らかな子ヤギの焼肉を諦めることなどできないでしょう。せっかく収穫した麦粒を土の上に捨ててしまうなど論外です。ある程度は衣食住に満ち足りていて、退屈していなければ、新しい何かを試すこともできないはずです。

退屈を持て余したハーバード大学のオタク[※13]がFacebook（の前身となるサービス）を作り上げたように、退屈を持て余した古代のオタクたちは「農耕」というイノベーションを起こしたのではないか。そして気候変動や過伐採により食糧難に陥ったときに、農耕を覚えていた集団だけが生き残った、あるいは周囲の集団も

※13 マーク・エリオット・ザッカーバーグ（1984年〜）。ハーバード大学在学中、同大学生同士のインターネットコミュニティとしてSNSを立ち上げた。

それを真似るようになったのではないか――？

私には、そう思えてなりません。

余談ですが、ホモ・サピエンスとネアンデルタール人を分けたものも、この「余計なことをする」という性質ではないかと私は睨(にら)んでいます。

第1章で書いた通り、旧石器時代の道具制作では「模倣」が重要だったはずです。高度な言語を持たない初期人類なら、なおさらでしょう。

周囲の大人たちの行動を丸ごと模倣することには、生存・繁殖上、高い価値があります。なぜなら、周囲の大人たちはその方法で上手く、や、っ、て、い、るからです。子供世代が新しい何かを付け加えたところで、以前よりもいい結果が出るとはかぎりません。大抵は、失敗する可能性のほうが高いはずです。

この「大人世代を忠実に模倣する能力」がピークに達したのが、ネアンデルタール人だったのではないでしょうか。一方、私たちホモ・サピエンスは忠実な模倣ができなくなった――少なくとも、ネアンデルタール人に比べれば忠実な模倣に苦労するようになった種なのではないでしょうか。大人世代を正確にコピーできないからこそ、私たちはその場しのぎの「余計なこと」を試すようになり、それが創意工夫に繋がったのではないか――。そんな想像を禁じえません。

ともあれ、1万〜8000年前のどこかの時点で人類は農耕を開始しました。人口増加により集団が大きくなり、食糧生産能力の向上によって王族や貴族、聖職者などの階級を養えるようになると、ついに「国家」が誕生しました。

こうして「文字」の誕生する下地が整ったのです。

文字は簿記から生まれた

文字の誕生以前から、人類は「何らかの記録」を残していました。

たとえばフランス西部では、平行線の刻まれた約6万年前のハイエナの大腿骨(だいたいこつ)が見つかっています。この線を刻んだのはネアンデルタール人です[24]。ホモ・サピエンスの場合でも、およそ4万年前から同様の骨片が出土し始めます[25]。

これらの骨片が何に用いられていたのか、今となっては想像するよりほかありません。ただの暇つぶしや、石器の切れ味を試しただけだった可能性もあるでしょう。とはいえ大半の考古学者は、これらの骨片が「外部記憶保持道具」だったという見方に同意しています。(たとえば月の満ち欠けなどの)情報の記録のために傷を刻んだというのです。

似たような記録手段として「結縄文字」が存在します。とくに有名なものはインカ帝国の「キープ／Quipu」です。これは縄の「結び目」の形や位置によって、人口や農産物などの数値情報を記録するシステムでした。簡単なものであれば言語情報も記録できたようです。[26]

キープは優れた仕組みだったようです。ヨーロッパ人が南米大陸に到達したとき、インカ帝国に文字はなく、巨大な版図と官僚機構をキープで支配していたのです。残念ながら当時の書記官（縄記官？）は、キープの読み方をヨーロッパ人に伝えることなく死亡しました。残されたキープの数々は、現在では解読不能になっています。

キープのような結縄文字は世界中に分布しており、とくに環太平洋地域では広く使われていたようです。[27] たとえば沖縄（琉球王朝）でも、20世紀初頭まで「藁算」と呼ばれる結縄文字が数値記録や計算の道具として用いられていました。※14[28]

メソポタミアでは「トークン」※15と呼ばれる道具が、文字のない時代の記録手段でした。

このトークンこそが、文字をもたらしたのです。

19世紀後半から20世紀初頭にかけて、メソポタミアの考古学研究は黄金時代を

※14 かつて琉球の一般庶民は王府の命令で文字の学習を禁じられており、藁算が発達した。

※15 メソポタミア時代に使われたトークン

迎えました。様々な遺物に混ざって、小さな粘土細工の「駒」のようなものが大量に出土し、「トークン」と名付けられました。円筒形や円錐形、球形、壺（つぼ）をかたどったもの、表面に幾何学模様が刻まれたものなど、多種多様でした。トークンの用途は長きにわたり不明のままでした。子供のおもちゃや装飾品、ゲームの駒など、様々な仮説が提案されましたが、いずれも決定打に欠けていました。

1970年代、デニス・シュマント＝ベッセラ※16はトークンの網羅的な研究を行い、これらが物資の管理に使われていたことを突き止めました[29]。（キープが結び目の形と位置で数値記録をつけていたように）古代メソポタミアの人々はトークンの形状と数で、商業取引や徴税などの記録をつけていたのです。

トークンは使い勝手のいいシステムだったのでしょう。およそ紀元前8000〜紀元前1500年という、幅広い時代の遺跡から出土しています[30]。ざっくり6500年にわたって使われたわけで、これは私たちアジア人の漢字の歴史よりも長いのです※17。

およそ紀元前7000年頃、ウバイド期と呼ばれるメソポタミアには都市国家がいくつも出現し、イランの山中やアラビア半島までまたがる広範な交易ネットワークを形成しました[32]。彼らはチグリス・ユーフラテス川のもたらす豊かな土壌を源（みなもと）に農産物を輸出し、木材を始めとした様々な資源を周辺地域から輸入してい

※16
デニス・シュマント＝ベッセラ（1933年〜）。テキサス大学名誉教授。専門は古代近東の考古学。

※17
発見されている中で最古の甲骨文字は、紀元前1400年頃、殷（いん）王朝時代のもの[31]。

たようです。中心的な都市ウルクには、やがて5万人が暮らすようになりました。

都市が生まれたということは、聖職者や貴族、王族のような身分が登場していた可能性があります。彼らを養うためにも、さらには灌漑（かんがい）工事などの公共事業のためにも、徴税が必要だったはずです。効率的な徴税には、過去に誰がどれほどの年貢を納めたのかという記録が欠かせません。また、盛んに交易を行っていたということは、商業取引の記録――すなわち「簿記」――の必要にも迫られたはずです。※18

トークンは、こうした状況に対するイノベーションでした。

現存するトークンの多くは、「ブッラ」※19という容器に入った状態で発見されます。ブッラは薄く伸ばした粘土で作られた、球形の容器です。おそらく現代日本人にとっての契約書や領収書のようなもので、当時の人々は取引の記録としてブッラをやり取りしていたようです。たとえば（これは想像ですが）ヒツジ5頭を購入したなら、その領収書としてヒツジを示すトークン5個を封入したブッラを渡す……といった運用がなされていたのでしょう。

ブッラの欠点は、粘土製ゆえに中身を確認しづらいことです。そこで当時の人々は、ブッラの表面に中身のトークンを「型押し」するようになりました。粘土が乾く前の柔らかいうちにトークンを押し付けて、その「型」を取り、表面を

※**18** 国家の成立は支配者だけでなく、被支配者にもメリットがあった。国家が暴力を独占するので、傷害や殺人の発生件数が下がるのだ［33］。司法の存在しない世界で自らの身体や財産を守る方法は、確実な報復の約束だけだ。現代のマフィアやヤクザと同様、「あいつらに手を出したらタダでは済まない」という評判を広めるしかない。国家のない世界では、復讐は権利であると同時に重荷でもあった［34］。だからこそ人々は暴力をふるう権利を喜んで国家に差し出した。

※**19** 粘土容器のブッラ。この中にトークンが入っていた。

見るだけで中身が分かるようにしたのです。

型押しの習慣が普及すると、ブッラは少しずつ廃れていきました。ブッラやトークンをやり取りしなくても、四角い粘土板にトークンを型押しして、その粘土板を契約書や領収書として扱えばいいと気づいた人々がいたからです。

さらに粘土板の利用が広まると、今度はトークン自体も衰退し始めました。たとえばヒツジ5頭の取引をしたとして、ヒツジのトークンは5個も必要ありません。1つのトークンを5回、型押しすればいいからです。さらに、ここで大きな飛躍が起きます。「ヒツジ」を意味する印の隣に、「5」を意味する印を型押しすればいいという発想に至ったのです。

つまり、数字の誕生です。

人類はついに、自分の周囲の宇宙を客観的に記録し、比較し、分析することが可能になりました。

現存する最古の粘土板は紀元前3300年頃のものです。そこにはまだ商品とその数量を示す絵文字しか記されておらず[35]、音声の記録が可能な「完全な文字」ではありませんでした。しかし、絵文字の「表音化」は紀元前3700年頃には始まっていたと考えられています[36]。

そして紀元前2500年頃までには、この地域では楔形（くさびがた）文字が完成していまし※20

※20 トークンの型押しから生まれた絵文字がそのまま楔形文字へと発展したという仮説には批判もある。トークンの印章と楔形文字の間で、共通している記号が少ないからだ。トークンと楔形文字が併存している期間があることも、楔形文字が絵文字を簡略化して置き換えるために発明されたものではないことを示唆している。とはいえ、これらの絵文字が楔形文字の誕生に大きな影響を与えたことは間違いないだろう。

た。[37]

文字は、詩歌を書いたり歴史を記すために生まれたのではありません。商業記録をつけるための簿記から、文字は生まれたのです。

文字は青銅器時代における情報革命

文字の発明は、青銅器時代におけるインターネットのような情報革命だったはずです。

「はじめに」でも書いた通り、文字は、時間や距離の制約を取り払うイノベーションだからです。文字があれば、伝令の記憶に頼らずとも正確なメッセージを送れます。広い国土の隅々まで、同じ法令を適用できます。儀式の手順を標準化できます。文字は単なる「外部記憶保持道具」などではありません。現代の日本人でも古代メソポタミアの粘土板の内容を読めること自体が、時間と距離を消し去るという文字の性質を示しています。

また、インターネットの登場によってＥＣサイトやネットオークションサイトが花開いたように、文字の誕生は商業活動を刺激しただろうと私は想像しています。

というのも、文字がない世界では契約を結ぶときに「口約束」しかできないからです。相手に契約を守らせたければ、証人を立てるほかありません。では、いったい何人の証人を立てれば安心できるでしょうか？　証人が1人では、取引相手と結託してあなたを騙す危険があります。証人が2人では、彼らの証言が矛盾したときに困ります。証人が3人いれば安心できそうですが、ちょっとした取引でいちいち3人も集めるのは大変です。もしもトラブルが起きたときは、紛争解決のために全員を同じ場所に呼ぶ必要があります。

しかし文字があれば、約束を契約書として残しておけます。相手に約束を守らせることが簡単になるだけでなく、（さらに重要なことだと思うのですが）自分は約束を守る人間なのだと相手に信じてもらうことも容易になるはずです。加えて、文字ならば、ブッラとトークンよりも複雑な条件の契約を結ぶことも可能になったでしょう。

およそ4000〜3000年前のとある粘土板には、次のように記されています。

収穫時にこの粘土板を持参した者に、アミル・ミラは330単位の大麦を引き渡す。

（ニーアル・ファーガソン『マネーの進化史』ハヤカワ・ノンフィクション文庫、２０１５年、P.58-60）

ポイントは、受領者の名前が指定されていないことです。この粘土板を持っている人なら誰でもアミル・ミラから大麦の支払いを受けることができたわけで、現代の約束手形のように使われていたことが想像できます。

大胆なことを言えば、この粘土板の文言は近現代の紙幣にも似ています。たとえば１８９９年（明治32年）に発行された日本の10円札には「此券引換ニ金貨拾圓相渡可申候也」、すなわち「この券と引き換えに10円相当の金貨を渡します」と書かれていました。[38] 紙幣とは、要するに中央銀行の発行する約束手形のようなものです。

つまり私は、この粘土板に貨幣の萌芽を感じ取っているのです。

古代メソポタミアでは秤量(しょうりょう)貨幣として銀と麦が広く用いられていました。が、ウルクに集まった5万人が鞄(かばん)を麦でパンパンにして持ち歩いていたと考えるのは非現実的でしょう。しかし、都市住人が自給自足を営むことは難しかったはずです。彼らは生きていくために購買行動が必須であり、それには何らかの決済手段が必要でした。その決済手段とは、信用取引——何かを得たら、見返りに何かを渡すという契約——だったはずです。

「人間の経済は物々交換から始まり、やがて信用取引に発展していった」という歴史観が、経済学の世界では今でも定説だそうです。しかし、これには考古学的な証拠がありません。伝統社会の人々からも、物々交換を基盤とする社会は見つかっていません。どうやら私たち人類は「取引」を行うようになった当初から、信用取引を行っていたらしいのです。[39] 物々交換を成立させるには、価値の等しい（少なくともお互いがそう認める）物品を、同時に持ち寄る必要があります。その難易度を考えると、ヒトの商業活動は最初から信用取引だったと考えるほうが説得力を覚えます。

文字の誕生は、このような信用取引を劇的に円滑にしたことでしょう。

かくして文字は第二の天性となった

言語を身に着けた人類は、やがて農耕定住生活を始め、国家を作りました。徴税と商取引の必要から、文字を生み出しました。

文字があることで、私たちは歴史を振り返ることができるようになりました。哲学を積み重ね、科学技術を普及させ、文学により情動を共有することも可能になりました。

しかし、文字はそれ以上のものです。

経済的な取引を円滑にして、生存に欠かせない物資を世界の隅々にまで行き渡らせるためのプラットフォームなのです。

識字率の上がった現代に暮らす私たちにとって、文字は「第二の天性」とでも呼ぶべきものになっています。もはや文字のない世界で暮らすことを、想像することも難しくなっています。

これは今の20代以下の若者が、インターネットのなかった時代を想像しづらいことに似ています。私自身は1985年生まれなので、小学生の頃にはインターネットがありませんでした。しかし大学生になる頃には、電子メールやGoogle検索なしでは生活できなくなっていました。人類にとってインターネットは、文字のような「第二の天性」になりつつあります。

「インターネットが登場する前は、独り立ちした子供が毎月1回は電話で声を聴かせてくれたのに、今ではLINEのメッセージだけで済ますようになってしまった」

そんな愚痴を漏らす高齢者をしばしば見かけます。

似たような愚痴を、青銅器時代の商人も漏らしていたかもしれません。

「昔は毎月1回は親族で集まって挨拶をしていたのに、最近では『手紙』で済ますようになってしまった――」

第3章

活版印刷の発明

――真の破壊的イノベーション

貧富を問わず誰でも同じものが読める

活版印刷は、まさしく「世界を変えた発明」でした。

火薬や羅針盤など、国々の趨勢を決め、歴史を変えた発明品はたくさんあります。しかし、戦場や航海に出ない人々がその威力を味わうことは難しかったでしょう。一方、印刷物は国王から貧民まであらゆる人が手にします。社会のすべての階層に影響を与えて変化をもたらしたという点で、印刷技術は特別です。

活版印刷は、あらかじめ「文字を刻んだ小さなハンコのようなもの」を大量に作っておくことが特徴です。このハンコのようなものを「可動活字」あるいは単に「活字」と呼びます。[※1] 印刷したい文章に従って、この活字を専用の枠に並べます。この作業を「植字」あるいは「組版」と呼びます。組み終わった版にインクを塗り、紙に押し付けて、文章を印刷します。これが活版印刷のごく大雑把な仕組みです。

まず、①活字を組み換えれば、原理上、どんな文章でも印刷できること。また、②筆記よりも形の揃った美しい字を、筆記ほどの熟練を要さずに綴れること。何より、③手書きで写本を作るよりも高速かつ安価に書物を大量生産できることが、

※1 活版印刷の活字

活版印刷の利点でした。

活版印刷は、今を生きる私たちに直接繋がりのある発明です。20世紀後半というごく最近まで現役だっただけではありません。今、私たちの目の前にある社会そのものが、活版印刷が発明されたからこそ誕生しえたのです。

「はじめに」でも触れた、高校の世界史をおさらいしましょう。

活版印刷は15世紀の半ばに、ドイツのヨハネス・グーテンベルクによって商用化されました。ビラや冊子を大量生産できるようになったことで、16世紀前半にマルティン・ルターは宗教改革に火をつけました。

もしも宗教改革がなければ、おそらくプロテスタントは生まれず、17世紀にピルグリム・ファーザーズ[※2]が北米大陸に入植することもなく、イングランドで清教徒革命[※3]は起こらなかったでしょう。18世紀後半にアメリカで独立戦争[※4]は起こらず、それに触発されたフランス革命[※5]も起きず、ナポレオン率いるフランス軍がヨーロッパの絶対王政の国々を蹂躙(じゅうりん)することもなく、民主主義や立憲君主制が広まることもなかったでしょう。19世紀、明治維新を起こした日本の指導者たちが、新しい国作りの手本としてヨーロッパの国々を参考にすることもなかったかもしれません。

さらに、もしも印刷技術がなければ科学技術の進歩がどれほど遅々としたもの

※2 絶対王政下のイギリスからアメリカに移住したピューリタン（清教徒）のこと。

※3 清教徒革命（1642年〜1649年）。イギリスの絶対王政に対して宗教的自由を求めてピューリタンたちが起こした内乱。

※4 アメリカ独立戦争（1775年〜1783年）。

※5 フランス革命（1789年〜1795年）。

になっていたかを想像してください。

　現代日本の私たちが、それなりに自由で豊かな生活を送れるのは、（大袈裟かもしれませんが）元をたどれば活版印刷のおかげなのです。

印刷前史① 粘土板・木簡・パピルスから紙へ

「ファイストスの円盤[※6]」という遺物があります。クレタ島で紀元前1600年頃に制作された粘土板で、241文字の未解読の象形文字が刻まれています。それらの文字は、手書きではありません。記号の刻まれたハンコのようなものを押し当てて、文章を綴っているのです[1]。

　インクを使っておらず、組版があるわけでもないので、ファイストスの円盤は厳密には「印刷」とは呼べないでしょう。しかし、約3000年後の活版印刷に似たアイディアが、古代ギリシャではすでに生まれていたことが分かります。

　前章では、古代メソポタミアにおけるトークンの「型押し」から文字が生まれたという説を紹介しました。「ハンコのようなものを使えば記号をいくらでも複製できる」というアイディアを思いつくこと自体は、さほど難しいことではない

※6 ファイストスの円盤

※7 竹簡

のかもしれません。

印刷には、紙の存在も重要です。

中国では古くから竹簡[※7]や木簡[※8]が筆記媒体として用いられていました。日本もそれに倣(なら)い、古代には木簡が利用されました。エジプトでは紀元前3000年紀の末頃にはパピルス[※9]に文字が記されるようになり[2]、それは古代ギリシャや古代ローマへと広まりました。

竹簡や木簡には、重くて取り回しが悪いという欠点があります。パピルスは植物の茎を叩き伸ばしてシート状にしたものであり、強度に問題があります。保存性が悪いのはもちろん、冊子本(コデックス)の形に製本することが難しく、巻子本(スクロール)にするほかないのです。巻子本にはいくつも欠点があるのですが、とくに「読み返す際に、以前に読んだ箇所を探すのが面倒くさい」という点が致命的であり、長文の記録には向きません。

紙は中国が発祥です。が、いつ発明されたのかは、はっきりとは分かりません。「紙」という漢字の部首が「くさかんむり」ではなく「いとへん」であることからも想像できる通り、この漢字はもともと、くず繭(まゆ)の絹をシート状に加工した筆記媒体を意味していたようです。見た目は紙に似ていますが、動物性繊維で作られ

※8 奈良時代の木簡

※9 パピルス

たそれは、現代の植物性の紙とは別物です。絹製のシートと植物性の紙のどちらにも「紙」という漢字が当てられていたので、発明された明白な時期が分からないのです。[3]

紙を現代のように丈夫で軽く、扱いやすいものへと改良したのは、1世紀末～2世紀初頭・後漢(ごかん)の時代の宦官(かんがん)・蔡倫(さいりん)※10と、彼が仕えた皇太后・鄧綏(とうすい)※11です。

紀元後75年に洛陽の宮廷に上がった蔡倫は、90年代には竹簡や木簡、絹布に代わる新たな筆記媒体として紙の研究を始めていたようです。彼は、水に浸した樹皮やぼろ布、麻などの植物繊維を叩いてどろどろのパルプ状にし、それを漉(す)いて乾かすという製法を確立しました。それまでの職人が1日に数枚の紙を献上するのがやっとだったのに対し、蔡倫の製法であれば2000枚も献上できました。[4]

一方、紀元後81年に生まれた鄧綏は、現代風に言えば「ギフテッド」の女性だったようです。6歳で孔子の『書経(しょきょう)』を理解し、子供のうちから『論語』や『詩経(しきょう)』を読破する才女でした。おまけに容姿も優れており、95年に後宮に上がったときには、背丈は7尺2寸(約162センチメートル)、驚くほどの美貌の持ち主だったとされています。※12

和帝(わてい)※13はそんな彼女に心惹(こころひ)かれ、102年に皇后が亡くなると、新たな皇后に鄧綏を選びました。和帝が106年に崩御すると、彼女は摂政として采配を振るう

※10 蔡倫(?年～121年頃)。後漢の宦官。

※11 鄧綏(81年～121年)。後漢の和帝の2番目の皇后。

※12 当然ながら、後世の歴史家による誇張もあるだろう。

※13 和帝(79年～106年)。後漢の第4代皇帝。

ようになり、以後15年にわたり国を治めました。

教育の重要性を認識していた鄧綏は、竹簡や木簡よりも扱いやすく安価な筆記媒体が必要であることも理解していました。彼女が属国（現在の中国西南部や朝鮮、ベトナムなど）から、貢物として紙を要求していたことが記録に残っています。だからこそ、彼女は蔡倫に目をつけたのです。鄧綏は、王室の図書館「東観閣」の業務をつかさどる責任者に蔡倫を登用しました。さらに114年には蔡倫の官位を上げ、それまでの職務を免じて領土を封（ほう）じました。

鄧綏は、蔡倫に製紙技術の研究を命じ、進捗状況を監督し、資金を援助しました。2人の共同プロジェクトにより、紙は文字を記すのに最適な媒体として完成したのです。

現代の私たちは、書籍はもちろんポストイットのメモやコンビニのレシート、トイレットペーパーに至るまで、紙に囲まれて生活しています。紙がこれほど身近で扱いやすい素材となったのは、蔡倫と鄧綏のおかげです。

121年に鄧綏が崩御すると、後ろ盾を失った蔡倫は政治闘争に敗れ、服毒自殺を余儀なくされました。

印刷前史② 活版印刷以前の書籍文化

現存する世界最古の印刷物は、日本にあります。※14

奈良時代に印刷された「百万塔陀羅尼」※15です。

764年、称徳天皇（孝謙天皇）※16が国家安寧を願って、『無垢浄光大陀羅尼経』という経典を100万枚印刷させ、木製の小さな三重の塔100万基の中に収め、全国の寺院に分置するよう命じたのです。完成までに5年8ヶ月を要し、157人の技術者が携わったとされています。このときに用いられた印刷技術は判然としません。木の板に経文を彫って印刷したという「木版印刷」説と、文字を銅版に鋳造して印刷したという「銅凸版」説の2説があり、いまだに決着がついていません。[5]

ともあれ、活版印刷が普及する以前の世界では、印刷と言えば木版が主流であり、とくに漢字文化圏では19世紀末頃まで用いられました。アルファベットに比べて文字数が多いために、活版印刷では膨大な数の活字が必要になってしまうからです。浮世絵版画※17は、日本人には馴染み深い木版の印刷物でしょう。

※14 厳密には、印刷年代を特定できる印刷物のうち、現存するものの中で世界最古。

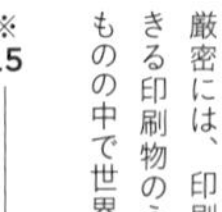

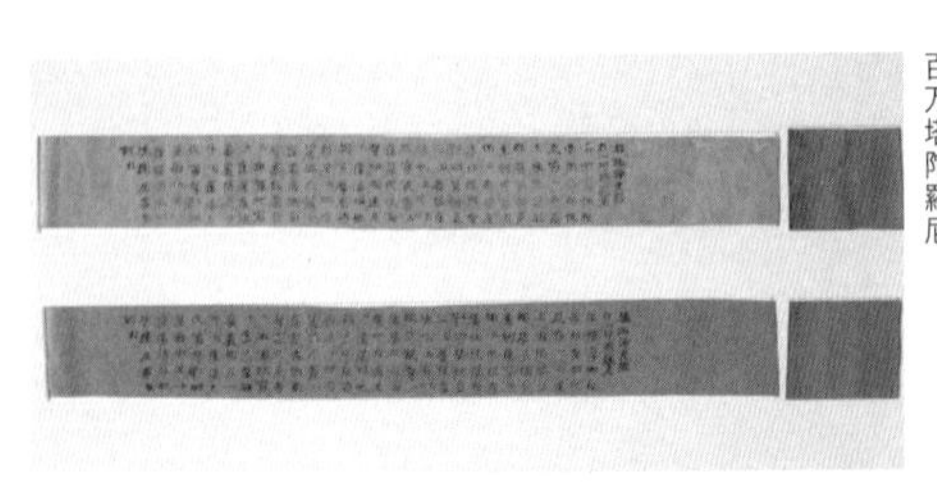

※15 百万塔陀羅尼

図画を簡単に複製できる点は、木版印刷の強みです。ヨーロッパでも14世紀末頃には宗教画の木版印刷が盛んになりました。さらに14〜15世紀にはヴェネチアや南ドイツの一部地域で、木版によるカルタの製造が無視できない規模の産業へと成長していたようです[6]。

一方、(図版ではなく)文章の複製には、活版印刷が生まれるまでは筆写が主流でした。写字生が1冊ずつ手作業で書き写して、写本を制作していたのです。とくにイスラム圏では手書きによる写本制作が花開きました。

610年頃、ムハンマド※18は神の啓示を受けてイスラム教を開きました。当初は口承で教義が伝えられていましたが、ムハンマドの義理の息子であり644年に3代目正統カリフ※19に選ばれたウスマーン※20はこれを1冊の書物、すなわち『クルアーン』へと編纂(へんさん)しました。『クルアーン』の重視は、イスラム教の特徴の1つです。

ユダヤ教徒やキリスト教徒は、タナハや聖書を宇宙の最初から存在するものだとは考えません。預言者たちにより制作されたものだと考えます。仏教ではさらに踏み込んで、仏陀の言葉をそのまま記した経典はさほど多くありません。後世の宗教指導者が「仏陀の教えを要約するとこんな感じの意味になるよね」とまと

※16 称徳天皇(718年〜770年)。

※17 18世紀、江戸を中心に広まった大衆文化。浮世絵師として葛飾北斎、歌川広重などがいる。19世紀後半から「ジャポニズム」として欧米でも人気となった。

※18 ムハンマド(570年頃〜632年)。イスラム教を創始した預言者。

※19 ムハンマドの後継者の意味で、イスラム国家の最高権威者。

※20 ウスマーン(574年頃〜656年)。

めたものでも、正統な経典として扱われている例が珍しくありません。

ところが、イスラム教では『クルアーン』を本質的に永遠不滅であり、創造されたものではないと見做すのです。[7] 唯一の神が何者かによって創造されたわけではないように、『クルアーン』の言葉も創造されたものではない、とイスラム教の神学者は考えます。

このような経典への信仰心が、イスラム圏での写本制作に火をつけました。そもそも『クルアーン』とは「読誦（どくしょう）すべきもの」という意味です。信者に音読されることを前提とした書物であり、宗教施設の数だけ（もっと言えば信者の数だけ）コピーが必要だったのです。厳格な偶像崇拝の禁止も写本熱に拍車をかけました。神や聖人の姿を崇めることを禁じた結果、壁を『クルアーン』の言葉で飾るようになり、[※21] 美しいカリグラフィーが発展し、優れた能書家たちが輩出されました。

830年にはアッバース朝[※22]のカリフ、アル＝マームーン[※23]の命により、バグダッドに「知恵の館」という巨大図書館が建設されました。これは学校と翻訳局を合わせたような総合研究施設でした。カリフはエジプト、シリア、ペルシア、インドなどから稀覯本（きこうぼん）をかき集めるように命じ、さらに学者たちに帝国内での移動の自由を許しました。プトレマイオス[※24]の『アルマゲスト』を始め、プラトン[※25]やアリストテレス[※26]などの古代ギリシャの文献までもが収集・蓄積されました。

※21
エルサレムのモスク「岩のドーム」の壁面に描かれた文字。

※22
アッバース朝（750年〜1258年）。中東地域を支配したイスラム帝国第2の王朝。

※23
アル＝マームーン（786年〜833年）。アッバース朝の第7代カリフ。

中世後半のイスラム圏には、大きな町ならどこでも図書館がありました。10世紀末のカイロのアズハル・モスク図書館には約20万冊の蔵書がありました。同じく10世紀、コルドバのハカム2世の図書館は40万冊を収蔵していたとされています。11世紀のバグダッドには100軒以上の書店があったと見られています[8]。活版印刷が生まれる以前の世界では、これは驚異的な数字です。同時期のヨーロッパの図書館には、まだ数百冊の蔵書しかありませんでした。バチカン図書館ですら14世紀になってもわずか2000冊の蔵書しかなかったのです[※27]。

このような書物への情熱により、知識の蓄積と交流が進み、この時代のイスラム圏では天文学や数学、科学が大きく発展したのです。13世紀中頃のバグダッドには、先述の「知恵の館」を筆頭に13の大規模な図書館が存在しました。

1258年、フラグ[※28]率いるモンゴル兵によりバグダッドは陥落しました。建物という建物が焼き払われ、あらゆる書物がチグリス川へと投げ捨てられました。川の水は6ヶ月にわたってインクで黒く染まったと伝えられています。

※24 クラウディオス・プトレマイオス（83年頃〜168年頃）。『アルマゲスト』のほか『テトラビブロス』『ゲオグラフィア』は、中世における文明の世界観に大きな影響を与えた。

※25 プラトン（前427年〜前347年）。古代ギリシャの哲学者。ソクラテスの弟子であり、著作『ソクラテスの弁明』『国家』が有名。

※26 アリストテレス（前384年〜前322年）。古代ギリシャの哲学者であり、プラトンの弟子。

グーテンベルクの「技術と冒険」

ヨハネス・グーテンベルク[※29]は、現代風に言えば「自分でもコードを書くタイプのベンチャー社長」のような人物です。彼は優れた金属細工師であり、創意工夫の才能に満ちた技術者でした。その一方で、他人を説得して資金を調達し、たくさんの人を巻き込んで事業を興す起業家の顔も持っていました。そして「印刷業」という、まったく新しい産業を生み出したのです。

グーテンベルクは1400年頃[※30]に、ドイツのマインツ[※31]で生まれました。この町は8世紀に大司教の鎮座地となって以来、ドイツにおけるキリスト教の中心地となり、政治的に極めて重要でした。グーテンベルクが物心つく頃には、マインツはケルンと並ぶライン川の商工業の中核都市として発展していました。

当時のマインツでは、政治的に3つの勢力がしのぎを削っていました。①大司教を中心とする宗教的権力、②富裕な商人として政治参加の権利を得た都市貴族、③「ツンフト」と呼ばれる職業別ギルドに所属する中産階級です。[9]

※27
現代日本の小学校の図書室の平均的な蔵書数は約1万冊である。

※28
フラグ（1218年〜1265年）。モンゴル帝国の初代皇帝チンギス・ハンの孫であり、イルハン朝の創始者。

※29
ヨハネス・グーテンベルク（1400年頃〜1468年）。ドイツの金属細工師、印刷業者。

※30
彼の正確な生誕年は判明しておらず、1394年〜1402年の間で諸説ある。

グーテンベルクは「都市貴族」の階級に生まれました。が、彼は次男坊であり、また彼の血筋にはツンフトの血も混ざっていました。4人の祖父母のうち3人までは都市貴族だったのですが、母方の祖父だけは、石の小売りを生業（なりわい）とする商人ギルドの人間だったのです。要するに彼は、豊かで恵まれた生まれではあるものの、座して待つだけで出世できるような身分ではなかったのです。

彼の一族は造幣にかかわっており、屋敷には金属細工師が出入りしていました。グーテンベルクがいつどこで金属加工の技術を身に着けたのかは判然としませんが、幼少期からそれに接する機会があったようです。

1411年、3つの階級間の政治闘争の影響で、都市貴族の多くがマインツを離れました。このときに町から逃げた人間のリストには、グーテンベルクの父親の名前もあります。11歳ぐらいの少年だったグーテンベルクも、おそらく一緒にマインツを離れて、ライン川河畔のエルトヴィルという小さな町に移住したと見られています。

残された印刷物から言って、グーテンベルクに高度なラテン語の素養があったことは間違いありません。問題は、どこでそれを身に着けたのか、です。一部の研究者は、グーテンベルクがエアフルト大学※32で学んだ可能性があると指摘しています。1世紀近くのちにマルティン・ルターが入学する大学です。つまりグーテ

※31 マインツ大聖堂（現在の姿）

※32 ドイツ中部チューリンゲン・エアフルトに置かれた大学。1392年創立。

ンベルクは、宗教改革を起こすルターの遠いOBだというのです。

15世紀初頭の時点で、すでにエアフルト大学には進歩的な思想が渦巻いていました。ドイツのフランシスコ派修道僧は、ドイツ国内へのローマ教皇の影響力の増大に警戒心を抱いていました。アウグスティノ派修道会は、人々が聖書や宗教書を直接読むことを奨励していました。その後の宗教改革への布石となるような思想の潮流にグーテンベルクも触れた可能性があります。

グーテンベルクは1420年にマインツに帰郷し、再び政争で町を離れる1429年までの20代の大半をここで暮らしました。この期間に、彼はニコラウス・フォン・クース※33という人物と接触した可能性があります。クースはのちに枢機卿にまで出世した人物で、教会改革運動の指導者でした。クースは、カトリックの宗教儀式のハンドブックである『ミサ典礼書』の統一を訴えていました。当時の『ミサ典礼書』は手書きで複製されていたため誤字・脱字が多く、意図的に内容が歪曲されることさえあったのです。

クースは1424年にマインツを訪れました。人口5700人ほどの町で、歳の近い教養人同士が言葉を交わした可能性は高いでしょう。クースが、正しい内容の本を複製したいという願望を口にすることさえあったかもしれません。

※33 ニコラウス・フォン・クース（1401年〜1464年）。中世ドイツの哲学者、神学者、数学者。

グーテンベルクは自伝や日記を残さなかったので、その人生には空白期間がたくさんあります。１４２９年にマインツを去った彼が、再び記録に現れるのは１４３４年。シュトラースブルク（現在のフランス・ストラスブール）[※34]で、金属細工のマイスターとして暮らしていました。シュトラースブルクは人口２万５０００人を数える当時としては大都市で、アルザス地方の商工業の中心地として栄えていました。

偉大な発明は、この地でなされました。

当時の彼は、金持ちの市民たちに研磨技術を教えて報酬を得ていました。また、この市民たちとの共同事業として、アーヘンで売るための手鏡を製造していました。

アーヘン[※35]は、神聖ローマ皇帝の戴冠式が代々執り行われた都市です。この街に押し寄せる巡礼者に向けて、日本風に言えば「お土産のお守り」として手鏡が販売されていたのです。アーヘンの金属細工師たちだけでは供給が間に合わず、周辺の都市でも製造されていたのです。

この手鏡製造事業の仲間たちと、グーテンベルクは活版印刷機を開発したようです。当時の裁判の記録から、その様子をうかがえます。１４３８年、仲間の１人がペストで死亡すると、その弟が事業に加わりたいと申し出ました。ところが

※34 ストラスブールのグーテンベルク広場の銅像

※35 アーヘン大聖堂（現在の姿）

（おそらく新技術の秘密を守りたかったからでしょう）グーテンベルクはそれを断りました。結果、この弟から訴えられてしまったのです。

裁判の中で、グーテンベルクと仲間たちは自分たちの仕事を「技術と冒険」とか「発明」「事業」といった、曖昧な表現で証言しています。この「冒険」こそ、活版印刷の技術開発であろうと後世の研究者たちは見做しています。

彼らは発明の流出・模倣を恐れただけではありません。当時のドイツでは、印刷術は「黒魔術」と見做される危険性がありました。だからこそ曖昧な言葉を用いたのです。

遅くとも1440年までにはグーテンベルクは活版印刷機の試作機を完成させ、印刷物を世に出していました。[※36] 現存するものでは『ドナトゥス』が有名です。これは28ページほどのラテン語の辞書兼文法書で、当時のヨーロッパでは広く筆写されていました。ラテン語学習者からの底堅い需要がある書物を、グーテンベルクは最初期の印刷物に選んだのです。

※36 グーテンベルクの活版印刷機（復元）

最高傑作（マグヌム・オプス）『四十二行聖書』

1444〜1448年頃に、グーテンベルクはマインツに帰郷しました。そして、この町で、歴史上もっとも有名な印刷物である『四十二行聖書』[※37]を制作したのです。

『グーテンベルク聖書』とも呼ばれるこの書籍は、横31センチメートル、縦42センチメートル、全2巻で合計1282ページという大型本です。名前の通り1ページあたり42行ずつ、現代の私たちの目から見ても美しい活字で印刷されています。

人間の写字生の場合、綺麗な字を書くだけでも長年の修練が必要です。筆写のベテランでも、書き損じのリスクが付きまといます。ところが活版印刷には、そのような人間特有のデメリットがありません。

さらに『四十二行聖書』の特筆すべき点は「1行の長さ」が揃っていることです。アルファベットを用いるヨーロッパの言語では、単語の途中での改行は歓迎されません。そのため、手書きの写本では1行の長さを揃えることが至難のわざなのです。行頭を揃えることはできても、行末が揃わずにガタガタになりがちです。ところがグーテンベルクは、優れた組版の技術により行末を揃え、手書きよりも美しいページの印刷に成功しました。活版印刷というイノベーションは、生産効率だけでなく、審美的な面でも人間を凌駕(りょうが)したのです。

※37 『四十二行聖書』

当時のグーテンベルクは、生家であり義兄の暮らしていた一族の屋敷に居を構えていました。この「グーテンベルク屋敷」の一角に工房を作り、1台の活版印刷機を導入して印刷事業を始めました。当初は先述の『ドナトゥス』などを刷っていたようです。

この時代の書籍は、一般庶民では手の出せない高額商品でした。活版印刷が生まれる以前の世界では、あらゆる書籍が「手作りの1点もの」だったからです。グーテンベルクの印刷物は既存の商習慣に従って、書籍商や行商人の手を介して、教会や上流階級を対象に販売されました。

こうした商人の中に、ヨハネス・フスト[※38]という富裕な人物がいました。活版印刷に商機を見出した彼は、グーテンベルクにカネを融資しました。1450年と1452年にそれぞれ800グルデンずつ、計1600グルデンを貸したのです[※39]。フストは、現代風に言えば「エンジェル投資家」と呼べるでしょう（投資ではなく融資ですが）。

この資金を元手に、グーテンベルクは同じくマインツの「フンブレヒト屋敷」に工房を新設しました。この屋敷には、まず4台、最終的には6台の活版印刷機が設置されました。植字のための作業場が6つに、紙や羊皮紙を保管する倉庫も

※38 ヨハネス・フスト（1400年～1466年）。

※39 当時の手工業親方の年収は20～30グルデンだった。

併設されました。「工房」というよりも「工場」と呼びたくなる規模です。

この新たな工房で、グーテンベルクは『四十二行聖書』の制作に取り掛かりました。

現在でも、印刷物の「フォント」のデザインは重要です。グーテンベルクも『四十二行聖書』のために新たなフォントを作成しました。大文字、小文字、記号、それらのサイズ違いなど、合計で約２９０種類もの活字が必要になりました。

さらに１２８２ページの組版・校正にどれほどの手間がかかったか——。想像を絶します。

グーテンベルクと仲間たちは先駆者（パイオニア）であり、誰かの真似はできませんでした。フォントのデザインや組版、校正、その他もろもろの作業すべてを手探りで確立していったのです。そのため『四十二行聖書』の制作には時間がかかり、初版が完成したのは１４５４～１４５５年頃でした。

ところが——。

『四十二行聖書』が世に出るのとほぼ時を同じくして、資金提供者のフストはグーテンベルクを訴えました。裁判の結果、グーテンベルクは聖書の販売から得られたであろう利益を手にできなかっただけでなく、フンブレヒト屋敷の工房を丸ごと奪われてしまったのです。

この一件から、後世の伝記ではフストは強欲なカネの亡者として描かれがちでした。しかし裁判の記録によると、それは行きすぎた見方のようです。フストは商人であり一刻も早く融資した資金を回収したかった一方、グーテンベルクは聖書の完成度にこだわって、彼を長く待たせていました。

両者には認識の相違もありました。この時代、グーテンベルクはフンブレヒト屋敷の工房だけでなく、生家である「グーテンベルク屋敷」の工房も並行して運営していました。つまり彼はマインツに2つの工房を持っており、フストから借りたカネを自分の印刷事業全体に――グーテンベルク屋敷の工房の仕事にも――使えると考えていたらしいのです。ところがフストの目には、貸したカネを本来とは違う目的に流用しているように映りました。

こうした事情から、フストはしびれを切らしていました。もちろん彼には、フンブレヒト屋敷の工房を入手すれば、印刷事業を引き継いで儲けを出せるという目論見もあったでしょう。『四十二行聖書』の完成時というタイミングで訴訟に踏み切ったのです。

フンブレヒト屋敷の工房を取り上げられたグーテンベルクですが、すべてを失ったわけではありませんでした。その後も生家の工房で、贖宥状(しょくゆうじょう)(免罪符)や、ラテン語大辞典の『カトリコン』などを印刷して、事業を続けました。

ところで、この時代の大きな事件として1453年5月の〝コンスタンティノープルの陥落〟が挙げられます。

古代ローマ帝国はテオドシウス帝[※40]により395年に東西に分割されました。その後、西ローマ帝国は476年に滅亡しますが、東ローマ帝国は「ビザンツ帝国」とも呼ばれて長く存続しました。コンスタンティノープル（現在のトルコ・イスタンブール）は東ローマ帝国の首都であり、最後の都市です。この都市がオスマン帝国に滅ぼされたことで、2000年を超えるローマの歴史に終止符が打たれたのです。

オスマン帝国を筆頭に、イスラム勢力の拡大にキリスト教の教会は脅威を感じていました。そこで十字軍を組織するための資金源として、贖宥状が盛んに発行されたのです。グーテンベルクも教会からの要請に応え、贖宥状を印刷しました。のちのマルティン・ルターからは教会の腐敗の象徴として激しく批判される免罪符ですが、グーテンベルクの時代にはまだ、そのような見方は広がっていなかったようです。

1462年、グーテンベルクは戦乱に巻き込まれ、またしてもマインツを離れ

※40 テオドシウス帝（347年〜395年）。ローマ帝国末期の皇帝。

ました。しかし、『四十二行聖書』を始めとした印刷物で、すでに名声を築いていました。1465年には、彼はマインツ大司教の廷臣として呼び戻されて一種の名誉職を与えられます。そして1468年に死去。技術的・商業的な冒険に満ちた生涯に幕を下ろしました。

その後、グーテンベルクとともに働いた仲間や弟子たちはヨーロッパ各地に広がり、それぞれの土地に印刷業を根付かせることになります。

グーテンベルクは新たな産業を発明した

じつを言えば、世界初の活版印刷を発明したのはグーテンベルクではありません。

ファイストスの円盤はすでに紹介した通りです。また、1040年代に中国・北宋で、粘土と膠（にかわ）で作られた「膠泥（こうでい）活字」が発明されました。[10][11] さらに朝鮮では1230年に銅製の活字が発明されました。

これら東洋の活版印刷は、組版の上に紙を載せて擦（こす）るという木版同様の印刷方法だったため、能率は悪かっただろうと推測されます。また、膠泥活字はその素材ゆえに強度に問題を抱えていました。朝鮮の銅製活字はもっぱら王室に独占され、民間での商用は許されませんでした。

グーテンベルクの偉大さがどこにあるかと言えば、やはり「印刷を事業として成り立たせたこと」に尽きると私は思います。これは①技術の改良と、②商売の仕組み作りという2つの側面に分けられます。

技術の面では、グーテンベルクは競合製品である「手書きの写本」に勝負を挑む必要がありました。これは単に、美しいフォントや、正確な植字・校正が必要だっただけではありません。

ヨーロッパの製紙業は11世紀のスペインに始まり、13～14世紀頃には北イタリアが重要な産地になりました。イタリア人たちは紙を改良し、ヨーロッパで普及している羽根ペンとインクに適した丈夫なものへと変えました。[12] このヨーロッパ式の紙を、グーテンベルクは攻略せねばなりませんでした。綺麗に紙に染み込むインクの改良と、紙をプレスする工程の発明が必要だったのです。プレスの圧力で可動活字が潰れないよう、合金の開発も必要でした。

金属製の活字は、ヨーロッパでは13世紀頃から写本の背表紙などに文字を打つ目的で作られていました。[13] 印刷物をプレスする機械は、ワイン用のブドウ圧搾機にヒントを得て設計されました。これらの逸話を聞くと、私は「枯れた技術の水平思考」[※41]という言葉を思い浮かべずにはいられません。

いずれにせよグーテンベルクはこれらの技術的課題を見事に乗り越え、手書きの写本に負けない――それどころか、既存の写本よりも美しい書籍の印刷に成功したのです。

商売の仕組み作りの面には、目を見張るものがあります。15世紀半ばという時代にあって、数百年後の資本主義を先取りするような方法を選んでいるのです。

グーテンベルクから約3世紀後に出版されたアダム・スミス[※42]の『国富論』(1776年)には、有名な「ピン工場の逸話」が登場します。素人が1人でピンを作ろうとすれば、1日に1本も作れれば上出来でしょう。ところが当時の工場では製造工程を分業することで、わずか10人の労働者で毎日4万8000本ものピンを製造できたというのです。針金を作る人、それをまっすぐに伸ばす人、適当な長さに切る人、一方の端を尖らせる人、その反対側の端を丸める人――。スミスは「分業」の重要性を説くために、この逸話を紹介しています。

言うまでもなく、グーテンベルクの印刷事業は「分業」が前提でした。

活字を彫る人、鋳造する人、植字をする人、印刷機を設計する人、組み立てる人、印刷機のオペレーター、原稿の編集者、校正担当者、さらには書籍を販売する行商人まで、たくさんの人が少しずつ分業しなければ成立しない商売だったの

※41 任天堂OBの横井軍平(ぐんぺい)の言葉。最新技術ではなく、すでに普及して長所短所の分かっている技術の新しい使い道を考えることがイノベーションに繋がるという発想のこと。

※42 アダム・スミス(1723年〜1790年)。イギリスの哲学者、倫理学者、経済学者。「経済学の父」と称され、主著に『国富論』がある。

です。

グーテンベルクの印刷業は**労働集約的**ではなく、**資本集約的**な産業だったと言ってもいいでしょう。

手書きの写本でも、写字生と挿絵画家、装丁職人などの分業はあったはずです。が、ごく少人数で製品を生産することができました。反面、生産性は著しく低く、14世紀末の時点では、熟練した筆記者でも1日あたり4～6ページを仕上げるのがやっとでした。[14] 新たな文字である「筆記体」の発明というイノベーションを経た上でも、このスピードだったのです。

一方、印刷業では人間の労働者が行う仕事よりも、資本が――設備投資によって入手した機械装置が――行う仕事の割合が増します。結果、生産性は桁違いに上昇しました。

『四十二行聖書』の時点で、2人で操作する印刷機1台で1時間あたり8～16ページを刷り上げることができたと推測されています。[15] 1481年版のダンテ※43の『神曲』の場合、1台の印刷機で1日に1000枚以上の印刷に成功したと伝えられています。[16]

グーテンベルクは、資金を調達し、設備投資を行い、たくさんの従業員とともに製品を生産しました。イタリアなどで発展しつつあったマニュファクチュア

※43 ダンテ・アリギエーリ（1265年～1321年）。イタリアの詩人。叙事詩『神曲』、詩文集『新生』など。

（工場制手工業）を参考にしたと見られています。このような資本主義の萌芽とも呼べる商売の仕組みに、活版印刷というイノベーションを組み合わせたのです。

たしかにグーテンベルク以前にも活字を発明した人々はいましたが、それを商売として成り立たせたことは誰にもなしえなかった偉業でした。

活版印刷を拒絶したオスマン帝国

グーテンベルクの死没とほぼ時を同じくして、活版印刷はヨーロッパ各地に広がり始めました。1500年までに、255の印刷地で3万点の書物が合わせて2000万部も印刷されていたと推計されています。[17] 印刷技術は瞬く間に普及したのです。

特筆すべきは、ヴェネチアの商人たちでしょう。

11世紀末から始まった十字軍により、ヨーロッパじゅうの男たちがエルサレムを目指しました。ヒトとモノの移動が盛んになった結果、その経路にあるイタリアの諸都市は商業で大いに潤いました。とくにヴェネチアは栄華を誇り、一時期は地中海貿易を牛耳るまでになりました。15世紀半ばのオスマン帝国の台頭によって海上貿易に翳りが見え始めたものの、活版印刷の普及期には依然として繁栄を謳歌していました。

　商売上手なヴェネチア人にとっても、最初期の印刷業は冒険的な事業だったようです。1469年、この地で最初の印刷物として、古代ローマの政治家キケロ[※44]の『友人、家族宛ての書簡集』が出版されました。しかし古典や宗教書はあまり売れず、12人の印刷業者のうち9人までもが5年以内に事業を畳みました。一方、よく売れたのは現代で言う「ハウツー本」だったようです。1478年には、イタリア語で書かれた数学の最古の書物『トレヴィーゾ算術書』が印刷されました。人文学者たちはユークリッド（エウクレイデス）[※45]の著作を刷ってほしいと求めていたにもかかわらず、商人向けの数学書のほうが先に印刷されたのです。ヴェネチアの商人たちは胡椒、絹織物、蠟などと同様の交易ルートに印刷本を載せ、ヨーロッパ各地で売りさばきました。ヴェネチアはヨーロッパにおける情報伝達技術の中心地となり、いわばルネサンス期のシリコンバレーのような場所になっていきました[18]。

　一方、イスラム圏では活版印刷は拒絶されました[19]。早くも1485年には、オスマン帝国[※46]のバヤジット2世[※47]はイスラム教徒を対象

※44 マルクス・トゥッリウス・キケロ（前106年〜前43年）。共和政ローマ末期の政治家、弁護士、哲学者。

※45 ユークリッド（生没年不明）。古代エジプトの数学者で、「幾何学の父」と称されている。

※46 オスマン帝国（1299年〜1922年）。

※47 バヤジット2世（1447年〜1512年）。オスマン帝国の第8代皇帝。

に、アラビア語の印刷物の制作を禁止しました。1515年にはセリム1世[※48]によって、さらに締め付けが厳しくなりました。

オスマン帝国で印刷機の設置が許されたのは、それから200年以上ものちの1727年でした。アフメト3世[※49]から印刷の許可を得たイブラヒム・ミュテフェッリカ[※50]は、しかし、厳重な検閲を受けなければ出版物を世に出せませんでした。結局、彼が印刷できたのは1729～1743年の間にわずか17冊。印刷所は家族によって引き継がれたものの、追加でたった7冊の本しか出せずに1797年に閉鎖されました。

オスマン帝国の中心から離れた地域では状況はより悪く、たとえばエジプトに初めて印刷機が設置されたのは1798年のことでした[※51]。

かつての書籍熱からすると、これは意外です。美しい写本文化を花開かせ、巨大な図書館をいくつも建設し、科学・数学で世界のトップレベルを走っていたにもかかわらず、イスラム圏では活版印刷は歓迎されなかったのです。

印刷技術には既存の体制を揺るがす破壊力があります。人々が自由に読み、書き、意見を交わせるようになったら、オスマン帝国のスルタンや宗教的エリートが権威を維持することは難しかったでしょう。創造的破壊を恐れた彼らは、自らの地位を守るために、それを禁じたのです。

※48 セリム1世（1470年～1520年）。オスマン帝国の第9代皇帝。

※49 アフメト3世（1673年～1736年）。オスマン帝国の第23代皇帝。

※50 イブラヒム・ミュテフェッリカ（1674年～1745年）。オスマン帝国に仕えた外交官。

※51 当時の欧米がすでにアメリカ独立戦争やフランス革命を経験済みだったことを考えると、かつて先進的だったイスラム圏がどれほど出遅れてしまったのかが分かる。

ある意味では彼らは賢かったと言えます。オスマン帝国は20世紀初頭まで存続したからです。とはいえ、その代償は高くつきました。オスマン帝国では1800年になっても国民の識字率は2～3％にすぎなかったのです。これは同時代のヨーロッパに比べて極めて低い水準でした。その結果、オスマン帝国は産業革命に乗り遅れて、経済・技術で西欧諸国の後塵（こうじん）を拝することになり、第一次世界大戦で敗北。その後のトルコ革命で滅亡しました。

ここから先は私の想像ですが――。

イスラム圏の印刷技術への反応を知ると、どうしても「イノベーションのジレンマ」という言葉が脳裏をよぎります。

たとえばコダック社は、20世紀末には写真フィルムの世界的リーディングカンパニーでした。21世紀に入る頃には従業員数はピークを迎えました。ところが、既存の写真フィルムとの競合を避けるためにデジタルカメラの商品化を見送るなど、デジタル化の波に乗り遅れた結果、わずか10年ほどで急激に業績が悪化。2012年には破産・再建を余儀なくされました。

このように、旧来の分野での大きすぎる成功ゆえにイノベーションを拒絶して乗り遅れてしまうことを、「イノベーションのジレンマ」と呼びます。

18世紀初頭になっても、イスタンブールには8万人もの筆記者がいました。手書きの写本は高級品ですから、古本市場も（いわば骨董品市場として）賑わっていたことでしょう。反面、識字率は低いままでした。つまり手書きの写本だけで、当時のオスマン帝国の書籍需要を満たせたのではないでしょうか。もしも活版印刷を規制しなかったら、供給過剰によって書籍が値崩れしただけでなく、膨大な数の筆記者が失職したはずです。

したがって当時のオスマン帝国では印刷を禁止することが最適解になってしまったのではないか――。と、私は想像しています。

古代から中世まで、世界の中心は間違いなく中国でした。また科学技術では中東・イスラム圏が最先端を走った時期がありました。西ローマ帝国が滅んで以来、ヨーロッパは貧しく遅れた辺境の地でしかなかったのです。ところが印刷機を手にした15世紀後半以降、彼らは巻き返しを開始します。そしてわずか数世紀後には、世界を支配するまでになりました。

印刷機は破壊的イノベーションであり、世界を変えてしまったのです。

次章では「世界を変えた印刷物」を見ていきましょう。

第4章

科学の発明
——世界を変えた印刷物

世界を変えた印刷物「5選」

「世界を変えた印刷物」のリストを作るのは難題です。人文学が専門ではない私ですら、思いつくかぎりに書名を挙げれば数百冊のリストになるでしょう。私の本業である物語創作の観点で言えば、シェイクスピア[※1]やディケンズの著作はすべて世界を変えたレベルで重要です。しかし本書の趣旨からは離れるので、ここでの紹介は避けましょう。

また、ホッブス[※2]やロック、ルソー、モンテスキューなどの中学校の社会科で習う思想家の著作をわざわざ紹介しても、学校の勉強のおさらいという趣(おもむき)が強くなりすぎるでしょう。

ここでは私独自の視点から、絞りに絞って5冊を紹介します。

この5冊が紡ぐのは、人類が現代的な価値観を身に着けて、「科学」を発明するまでの物語です。

※1 ウィリアム・シェイクスピア（1564年〜1616年）。イングランドの劇作家。4大悲劇に『ハムレット』『マクベス』『オセロ』『リア王』。

※2 トマス・ホッブズ（1588年〜1679年）。イングランドの哲学者。人工的国家論および社会契約説により、近代的な政治哲学理論の基礎を作った1人。

1

ルカ・パチョーリ『スムマ』(1494年)

「商売の言語」である複式簿記

1冊目はルカ・パチョーリの『算術、幾何、比および比例に関する全集』です。これはイタリア語版の書名の冒頭を取った『スムマ』の通称で知られています。これは当時の数学の知識をまとめた入門書なのですが、特筆すべきはヴェネチア式の簿記を紹介する章があることです。これは世界初の**複式簿記の教科書**でした。

著者のルカ・パチョーリ※3はコンベンツァル聖フランシスコ修道会の修道士であり、遍歴の数学者として名の知られた人物でした[1]。各地で家庭教師として算術や幾何学を教えていたようです。レオナルド・ダ・ヴィンチも遠近法の計算方法を相談するために、パチョーリと接触した形跡があります。

複式簿記を知らない読者にその重要性を解説するのは、たとえばタッチタイピ

※3 ルカ・パチョーリ(1445年〜1517年)。イタリアの数学者。左図はヤコポ・デ・バルバリが描いた肖像画(1495年)。

ングを知らない人にその便利さを説明したり、自炊をしない人に料理の面白さを伝えたりするくらい難しいのですが――。どうにか挑戦してみましょう。

複式簿記とは「帳簿のつけ方の1つ」であり、その点では現預金の出入りだけを記録する「おこづかい帳」や「家計簿」と同じです（これらは単式簿記と呼びます）。しかし商業活動では、一般家庭よりもはるかに複雑なカネの出入りがあります。

たとえば銀行口座に入金があった場合、それは製品の「売上」が入金されたのか、それとも銀行から借りたカネ――「借入金」が入金されたのか、きちんと区別して記帳する必要があります。出金があった場合も同様で、水道光熱費などの「費用」を支払ったのか、商品を仕入れたのか、借金

複式簿記と単式簿記の違い

複式簿記のイメージ

借方		貸方	
現金	10,000	売上	10,000
仕入	3,000	現金	3,000
水道光熱費	5,000	現金	5,000

単式簿記のイメージ

売上	10,000
仕入	3,000
水道光熱費	5,000

※ 企業によって書式は異なる

を返済したのか、区別が必要です。仕入れた商品のうち在庫になっているものは、いずれ販売した際には売上をもたらします。したがって「棚卸資産」として記録しておかなければなりません。

一般家庭なら、単式簿記の家計簿でもこれらのカネの出入りを記録できるでしょう（かなり根性が必要でしょうが）。しかし、取引相手が数百社、数千社と増えた場合を想像してください。さらに業務委託先や支店、支社、子会社の取引まで管理する必要が生じたら？　並みの人間では対処できないほど、複雑な経理作業が発生すると想像していただけるはずです。

ところが複式簿記を使えば、こうした複雑なカネの管理が可能になります。それも、紙とペンだけで。

インターネットを眺めていると、冗談めかして「社畜」とか「資本主義の奴隷」といった自虐を述べる人をしばしば見かけます。そういう立場から脱するために、真っ先に身に着けるべきスキルが複式簿記だと私は考えています。（悪い言い方をすれば）商売の道具として使われる立場から、自分自身で商売を動かす立場になる際に、必ず学ぶべきスキル――。それが複式簿記です。

ヨーロッパの世界制覇を支えた「カネの力」

話を歴史に戻しましょう。

複式簿記は14世紀頃に、ジェノヴァやナポリ、ヴェネチア、フィレンツェなどの北イタリアの商業都市で完成しました。[2] この地の商人たちは先述のような複雑なカネの管理という問題に直面し、簿記の技術を洗練させることで対処したのです。細部の発展と進歩はその後も続きましたが、複式簿記の根幹部分——貸借の一致、ストックとフローの区別など——は、この時代から変わっていません。

じつは江戸時代の日本でも、複式簿記に似た記帳の仕組みが(おそらくは独自に)発明されていました。[3] 1671年に作成された大坂の鴻池(こうのいけ)両替店の「算用帳」などが知られています。天下太平の世となって商業が発達した結果、3世紀前のイタリア人と同様の問題に頭を悩ませ、似たような解決策に至ったようです。ところが、こうした日本独自の記帳術はいわば「一家の秘伝」となり、符丁(ふちょう)を使うなどの暗号化がほどこされることさえありました。開国以前の日本では『スムマ』のような簿記の教科書が広く出回ることはなかったのです。

『スムマ』の出版された1494年は、コロンブスが新大陸に到達した2年後であり、「大航海時代」が産声を上げようとしている時代でした。それからおよそ1世紀後の1600年、エリザベス1世[※4]の勅命でイギリス東インド会社（EIC）が設立されました。これに危機感を覚えたオランダ人は、1602年にオランダ東インド会社（VOC）を設立しました。

オランダ東インド会社（VOC）は**世界初の株式会社**です[4]。

それまでの貿易会社は、航海の開始時に出資を募り、船が帰港したら解散・清算する「当座企業」でした。ところがVOCはそのような仕組みではなく、「継続企業の前提（ゴーイング・コンサーン）」を満たしていました。また、もしもVOCが破産した際には、株主はその負債を背負わなくていいという「有限責任制」でした。さらに「株式の譲渡・売買」が可能でした。現代にも通ずる株式会社の条件を満たしていたのです。

こうした先進的な会社を作ることができた背景には、簿記・会計知識の普及があります。『スムマ』以降も複式簿記の教科書が次々に作られて、ヨーロッパでは中産階級以上の人々にとっては基礎教養の1つになっていたのです。

その後の3世紀ほどをかけて、ヨーロッパ人は世界を制覇しました。

それを可能にしたのは帆走軍艦と大砲、銃の力であり、それらを用立てるカネ

※4 エリザベス1世（1533年〜1603年）。イングランドの女王。

の力だったのです。

2 マルティン・ルター『九十五ヶ条の論題』(1517年)

キリスト教の分派の歴史

まずはごく簡単に、キリスト教の概史をおさらいしましょう。

西暦はイエス・キリストの生誕(または割礼した日)を元年とする暦ですが、現在では研究が進み、彼の生誕年は紀元前7~紀元前4年頃だとされています。ナザレのイエスは30歳頃から宣教活動を始め[5]、ゴルゴタの丘で磔刑(たっけい)に処されました。弟子たちはその後も布教を続けましたが、危険な新興宗教として長らく迫害されました。

ところが313年、コンスタンティヌス帝はミラノ勅令でキリスト教を公認し、325年にはニケーア公会議を開催しました。この会議では、キリストと神とを同一視するアタナシウス派が正統教義と見做されました。のちに三位一体説を確立する宗派です。さらに431年のエフェソス公会議では、キリストの神性と人性とを分離するネストリウス派が異端を宣告されます。彼らは中東を経由して唐代の中国にまで逃げ延び、「景教（けいきょう）」と呼ばれました。ローマでの出来事は、東アジアの歴史にも、まったくの無関係というわけではなかったのです。

ローマ帝国の東西分裂と滅亡は前章で書いた通りです。[※5]ところが、ヨーロッパの主要地域を再び統一する強大な王が現れました。フランク王国のカール大帝（シャルルマーニュ）です。[※6]ローマ教皇レオ3世は、これを偉大なる西ローマ帝国の復活だと見做し、800年、カールにローマ皇帝の帝冠を与えました。

問題は、カールの戴冠時にもコンスタンティノープルを首都とする東ローマ帝国（ビザンツ帝国）は健在だったということです。要するにレオ3世は、勝手にカールをローマ皇帝だと宣言してしまったのです。ここに来てローマの教会は、ビザンツ帝国の従属から脱しました。のちの11世紀までに、キリスト教は東方のギリシャ正教と西方のローマ・カトリックに大きく分裂していきます。

この時代の興味深い文書として『コンスタンティヌス帝の寄進状』を紹介しておきましょう。これはコンスタンティヌス帝がコンスタンティノープルに隠居する際に書いたとされる文書で、西方世界の支配権をローマ教会にすべて委ねると

※5
第3章―127ページ参照。

※6
カール大帝（742年?～814年）。フランク国王。左図はジャン・フーケによる「カールの戴冠」（1455年～1460年）。

いう内容が記されていました。長らく、ローマ教会の絶対的権威の根拠として用いられていました。

ところが1440年、イタリアの人文学者ロレンツォ・ヴァッラはこれが偽書だと看破しました[6]。どうやらビザンツ帝国からの影響力を弱めるために偽造されたものだったようなのです※7。

グーテンベルクが活版印刷を発明したのは、教会の権威が根底から揺るがされつつある時代だったと言えるでしょう。

印刷が生んだインフルエンサー、ルター

マルティン・ルター※8はエアフルト大学に在学中の1505年、通学中の草原で激しい雷雨に見舞われました。稲妻に恐怖した彼は聖アンナへ助けを求めて叫び、修道士として生きることを決意したと伝えられています。

1517年、30代半ばになったルターは、ローマ教会への疑問をまとめた『**九十五ヶ条の論題**』をヴィッテンベルク城の教会の門に貼り出しました。彼はとくに贖宥状——罪の許しをお金で買えるという発想——に疑いを抱いていまし

※7 現在では、この『寄進状』は750年頃に書かれた偽書だと確定している[7]。

※8 マルティン・ルター（1483年〜1546年）。神学者。プロテスタント誕生のきっかけとなった宗教改革の主要人物。

た。この文書は一般庶民には読めないラテン語で書かれており、あくまでも教会関係者に対して議論を呼びかけていたようです。ルターはマインツの大司教を始め、司祭仲間にも討議すべき内容を送りつけました。当初、相手はルターを完全に黙殺しました。

ところが、ヨーロッパ各地の印刷所が、ルターには無断でこの文書を複製・翻訳し始めたのです。

1520年の時点で、ラテン語版3種類とドイツ語版1種類が存在しました。1523年にはオランダ語版、1525年にはフランス語版、1527年にはスペイン語版が登場しました。[8]

ルターの議論は、純粋な神学論争というだけでなく、世俗の人々の生活に干渉するローマ教会のやり方に疑問を呈するものでした。一部の神学者だけでなく、(少なくとも文字の読める)中産階級以上のエリート層から広く興味を集める内容だったのです。イタリアの教皇がドイツの政治に口を出すという状況を面白く思わない愛国主義的な人々がいたことも、ルターが注目を集めた背景にはあったようです。

こうしてルターは、現在で言えば「バズって」しまったのです。

プロテスタントの歴史家により、ルターは論争好きのたくましい人物として描かれがちです。それは一面の真実を捉えているのでしょう。彼はたしかに、妥協を知らない頑固かつ頭脳明晰な人物だったようです。反面、1519年にライプツィヒで開かれた討論会に現れた彼は、骨と皮ばかりで、急に有名になった重圧で疲れ果てていたそうです。[9] まるで、現代の「炎上しちゃった人」のようです。

バラク・オバマ大統領が選出された2008年のアメリカ大統領選挙以来、SNSは政治議論の主戦場となりました。似たような現象が、16世紀には「印刷物」というイノベーションを介して起きました。ルターが火をつけた宗教改革の議論に参加した人々は、誰もがこぞって論文を書き、小冊子を印刷することで、(現代のSNSユーザーと同様に)相手を論破しようとしたのです。

ドイツで印刷された小冊子の数は、1517〜1518年にはそれまでの5倍になり、1520〜1526年に6000点以上の論文が執筆され、650万部以上が印刷されたという研究があります。これらの冊子の価格は、1冊あたり雌鶏1羽や干し草用フォーク1本と同程度であり、多少は値が張るものの誰でも入手可能な範囲でした。[10] なお、当時のドイツの人口はおよそ1200万人、識字率は国全体で5%、都市部の男性でも30〜40%と推計されています。驚くべき数の印刷物が刷られたことが分かります。

ルターは速筆な人物で、多数の著作や手紙を残しました。とくに有名なものは、讃美歌集やドイツ語版の『新約聖書』でしょう。ルターは、ただローマ教会の権威にたてついただけではありません。福音を信ずることによってのみ魂は救われるという思想に基づき、平信徒のために筆を振るったのです。

プロテスタントの誕生が世界地図を変えた

こうしてキリスト教には新たな宗派「プロテスタント」が生まれました。中世のヨーロッパの社会秩序は崩壊し、分裂と宗教戦争の時代へと突入していきます。

プロテスタントの登場がもたらした歴史的事件として、前章ではピルグリム・ファーザーズの北米入植とイギリスの清教徒革命に触れました。これに加えて、ここでは三十年戦争を紹介しておきましょう。

三十年戦争は1618~1648年に争われた、ヨーロッパ全土を巻き込んだ紛争です。交戦勢力はあまりにも多く紹介しきれません。が、神聖ローマ帝国を筆頭とするカトリック勢力と、ボヘミア王国やネーデルラント（オランダ）、イングランドなどのプロテスタント勢力が争った宗教戦争[※9]でした。

この戦争の講和条約である**ウェストファリア条約**で、史上初めて「主権国家」

※9 カトリックを信仰するフランス王国は、このときはプロテスタント側として参戦した。またオランダでは1568年に始まった独立戦争と合わせて「八十年戦争」と呼ばれる。

の概念が明文化されました。現在の私たちは「国家」の定義を、誰かに「主権」があり、「領土」と「国民」が存在するものだと考えています。このような概念は、ウェストファリア条約が結ばれたことで実現したのです。

もしもルターが『九十五ヶ条の論題』を書かず、プロテスタントが生まれていなかったら――。

現代の世界地図は、まったく違うものになっていたでしょう。

3 アイザック・ニュートン『プリンキピア』（1687年）

回っているのは地球か、太陽か

印刷技術がなければ、**「科学革命」**も違った姿になったでしょう。これは17世紀のヨーロッパで生じた科学知識の急速な発展のことです。中でも天動説から地動説への転換は、もっとも劇的な進歩でした。

ヨーロッパでは、長らく天動説――宇宙の中心に地球があり、他の天体がその周囲を回っている――という宇宙モデルが信じられていました。これは紀元前400年頃にプラトンが考案したモデルに基づいています。[11] 紀元前3世紀にはアリスタルコス※10が地動説――太陽が宇宙の中心にあり、その周りを地球やその他の惑星が回っている――というモデルを提唱していたものの、これはあまりにも当時の常識からかけ離れていました。もしも地球が移動しているのなら、なぜ風が吹きつけてこないのか？　上空の雲が吹き飛ばされないのか？　また、当時はまだ慣性の法則が知られていない時代でした。もしも地球が移動しているのなら、ボールを空中に投げ上げれば（地球は移動するが、ボールはその場に留まるので）ボールは遠くに吹き飛ぶはずではないか――？

結局のところ、古代世界では常識が勝利を収めました。プラトンのアイディアを発展させて、紀元後2世紀頃にプトレマイオスが『アルマゲスト』を執筆。ここに書かれたモデルは当時としては精度が高く、他のどんなモデルよりも正確に天体の運行を予測できました。プトレマイオスよりも正確な天体の運行予定表が登場するまでに、それから15世紀ほどの時間を要したのです。

※10　アリスタルコス（前310年～前230年頃）。古代ギリシャの天文学者、数学者。宇宙の中心には太陽がある「太陽中心説」を唱えた。

コペルニクス的転換

最初の一歩を踏み出したのは、ニコラウス・コペルニクス※11でした。彼はポーランドの教会領の閑職を終生務めた人物です。しかし、若い頃にイタリアに遊学していた時期があり、おそらく世紀の変わり目の頃に、パドヴァ大学の図書室でアリスタルコスの発想に触れました[12]。

地球は動いているという発想を温め続けた彼は、1543年の死没直前に『**天体の回転について**※12』を出版しました。ここには地動説に基づく天体の運動モデルが記されており、教会の教えには真っ向から反するものでした。同書の冒頭部分では、ここに書かれたことは仮説にすぎないと強調されています。計算を便利にするために考えたモデルであって宇宙の真の姿を表現したものではない、と予防線を張っているのです。

この冒頭部分の断り書きはコペルニクス本人のものではなく、校正を担当したアンドレアス・オジアンダーという人物の加筆だと考えられています[13]。ルター派の牧師だったオジアンダーは原稿を一読して、それがどれほど物議を醸すかを察

※11
ニコラウス・コペルニクス（1473年～1543年）。ポーランド出身の天文学者。当時主流だった地球中心説を覆し、太陽中心説を唱えた。

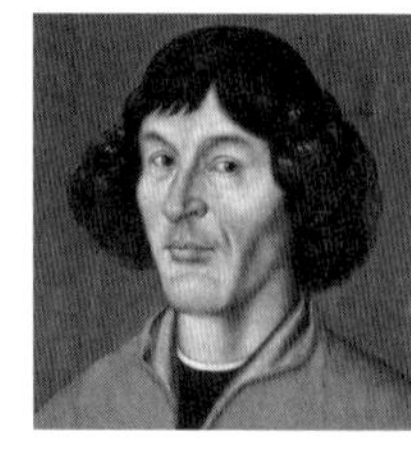

※12
『天体の回転について』1543年の初版

NICOLAI CO
PERNICI TORINENSIS
DE REVOLVTIONIBVS ORBI-
um coelestium, Libri VI.

知したのです。コペルニクスはおそらくこの加筆のことを知ることなく、穏やかな気持ちで眠りについたことでしょう。[※13]

それでも、賽（さい）は投げられました。

1世紀半ほど続く天動説 vs 地動説の論戦の口火が切られたのです。

金属の鼻を持つ男・ブラーエ

コペルニクスの死から3年後、その仮説と戦うことになる1人の男が生まれました。ティコ・ブラーエ[※14]はデンマークの貴族で、10代半ばから天体観測に熱中しました。まだ望遠鏡が発明されていなかった時代、四分儀や六分儀[※15]で、裸眼で夜空を観察したのです。血気溢れる性格だったようで、若い頃のケンカで鼻の一部を欠損しました。それを隠すために金属製の鼻カバーを着けて暮らしていたそうです。

ブラーエはヨーロッパの名だたる大学を遊学し、天文学や占星術の素養を身に着けました（当時、これらは密接にかかわっている学問でした）。さらにデンマーク帰国後の1572年には、夜空に突如として現れた光り輝く星——「新星」を発見。

※13　本人が死んだその日に校正刷りが届いたという説もある。

※14　ティコ・ブラーエ（1546年～1601年）。デンマークの天文学者。左図はヤーコブ・デ・ヘイン2世による肖像画（1586年）。

※15　四分儀や六分儀は、天体の高さを観測する器具。

30歳を迎える１５７６年には、デンマーク王フレゼリク２世※16から、ヴェン島の領地と、屋敷・研究施設を作るための年金を与えられました[14]。優秀な天文学者として認められたブラーエは、やがて王室の年間収入の１％にあたる金額を受け取るようになります。これは現在のＮＡＳＡがアメリカ政府から受け取っている金額よりも大きな割合です[15]。

優れた天体観測の技術ゆえに、彼は激しい葛藤を抱いたはずです。ブラーエは天動説を固く信じていました。しかし調べれば調べるほど、地動説のほうが上手く天体の運動を説明できるという結果が得られてしまったはずです。

ブラーエは１５８８年に出版した論文の中で、天動説と地動説の折衷案とでも呼ぶ

ブラーエの宇宙モデル

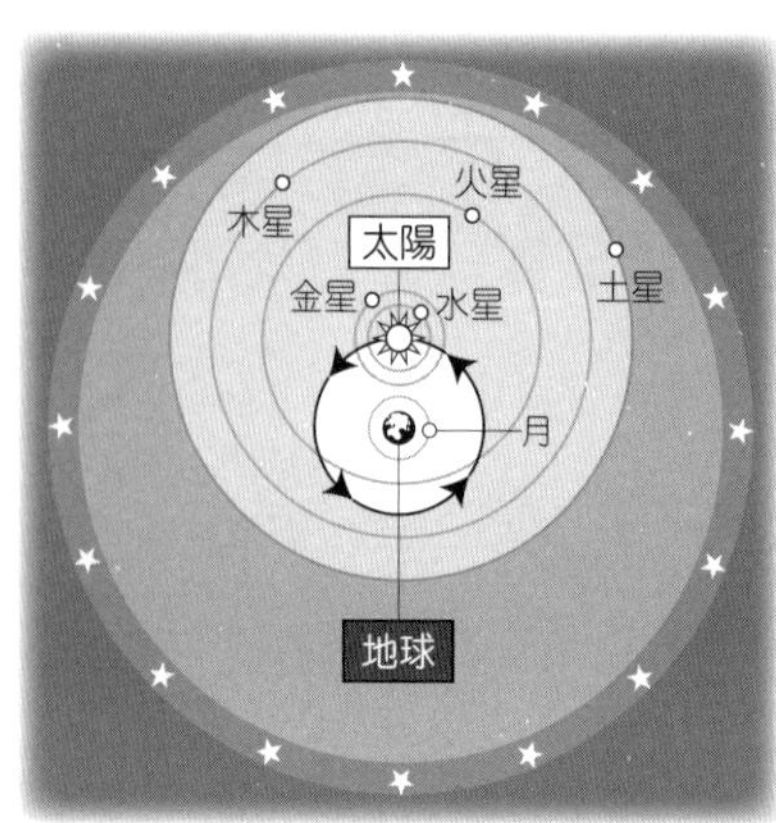

地球は宇宙の中心にあって不動であり、その周りを太陽が回っている（天動説）。
しかし、他の惑星は、その太陽の周りを回っている

べき宇宙モデルを提案しました。地球は宇宙の中心にあって不動であり、その周りを太陽が回っている――。ここまでは既存の天動説と同様です。しかし、他の惑星は、その太陽の周りを回っていると考えたのです。

ティコ・ブラーエが科学研究に果たした貢献は、この（現代人の目には苦悩の結果のようにも見える）宇宙モデルではなく、**正確無比な観測結果**にありました。彼は肉眼で天体観測を行っていたにもかかわらず、わずか15分の1度という驚くべき精度で星の位置を測定できたのです。

ブラーエが独創的な宇宙モデルを公表したのと同じく1588年、後援者であるフレゼリク2世が世を去りました。1597年にデンマークを離れたブラーエは、新たな支援者を探し、やがてプラハで神聖ローマ皇帝ルドルフ2世に謁見します。[16] 皇帝に気に入られた彼は、プラハ郊外での天体観測を許されました。さらにブラーエは、かねてより文通していた若き天才数学者をアシスタントとしてプラハに招きました。

そのアシスタントこそ、ヨハネス・ケプラー※17でした。

※16 フレゼリク2世（1534年～1588年）。デンマーク＝ノルウェーの国王。

※17 ヨハネス・ケプラー（1571年～1630年）。ドイツの天文学者。天体の観測を理論的に解明した、天体物理学の先駆者的存在。

天体観測のできない天文学者・ケプラー

ケプラーはブラーエよりも25歳ほど年下です。招きに応じて1600年にプラハに到着したとき、彼は28歳でした。2人はあまりそりが合わず、ケプラーはごく短期間で街を去りました。が、1601年にブラーエが突然死没すると、再び皇帝ルドルフ2世に呼び寄せられました。ブラーエの後任として指名されたのです。[17]

科学の歴史上、これは大事件でした。

ケプラーは文句なしの数学の天才でした。ところが眼を傷めていたため、自分自身ではほとんど天体観測ができなかったのです。そんな彼がブラーエの研究を引き継ぎ、その膨大かつ偏執的なまでに正確な観測データを自由に使えるようになったのです。

彼の著作では1609年に刊行された『**新天文学**』が有名です。ここには天動説は影も形もなく、地動説に基づいた宇宙モデルが提案されています。それどころかケプラーは同書の序文で、天動説の支持者すべてにケンカを売っています。

コペルニクスの地動説によって信仰心が揺らぐような愚者は、天文学には口を出さずに田舎に引っ込んでいろ……のような内容が書かれているのです[18]。

『新天文学』には、いわゆる「ケプラーの法則」の3つのうち2つが収められています。それまでの天文学では、惑星の軌道は真円だと考えられていました。円こそが完璧な図形であるという古代ギリシャの発想に引きずられていたのです。実際には、惑星の軌道は楕円(だえん)形に歪んでいます。この楕円軌道の発見はケプラーの功績です。

ところが発刊当時の『新天文学』は注目を集めず、ほとんど読まれなかったようです。むしろ、ケプラーの仕事で評価されたのは1627年の『ルドルフ表』でした。資金提供者かつ庇護者である皇帝ルドルフ2世の名を冠したこの書物は、ブラーエの観測結果をケプラーがまとめた惑星の運動に関する一覧表でした。

ブラーエの根気強い観測とケプラーの数学的才能が合わさった結果でしょう、『ルドルフ表』は正確性で抜きんでており、プトレマイオスの『アルマゲスト』を過去のものにしました。3年後の1630年にケプラーが没したときには、同書が彼の一番の功績だと見做されていました。

結局のところ、ケプラーはケンカをするようなタマではなかったのでしょう。天動説論者に論戦を吹っ掛け、地動説の支持者を増やすためには、もっと不遜かつショーマンシップに満ち、広い人脈に恵まれた科学者でなければならなかったのです。

科学の父・ガリレオ

その条件に当てはまるのが、ガリレオ・ガリレイ[※18]でした。

ガリレオは1564年のピサで、さほど裕福ではない貴族の一家に生まれました。ケプラーよりも7歳ほど年上です。フィレンツェの修道院で教育を受け、17歳頃にピサ大学に医学生として入学しました。しかし医学よりも数学に興味を抱いた彼は、フィレンツェで数学を教えるようになりました。ピサ大学で数学教授の地位を得たのは25歳の頃でした。

1592年、28歳頃にヴェネチア共和国に移り、当時ヨーロッパで随一の大学だったパドヴァ大学の数学教授の職を得ました(1世紀近く前にコペルニクスがアリスタルコスの文献を目にしたであろう大学です)。当時のガリレオは、商用および軍事用の計算尺の改良・販売で副収入も得ていたようです。

彼が1597年にケプラー宛てにしたためた手紙によれば、この時代にはすで

※18
ガリレオ・ガリレイ(1564年〜1642年)。イタリアの自然哲学者、天文学者、数学者。仮説に対して実験で検証するという現在に通じる科学の手法を確立した。

に地動説の支持者になっていたようです。しかし、まだそれを公言していませんでした。

ガリレオの人生は40代半ばに、望遠鏡と出会ったことで転機を迎えます。

望遠鏡は世紀の変わり目の頃[※19]にオランダで生まれたようです。その数百年前から、凸レンズや凹レンズで視力を矯正できることが知られていました。宗主国スペインとの独立戦争を戦っていたオランダ人は、これらのレンズを組み合わせれば遠方の景色を拡大できることに気づいたのです。1609年[※20]に結ばれた休戦協定で、オランダは事実上の独立を勝ち取りました[※21]。その講和会議の場で、望遠鏡はヨーロッパ世界に紹介されました。望遠鏡はオランダではありふれていたようで、特許を申請した人々が「この発明はすでに世に広く知られている」という理由で却下された記録が残っています。当時、オランダ製の望遠鏡の倍率は約3倍でした。

1609年、望遠鏡の噂を耳にしたガリレオは、自分でも作れるのではないかと考えました。そしてわずか24時間後には、倍率8倍の望遠鏡を組み立ててしまったのです。これを元老院議員たちに献上したことで、ガリレオは政界のリーダーたち、とくにヴェネチア共和国の総督から気に入られました。海洋国家であるヴェネチア共和国は、当時、オスマン帝国の脅威にさらされていました。望遠

※19 日本では関ヶ原の合戦が行われた頃、または英蘭でそれぞれ東インド会社が設立された頃である。

※20 ケプラーが『新天文学』を著した年。

※21 オランダの独立が国際的に承認されるのは、先述の1648年のウェストファリア条約まで待たなければならなかった。150ページ参照。

鏡があれば海上で敵艦をいち早く発見できることは、誰の目にも明らかでした。

ガリレオはその後も望遠鏡の改良を続け、その年の終わりまでに倍率20倍を達成しました。

そして彼は、それを夜空に向けました。

そこには驚くべき世界が広がっていました。

普通の科学者であれば、人生でたった1つでも大発見をできればいいほうでしょう。ところがガリレオは、この後わずか数年で天文学を根底からひっくり返す発見を6つも重ねました。

そのうち、最初の4つは1610年の『星界の報告』[※22]という書籍にまとめられています。

①月の表面がデコボコであり、地球のような山や平原があること。

それまでの宇宙観では、地球は特別であり似たような天体は他に存在せず、また、真球こそが完全な立体だと見做されていました。月もつるりとした綺麗な球だと考えられていたのです。しかし望遠鏡はそれを否定しました。

②夜空には肉眼では確認できないほど暗い星々があること。

とくに天の川が小さな星々の集まりであることをガリレオは発見しました。赤ん坊時代のヘラクレスが女神ヘラの母乳を与えられ、あまりにも強く吸ったため

SIDEREVS NVNCIVS MAGNA, LONGEQVE ADMIRABILIA ... GALILEO GALILEO PATRITIO FLORENTINO ... PERSPICILLI ... QVATVOR PLANETIS ... MEDICEA SIDERA NVNCVPANDOS DECREVIT. ... VENETIIS, Apud Thomam Baglionum. M DC X.

※22 『星界の報告』1610年初版の扉ページ

に飛び散った母乳が天の川だ――。そんな神話の時代には、もはや戻れなくなりました。

③恒星は惑星よりもはるか遠方にあること。

ガリレオの望遠鏡では、惑星はいずれも月と同様の球形に見えました。しかし恒星は、どんなに目を凝らしても形状がよく分からなかったのです。この観測結果からガリレオは、恒星が惑星よりもはるかに遠い場所にあると結論付けました。

④木星に衛星があること。

ガリレオの発見した木星の4つの衛星――イオ、エウロパ、ガニメデ、カリスト――は、今でも「ガリレオ衛星」と呼ばれています。現在でこそギリシャ神話にちなんだ名前のこれらの衛星ですが、当時は違いました。ガリレオは『星界の報告』を当時のトスカーナ大公だったメディチ家のコジモ2世[※23]に捧げ、これら4つの天体にはメディチ家の兄弟の名前をつけたのです。この作戦は功を奏し、彼はメディチ家の宮廷付き数学者兼哲学者に任命されました。

それまでの宇宙観では、地球は唯一無二の天体であるはずでした。しかし地球に月があるように、木星にも衛星があることをガリレオは証明したのです。

さらに、ガリレオは**⑤金星に満ち欠けがあること**にも気づきました。月と同様に、金星も時期によって満ち欠けすることを発見したのです。これこそ、天動説

※23――コジモ2世（1590年～1621年）。メディチ家の第4代トスカーナ大公。

が間違いであることの最初の直接的な証拠でした。プトレマイオスの説では、この現象を上手く説明できないのです。

加えて、ガリレオは⑥**太陽に黒点があること**を発見しました。望遠鏡で捉えた太陽の像をスクリーンに投影するという独創的な方法を編み出して、黒点の観測に成功したのです。この研究は1613年に『黒点に関する書簡』として発表されました。同書の中で、ガリレオは地動説への支持を明白に表明しました。

なぜガリレオは偉業を為(な)せたのか?

当初、ローマ教皇庁はガリレオの発見を好意的に捉えていたようです。これらは客観的な観測結果でしかなく、それが意味することまでは考慮されなかったのです。しかし彼が地動説への支持を明かしたことで事態は変わります。1616年に教皇庁はコペルニクス説を異端と宣言し、ガリレオにも今後それを研究したり擁護したりしないようにと警告しました。

ガリレオは警告をほぼ無視しました。水よりも氷のほうが密度が高い[※24]というアリストテレスの説を否定する研究に手を出して、イエズス会とアリストテレス派

※24 実際には逆。氷のほうが水よりも密度が低いからこそ、氷は水に浮く。

の双方を敵に回しました。1623年の『偽金鑑識官』では、自然界は「数学という言葉で書かれている」という見解を表明しました。トスカーナ大公国の王妃に宛てた手紙の中では、「『聖書』の文言という権威から始めるのではなく、実際の知覚体験および実証から始めるべき」だと述べています。[19]

そして1632年、『二大世界体系――プトレマイオス体系およびコペルニクス体系――に関する対話』を出版しました。日本では**『天文対話』**※25という邦題が有名です。

同書は3人の登場人物の対話形式で進みます。ガリレオ本人をモデルにした地動説の擁護者と、教会関係者をモデルにした天動説の支持者、そして2人の議論を横で聞いている審査員役の3人です。当然ながら、地動説派が天動説派を完膚なきまでに論破するという内容でした。

『天文対話』の中で、天動説派の人物は「単純バカ」のような意味合いを孕(はら)む「シンプリチオ」と名付けられていました。また、シンプリチオのセリフには教皇ウルバヌス8世※26が枢機卿時代に述べた言葉が引用されていました。さらに悪いことに、同書はラテン語ではなくイタリア語で書かれていました。ひと握りのエリートだけでなく、イタリア語の読める人なら誰でも読める書籍だったのです。

『天文対話』は、よく売れたようです。一方、ガリレオは1633年についに裁

※25 『天文対話』の口絵

※26 ウルバヌス8世（1568年〜1644年）。バロック時代のローマ教皇。

判[※27]で有罪の判決を受けました。以後、死ぬまで軟禁状態で過ごしました。
1642年、ガリレオは77歳でこの世を去りました。

科学とは、絶対的な真実の体系ではありません。現時点で一番もっともらしい仮説の体系です。観察・観測に基づいて仮説を立て、その仮説を実験で確かめ、もしも仮説に反するような新たな観測結果が得られたら、仮説を練り直す――。これを永遠に繰り返すことが科学という営みです。

ガリレオは聖書や古代ギリシャ人の言葉よりも、自らの観察結果と数学を信じるという姿勢を貫きました。これは当時のイタリアでは、自分の研究は神の啓示に等しいと述べているようなものであり、危険な発想でした。

しかし、この姿勢を貫いたからこそ、彼は偉大な発見をいくつも残すことができたのです。天文学だけではありません。物体の落下速度が物体の重さによらず一定であること。振り子の等時性。さらに物体の密度と温度、浮力の基本的な関係――。これらの発見は、後世の人々が振り子時計や「ガリレオ温度計[※28]」を発明することに繋がりました。

ガリレオは「科学の父」と呼ばれますが、それは決して過大評価ではないのです。

※27　この裁判の際に「それでも地球は回っている」と呟(つぶや)いたという逸話が有名だが、これは後世の創作であるらしい。

※28　ガリレオ温度計。ガラス球の浮き沈みによって気温を計ることができる。

ガリレオと望遠鏡の逸話は、示唆に富んでいると私は感じます。

もしもお手元に倍率3倍ほどのオペラグラスがあれば、それで夜空を見ていただきたい。低倍率のオペラグラスでも、肉眼では見えないたくさんの星が姿を現します。目のいい人なら月面の凹凸まで見えるかもしれません。望遠鏡が発明されてからガリレオの手に渡るまでに10年ほどのタイムラグがありました。この期間にも、たくさんの人が望遠鏡を手に取り、ガリレオに匹敵する大発見をするチャンスがあったはずなのです。

しかし、誰も夜空に望遠鏡を向けませんでした。

向けたとしても、目にしたものを上手く理解できませんでした。

望遠鏡を夜空に向けるだけでよかったのに、目にしたものをそのまま受け入れるだけでよかったのに。その「だけ」が、とても難しかったようです。中には、自らの宇宙観を守りたいがために、望遠鏡を覗くことを拒否する大学教授すらいました。一方、あえて単純化して言えば、ガリレオは夜空を望遠鏡で見ただけで世界を一変させたのです。

新たなイノベーションが目の前に現れたときは、チャンスです。

ごく単純なアイディアだけで、歴史に名を残す仕事ができるかもしれません。

これを私は「ガリレオ・チャンス」と呼んでいます。どんな分野でも、先駆者になることには価値があるし、見返りとして大きな果実を得られることも珍しくないのです。

そしてニュートンがバトンを受け取った

教皇庁は禁書処分にしましたが、『天文対話』はヨーロッパじゅうで広く読まれました。そしてガリレオの死から20〜30年後には、教育を受けた人間で天動説を信じる人はほとんどいなくなりました。

それでも、なぜ地球は太陽の周りを回っているのかを説明できる人はいませんでした。観測結果は地動説が正しいことを示していますが、その背後にあるメカニズムを誰も理論化できなかったのです。

その偉業を成し遂げたのが、アイザック・ニュートン[※29]でした。

ニュートンは、ガリレオが没した翌年にイングランドのリンカンシャー州ウールスソープで生まれました。当時は清教徒革命の時代であり、ブリテン島の各地で武力衝突が発生していました。彼はあまり恵まれた出自ではありません。父親は農園主でしたが（最底辺ではないものの）社会的地位は低く、ニュートンの生誕直

※29
アイザック・ニュートン（1643年〜1727年）。イギリスの自然哲学者、数学者、物理学者、天文学者。「ニュートン力学」と称される古典力学や微積分法を作った。

前に死んでいました。母親はニュートンが3歳のときに再婚し、息子の育児を祖母に委ねました。

ニュートンが6歳になる1649年には、〝護国卿〟クロムウェルの率いる議会派が勝利を収め、国王チャールズ1世が処刑されました。わずか10年少々で終わるイングランドの共和制時代の始まりです。一方、ニュートンは11歳で地元を離れ、下宿しながら基礎教育を受けました。17歳のときに農業を継ぐために実家に呼び戻されますが、まったく農作業向きの性格ではなかったようです。王政復古の翌年の1661年、彼はケンブリッジ大学のトリニティ・カレッジに送られました。水を得た魚のごとく、彼は哲学的・数学的な問題に没頭しました。

1665年、ケンブリッジ大学をペストが襲いました。大学は閉鎖され、ニュートンも故郷のウールスソープに疎開せざるをえませんでした。彼の業績の中でも重要なものはすべて、この2年間の疎開期間に成し遂げられたとされています。おそらく、暇だったのでしょう。思索にふける時間を有り余るほど得られたからこそ、彼は数学・光学・力学の世界を変えることができたのでしょう。

数学の分野では、ニュートンは微分積分法を発明しました。これはドイツの哲学者ライプニッツ[※30]とほぼ同時期であり、2人は別々に同じような発想に至ったよ

※30 ゴットフリート・ヴィルヘルム・ライプニッツ（1646年～1716年）。ドイツの哲学者、数学者であり、近世の大陸合理主義を代表する哲学者。

うです。私たちが学校で教わる微積分の記号は、ライプニッツが考案したものです。

光学の分野ではプリズムの研究が有名です。古くから、太陽光をガラスのプリズムに通せば虹色に染まることが知られていました。ニュートンはここから、白色光はたくさんの色の光が混ざったものであることを実証したのです。

ニュートンが真っ先に評価されたのは、この光学に関する研究でした。ペストが収まった1667年にケンブリッジ大学に戻った彼は、1669年頃には反射望遠鏡を発明していました。凹面鏡を使えば、ガラスのレンズよりもはるかに高倍率の望遠鏡を作れるのです。凹面鏡を使うというアイディア自体には先例がありましたが、実物を完成させたのはニュートンが最初でした。

年代は少し前後しますが、この時代のイングランドの重要な出来事として、コーヒーハウスのブームが挙げられます。酒の代わりにコーヒーを飲ませる居酒屋のような店です。現代の喫茶店のようにひと休みする場所ではなく、集まった男たちが会話や討論を楽しみ、仕事をする場所でした。人気のマンガ『マスターキートン』に登場する実在の保険会社ロイズも、もともとはコーヒーハウスに集まった貿易商たちが始めたある種の賭け事が発祥です[20]。

ロンドンで最初のコーヒーハウスは、1652年に開店しました。当時のロンドンは木造家屋がひしめく街だったのですが、1666年の「ロンドン大火」[※31]でその大半が焼失しました。結果、ロンドンは現代のようなレンガ造りの家屋が並ぶ街へと変貌を遂げました。大火からの再建後、コーヒーハウスの数は倍に増えて、1688〜1689年の名誉革命の頃には500軒（一説には2000軒）を数えたと伝えられています[21]。

名誉革命の4年前の1684年、とあるコーヒーハウスに3人の男たちが集まり、ある賭けに興じました。ロンドンの再開発事業を手掛ける建築家クリストファー・レン、ロンドン王立協会[※32]の実験部門責任者ロバート・フック、そして、のちに彗星の名前で有名になるエドモント・ハレー[※33]の3人です。

彼らの賭けの内容は、惑星を動かす力が「逆2乗の法則」に従うことを証明できるか？　というものでした。

当時、惑星の公転運動にどんな力が働いているのかは分かっておらず、磁力が有力候補だと見做されていました。その力の正体が何であれ、逆2乗の法則に従うかどうか——太陽からの距離の2乗に反比例して弱まっていくのかどうかが議論されていたのです。これを数学的に証明するのは難題でした。

もしも「逆2乗の法則」を証明できたら2ポンド（コーヒー250杯ぶん）を支払

※31　ニュートンが疎開していた頃。

※32　現在まで続くイギリスの科学学会。

※33　エドモント・ハレー（1656年〜1742年）。イギリスの天文学者、物理学者、数学者、気象学者。

うことを彼らは約束し合いました。

その年の終わり、ハレーはケンブリッジ大学を訪れ、ニュートンと面会しました。

そして彼に、もしも距離の2乗に反比例する力が惑星の運行に影響しているとしたら、惑星の軌道はどのような形になるだろうかと尋ねたのです。

するとニュートンは「楕円だ」と即答しました。

20年も前に、それを証明済みだというのです。

感銘を受けたハレーは、ぜひその証明を書籍にまとめるべきだとニュートンを説得しました。折悪しく王立協会は資金難だったため、ハレーが出版のための費用すら工面しました。

こうして1687年、自然科学の金字塔的文献である『自然哲学の数学的諸原理』——通称『**プリンキピア**』が世に出たのです。

ここには有名なニュートンの「運動3法則」がまとめられ、さらに万有引力の概念を導入することで、地上のリンゴや砲弾から天空の惑星まで、すべて同じ法則で説明できることが示されました。

とはいえ、一般大衆に与えた影響という点では、ハレーによる1715年のビラのほうが上かもしれません。

この年の4月22日、ロンドンは皆既日食を経験し、街は暗闇に包まれました。しかし数百年ぶりの皆既日食を神の怒りの前触れとして恐れる人はほとんどおらず、イングランドの人々は感嘆の息を漏らしながら空を見上げました。その2週間前から、エドモント・ハレーと仲間たちは、日食の経路図を載せた「A description of the passage of the shadow of the moon over England」※34というビラをばら撒いていたからです[22]。

観察と数学に裏打ちされた科学は、教会よりも正確な「予言」をもたらすことができる——。

ハレーのビラは、そのことを知らしめたのです。

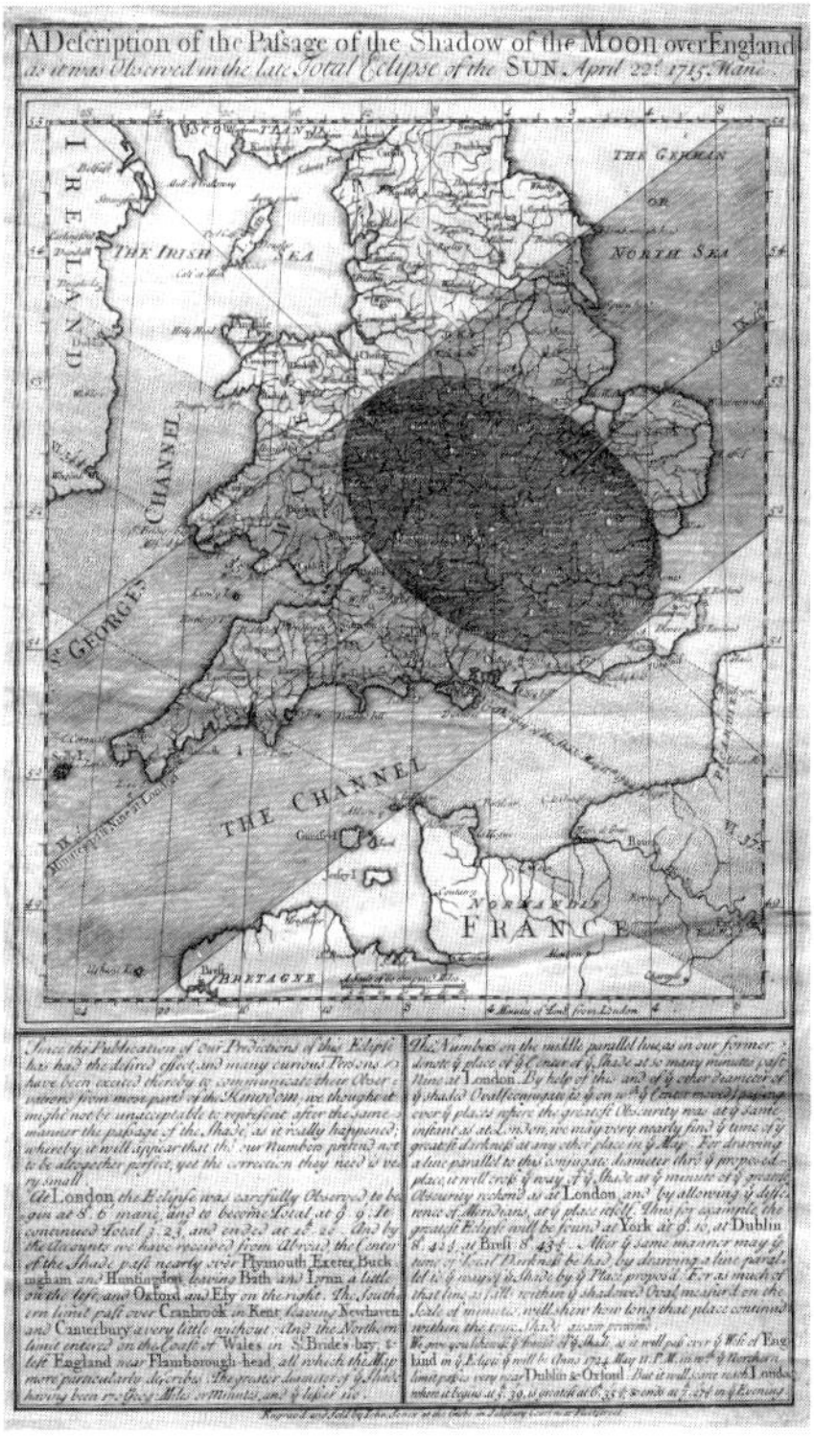

※34 ハレーらが作成した日食の経路図

4

サミュエル・リチャードソン

『パミラ、あるいは淑徳の報い』(1740年)

死刑が「大衆の娯楽」だった時代

ヨーロッパの歴史における大きな謎の1つは、身体刑の消滅です[23]。

前近代の世界では、ヨーロッパにかぎらず世界のどこでも残虐な刑罰が当たり前に存在しました。罪人の手足の骨を鉄棒で叩いて粉砕し、ぐにゃぐにゃになった腕で体を車輪に括り付けて、腹を引き裂いて内臓を露出させ、ゆっくりと時間をかけて殺害する。あるいは、手首や足首を縛った縄を、数頭のウマで別々の方向に引っ張って八つ裂きにする――。そんなB級ホラー映画も裸足で逃げ出すような血みどろの拷問と身体刑が執行されていたのです。日本の歴史を振り返れば「石抱」や「鋸挽(のこび)き」が有名でしょう。

ヨーロッパでは18世紀半ばまで、こうした身体刑が日常茶飯事でした。退屈しのぎに集まった野次馬たちは、囚人の悲鳴やうめき声に喜び、死刑執行人の一挙手一投足に歓声を上げ、囚人が苦しみの末にこと切れると拍手喝采しました。

ところが、こうした身体刑はわずか半世紀ほどで姿を消します。

フランスでは早くも1791年に、公衆の面前で謝罪する「加辱刑」が廃止され、短期間の復活を経て1830年には完全になくなりました。他の欧米諸国も同様で、遅くとも19世紀の半ばまでには、このような身体刑は行われなくなりました。刑罰の対象は「身体」ではなく「精神」となり、刑務所に収監して一般社会から隔離するという方向に切り替わったのです。

1975年にフランスの哲学者ミシェル・フーコー[※35]が著した『監獄の誕生』は、この謎に挑む書籍です。当時のフランスの人文学者たちの間では難解で読みにくい文体が好まれていたようで、この本も決して明快とは言えない文章で書かれています。が、どうにか私なりに解釈して要約すると、身体刑が消失した理由は権力者たちの支配の方法がより巧みになったからだ、とフーコーは言いたいようです。被支配者側に「支配されている」と感じさせないままに支配する、そんな賢い方法を世の権力者たちが身に着けた結果、身体刑は消えていった――。

(この解釈が正しいとして)フーコーの見方も、一面の真実を捉えているのでしょう。

※35 ミシェル・フーコー(1926年〜1984年)。フランスの哲学者、思想史家。

読書習慣が「心」まで変えた

一方、フーコーよりも19歳ほど年下のアメリカの歴史学者リン・ハント※36は、別の見解を示しています。『監獄の誕生』から32年後の２００７年に彼女が著した『人権を創造する』によれば、18世紀半ばに起きた「書簡体小説」のブームと、その後の読書習慣、とくに小説を読む習慣の普及が、人々の共感能力を伸ばして「人権」の意識を根付かせた、結果として残虐な身体刑は廃止されるようになった、というのです。

書簡体小説とは手紙の形式で書かれた小説で、18世紀のヨーロッパで大流行しました。そのブームの先駆けとなったのが、１７４０年に出版されたサミュエル・リチャードソン※37の『**パミラ、あるいは淑徳の報い**※38』です。

主人公のパミラは、ある屋敷で働く貧しい召使いです。彼女が両親に宛てた手紙を通じて物語は進みます。彼女は屋敷の若主人Ｂ氏から情欲を向けられ、繰り返し誘惑されます。しかし彼女は、けなげにも貞操を守り続け、その美徳に心打

※36 リン・ハント（１９４５年〜）。アメリカの歴史学者。

※37 サミュエル・リチャードソン（１６８９年〜１７６１年）。イギリスの小説家。「近代小説の父」と称される。

※38 『パミラ、あるいは淑徳の報い』の表紙

PAMELA:
OR,
VIRTUE Rewarded.
In a SERIES of
FAMILIAR LETTERS
FROM A
Beautiful Young DAMSEL,
To her PARENTS.
Now first Published
In order to cultivate the Principles of VIRTUE and RELIGION in the Minds of the YOUTH of BOTH SEXES.

In TWO VOLUMES.

The SECOND EDITION.

VOL. I.

LONDON:
Printed for C. RIVINGTON, in St. Paul's Church-Yard; and J. OSBORN, in Pater-noster Row.
MDCCXLI

たれたB氏からやがて正式に結婚を申し込まれます。そして屋敷の女主人となり、上流階級の仲間入りを果たす——という、現代の私たちから見ればややできすぎのメロドラマです。

ところが18世紀の読者には、この小説は衝撃をもって迎えられました。

出版から約2ヶ月後の1741年1月には早くも重刷がかかり、3月に第3刷が、5月に第4刷、9月に第5刷が発売されました。瞬く間に多言語に翻訳され、1744年にはフランス語版がローマ・カトリックの禁書目録に載るまでになりました。[24] 膨大な数の批評、パロディ、海賊版が執筆され、今で言う「パミラグッズ」のようなものが制作・販売されました。ある村では、第2巻でB氏とパミラがついに結婚するという噂を聞いて、村人たちが教会の鐘を鳴らして祝ったという逸話まで残っています。

『パミラ』の成功を受けて、ヨーロッパでは小説の刊行数が激増しました。

イギリスでは18世紀の最初の10年間に比べて、1760年代には6倍に増加。1770年代には毎年約30点、1780年代には毎年約40点、1790年代には毎年約70点の新作小説が世に出ました。フランスでは1701年にはわずか8点だった小説が、1750年には52点、1789年には112点が出版されました。[25]

リチャードソンが1747年から刊行を開始した『クラリッサ』は、再びベストセラーになりました。また、ジャン＝ジャック・ルソーも『ジュリまたは新エロイーズ』という書簡体小説を1761年に出版しており、こちらも一世を風靡（ふうび）しました。

人権意識が生じるには、共感能力が欠かせません。他人——とくに自分とは違う社会階層に属していたり、奴隷だったりする人間——にも、自分と同じような思考・感情があり、痛みを感じるのだという理解が不可欠です。

また、他人に人権を認めるためには**「道徳上の自律性」**が前提になると、ハントは指摘しています[26]。他の人間も自分と同様に、善悪の区別を自らの頭で考えることができるという前提です。この前提がなければ、奴隷は言葉で言い聞かせても理解できないから鞭（むち）で打って分からせるしかないんだ——という発想から抜け出せません。

小説には、こうした共感能力や前提を読者に植え付ける力があるというのです。

もちろんハントも、共感能力が18世紀に「発明」されたとは主張していません。それがヒトの生得的な感情だと認めています。また、物語芸術は人類の歴史と同じくらい古いことも認めています。古代ギリシャの演劇は今でも残っています。

しかし、神話の語り聞かせや舞台芸術が、登場人物を第三者的な立場から観察するような客観的な物語体験をもたらすのに対して、小説における物語体験はより主観的です。読者は物語の主人公になりきって物語を楽しむことができる――この点で、小説は他の物語芸術と異なります。ハントの言葉を借りれば、小説は「読者に登場人物との心理的同一化をうながす」のです[27]。

進化心理学者スティーブン・ピンカーは『暴力の人類史』の中で、ハントのこの仮説を詳しく検討しています[28]。

人権意識が芽生えた原因には、たとえば「文明化のプロセス」が考えられるでしょう。文明が発展して人々の交流が増すほど、他人をおもんぱかる必要性も高まり、やがてそれが人権の誕生に繋がったという考え方です。ところが、これは時期が合いません。ヨーロッパ諸国の多くでは、自白を引き出すための合法的な拷問が13世紀頃に導入ないしは再導入されました[29]。この時代は中世盛期にあたり、人々の移動や商業が盛んになった時代です。1425～1428年のフィレンツェでは、有罪判定のうちの21％が拷問による自白に基づいていました[30]。野蛮な拷問は、文明が発展しつつある時期に導入され、高い文明レベルを誇る都市でも実行されていたのです。

また、経済的な豊かさが他人への寛容さを生み、人権意識を芽生えさせたという考え方もできそうです。ところが、こちらも時期が合いません。『パミラ』の出版された1740年は産業革命の前夜であり、経済的な豊かさはそれ以前の時代と大差ありませんでした。先進国で工業化により1人あたりの所得が本格的に伸び始めるのは19世紀後半からです。残酷なほどの経済格差が解消されて、現在のように一般大衆が余暇を充分に楽しめるほど豊かになるのは、第二次世界大戦が終わる20世紀半ばを待たなければなりません。[31]

一方、ハントの仮説は、時期の一致という点に強みがあります。先述の小説の出版点数はもちろん、識字率もこの時期に上昇しているのです。こうしたデータがよく残っているのはイギリスで、18世紀半ばには男性の識字率が50%を超え、女性でも25%を超えました。[32] おそらく、他のヨーロッパ諸国も似たような水準だったでしょう。18世紀後半から現代に至るまで、識字率は一貫して上昇し続けました。

小説から『人権宣言』へ

この時代の有名な印刷物の1つに、トマス・ペインの『コモン・センス』※39があ

※39
『コモン・センス』の表紙

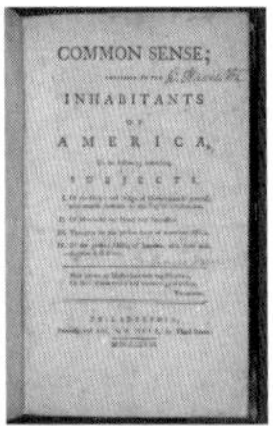

ります。アメリカ独立戦争初期の1776年1月に執筆された小冊子で、最初の1年で50万部売れました。[33] その後も読み継がれ、現在ではアメリカ人の書いた印刷物の中で一番売れた書籍となっています。

同書の中盤には「人類は元来、創造された時点では平等だったのであり、その平等性はその後の何らかの状況によってのみ破壊されうる」という一節が登場します。啓蒙思想家たちの、人間は生まれながらに平等な権利（＝人権）を持つという発想に基づいているのです。平等に作られているのだから王族がいるのはおかしい、悪魔による計略のようなものだ――という、王権神授説を真っ向から否定する議論をペインは展開しています。だからこそ、北米植民地は王のいない共和国として独立すべきだ、というのです。

アメリカ独立戦争当時の、植民地側の熱気を感じるような1冊です。

同様の熱気は『アメリカ独立宣言』※40にも見られます。1776年7月に批准された独立宣言の第2パラグラフには、次のように書かれています。

> 我々は以下の事実を自明のことと信じる。すなわち、すべての人間は生まれながらにして平等であり、その創造主によって、生命、自由、および

※40
アメリカの画家ジョン・トランブルによる『独立宣言』

幸福の追求を含む不可侵の権利を与えられているということ。

ポイントは「我々は以下の事実を自明のことと信じる／We hold these truths to be self-evident」という部分です。

この宣言の草稿を書いたトマス・ジェファーソンは、なぜ人間に人権があるのかを説明する必要はないと考えていました。草稿を修正した五人委員会や大陸会議のメンバーも、この部分に説明が必要だとは考えませんでした。もしも説明が加えられていたら「その主張の自明性は消え失せていただろう」とハントは述べています。「議論を必要とする主張は自明ではないから」です。[34]

1776年には、人権の存在は「自明／self-evident」になっていたのです。

北米植民地の人々は、国王に反旗を翻して勝利を収めました。これはヨーロッパの人々に衝撃を与えました。そんな動揺の中、1781年、ジャック・ネッケルが『国王への会計報告』を公表したことで、フランスに激震が走りました。[35]

ネッケルはスイス生まれの銀行家で、1777年にルイ16世により財務長官に任命されました。当初、外国人かつプロテスタントのネッケルに対する風当たりは強く、彼を中傷するビラが大量に出回りました。彼は卑劣な詐欺師であり、バブルや金融危機をもたらすにちがいないと書き立てられたのです。こうしたビラには（根拠のない）様々な数字や金額が羅列されていました。政府はビラの印刷を禁じましたが、効果はありませんでした。

そこでネッケルは大胆な反撃に出ました。

王室の財政収支を『会計報告』として公表したのです。※41

そこに並んだ数字にフランス市民は激怒しました。兵士の給与6520万リーヴル、宮廷費用と王室費が2570万リーヴルに対して、道路・橋梁建設500万リーヴル、パリの警察・照明・清掃に150万リーヴル、貧民救済費90万リーヴルと、あまりにも偏った予算配分だったからです。また、それまでは神聖なヴェールに包まれていた宮廷の生活が、冷徹な数字として暴かれたことも、少なからぬショックを国民に与えました。

ネッケルの行動は「暴露」だと見做され、宮廷内の保守派から反発を招きました。このままでは王の威信が下がると判断し、ルイ16世は同年5月に彼を罷免しました。

しかしネッケルの後任の人々も、火の車となった王室の財政を立て直すことはできず、失脚していきました。

1788年、ルイ16世は再びネッケルを財務長官に任命。このときにはすでに、

※41 これは、フランス王室の債権者であるスイスなどの銀行家への目配せもあったようだ。借り入れを続けるために、王室の収支が黒字であることを示したかったのだ。

ネッケルは民衆の味方であり自由の象徴だと見做されていました。要するに、国民から人気のある人物をルイ16世は選んだのです。

一方、フランス国内の政情は緊迫していました。王室の財政は完全に行き詰まっており、税制を改革するために約170年ぶりに「全国三部会」[※42]が開催されるかどうかが注目されていました。コーヒーハウス[※43]に集まった一般大衆は、人間は生まれながらに平等であるという「自明の事実」と、あまりにも不平等な現実社会とのギャップについて議論を重ねていたのです。

ところが保守派の圧力もあり、ルイ16世は1789年7月11日にまたしてもネッケルを罷免してしまいます。

これを知ったパリの市民は怒りに燃え、7月14日、ついにバスティーユ牢獄を襲撃しました。かくしてフランス革命が始まったのです。

リチャードソンの小説から始まった**「人道主義革命」**は、フランスの『人権宣言』として結実しました。前章でも触れましたが、ナポレオン率いるフランス軍はヨーロッパを蹂躙。周辺諸国は絶対王政を維持できなくなり、共和制や立憲君主制に移行せざるをえなくなりました。フランスは血と暴力を伴いながら、自由主義と民主主義、ナショナリズムを輸出したのです。

※**42** 聖職者・貴族・平民という3つの身分の代表が出席する会議。1302年にフィリップ4世が自身の支持を高めるために開催したが、やがて王室への制約となったためルイ13世の時代に停止された。

※**43** イギリス同様、コーヒーハウスはフランスでも流行し、パリには1750年時点で600軒が営業していた[36]。

5 チャールズ・ダーウィン『種の起源』(1859年)

科学と宗教が未分化だった時代

17世紀、ニュートンもハレーも自分たちが(現代的な意味での)「科学」を研究しているという自覚はありませんでした。天地創造のときに神が定めた天体の運行規則を解き明かしたと考えていたのです[37]。当時、自然科学の研究と宗教的な信仰心は、深く結びついていました。「Scientia est potentia」というラテン語の格言は、普通、「知識は力なり」と和訳されます。ラテン語の「scientia」は英語の「science」の語源ですが、「知識/knowledge」全般を意味する単語だったのです。

科学が宗教から分離する上で無視できない影響を与えた1冊が、1859年に出版されたチャールズ・ダーウィンの『**種の起源**』です。

『種の起源』の冒頭には、17世紀の哲学者フランシス・ベーコン※44の『学問の進歩』

※44 フランシス・ベーコン(1561年～1626年)。イギリスの哲学者。

という書物からの引用が掲げられています。[38]　１６０５年[※45]に出版された同書で、ベーコンは「神のことばをしるした書物（聖書）」の研究と、「神のみわざをしるした書物（自然）」の研究との、「双方において無限の進歩と上達をとげるようにつとめるべき」だと主張しました。自然界は神の創造した作品であり、（聖書を研究するのと同様に）それを研究することでも神の計画や御心に近づけると信じられていたのです。こうした発想に基づき、ヨーロッパの大学では博物学や天文学などの現代における「自然科学」に該当する分野が研究されるようになりました。[※46]

自然界を調べることで神に近づこうとする学問分野を、「自然神学」と呼びます。中でも影響力を持ったのは、１８０２年に出版されたイギリスの神学者ウィリアム・ペイリーの、その名もずばり『自然神学』という本でした。[40]『自然神学』の冒頭部分は有名です。

もしも荒れ野を歩いていて、石が落ちているのを見つけたら、その石はずっと以前からそこに転がっていたと考えるでしょう。しかし、もしも時計が落ちているのを見つけたら、同じように考えることはできません。なぜなら時計には、「時間を計る」という目的をもってそれをデザインした製作者がいるはずだからです。そして生物は、まるで時計のように複雑かつ精巧な存在です。つまり生物の存在は、それをデザインし創造した誰か――神――の存在証明だと、ペイリーは考え

※45　オランダ東インド会社が設立された3年後、ガリレオが望遠鏡を手にする4年前。

※46　ベーコン自身は、自然界の研究は「無神論を論破するには充分だが、信仰を吹き込むには充分でない」と述べており、自然界の研究よりも神の啓示のほうが重要だと考えていたようだ[39]。

ました。

ペイリーの主張は直観的に分かりやすく、説得力があります。21世紀の現在でも、創造論者の中にはペイリーと同様の主張をする人が珍しくありません。もし生物にデザイナーがいないとすれば、それはガレージを竜巻が通り過ぎた後にボーイングの飛行機が組み上がっているようなものではないか、とてもありえそうにない——。

その「ありえそうもない話」が、じつはありうると示したのが、ダーウィンの自然選択説でした。

平凡な青年が新進気鋭の博物学者へ

チャールズ・ダーウィンは1809年[※47]、イングランド・シュロップシャー州シュルーズベリーの郷士（スクワイア）階級[※48]の一族に生まれました。父方の祖父は高名な医師であり、チャールズの父親も医業を継いでいました。一方、母方の祖父はジョサイア・ウェッジウッド1世——高級陶磁器メーカーのウェッジウッド社の創業者でした。

※47 大陸側のヨーロッパではナポレオン戦争（1796年～1815年）が行われている時代。

※48 上流階級の一員だが爵位は持たない階級。

子供時代のダーウィンは、「しごく普通の子どもで、むしろ知能は平均以下だとみられていた」そうです。機嫌が悪いときの父親に、お前は射撃やイヌの飼育やネズミ捕りしかできない能なしだと罵られたことすらありました。[41]

ダーウィンは16歳で、医学で名を馳せていたエジンバラ大学に入学しました。父親の仕事を継ぐためです。ところが、麻酔のない当時の外科手術の悲惨さに耐えかねて、ほとんど学校に通わなくなりました。代わりに彼は、「ジョン」※49という エジンバラ在住の黒人男性に報酬を支払って、鳥の剥製作りを教わりました。

このジョンは元奴隷で、チャールズ・ウォータートンという探検家と南米を旅した経験がありました。ダーウィンとジョンは40時間ほどをともに過ごしたと見られています。おそらく南米のジャングルでの冒険譚や、奴隷時代の厳しい経験を聞かされたことでしょう。ダーウィンは晩年になっても彼のことを忘れず、ジョンのことを「仕事は上手」で「愉快で頭のよい男だった」と回想しています。[42]

奴隷制の根強いアメリカに比べればマシとはいえ、当時のヨーロッパは現代とは比べものにならないほど人種差別・偏見に満ちていました。しかし10代後半の少年だったダーウィンにとって、肌の色はさほど問題にならなかったようです。※50

医者としてモノにならないと父親に判断されたダーウィンは、1828年にケンブリッジ大学に送られました。牧師になるためです。聖職者であれば一族の名

※49
ジョンの姓は不明である。

※50
ダーウィンが『種の起源』を書いたのは、奴隷制を否定するためだったという説がある。もしもすべての生物が共通の祖先から枝分かれして進化したのなら、白人は世界を支配するために創造され、黒人は奴隷として仕えるために創造されたという発想はできなくなる。

に傷をつけず、定期収入を得られました。ダーウィンはまたしても講義にはあまり出席せず、もっぱら昆虫採集[※51]に熱中していたようです。

この学校で、ダーウィンは生涯の師となるジョン・S・ヘンズロー[※52]という博物学者と出会いました。まだ30代前半だったヘンズロー師は、実習に熱心に参加するダーウィンをかわいがるようになりました。

卒業試験を突破したダーウィンは、しかし、すぐには働きたくないと考えていました。アレクサンダー・フォン・フンボルト[※53]の『南アメリカ旅行記』を読み、探検旅行に憧れていたからです[44]。

そこでダーウィンは、ヘンズロー師の紹介でイギリス海軍の科学調査船ビーグル号に乗り込み、世界一周の旅に出たのです。

5年間に及ぶ航海で、ダーウィンは新進気鋭の博物学者として知られるようになりました。旅先からヘンズロー師宛てに送った手紙や化石、標本の数々が、恩師の手で英国科学界の最上位の人々に披露されたからです[45]。牧師になるという父親との約束は、ビーグル号に乗ったことで「自然死してしまった」そうです[46]。

ダーウィンはビーグル号の航海中に進化論を思いついたという俗説があります。が、これは誤りです。ダーウィンはもともと進化論の否定派でした。残された研究ノートと日記によれば、彼が自然選択説を思いついて進化論者になったのは、

※51
当時のイギリスはいわば「甲虫ブーム」で[43]、昆虫採集は現代日本ほどオタクっぽい趣味ではなかったようだ。

※52
ジョン・スティーブンス・ヘンズロー(1796年〜1861年)。イギリスの植物学者、地質学者。

※53
アレクサンダー・フォン・フンボルト(1769年〜1859年)。ドイツの探検家、博物学者。現代日本ではペンギンの名前で有名。

帰国後の1837年のことでした。[47]

進化していても優れているとはかぎらない

進化論——生物の種が姿を変えて新たな種になるという発想——は、ダーウィンよりも古い時代からありました。第1章ではラマルクの「用・不用説」を紹介しました。※54 キリンの首が長いのは高いところに向かって首を伸ばし続けたからだ……という仮説です。「獲得形質の遺伝」を前提としているので、現在では誤りだとされています。

現代人の私たちから見ると、それら古い時代の進化論は神秘主義的・オカルト的です。

キリスト教圏では中世以降、**生命体の序列**※55という概念が信じられていました。[48] この宇宙の頂点には神が存在し、その下に天使、人間、動物、植物が続き、最下層には土や岩や石などの無生物が存在する……という世界観です。それぞれの階層内部も序列化されており、たとえば人間なら、国王から奴隷に至るまで上限関係があると見做されました。ダーウィン以前の進化論では、生命体には自らを改

※54 第1章31ページ参照。

※55 「存在の大いなる連鎖」とも呼ばれる[49]。

良して、まるではしごを上るように、この序列のより高度な存在に変化しようとする性質があると考えられていたのです。[50]

また、ダーウィン以前の時代には、生物の進化は「進化／evolution」ではなく「転成／transmutation」と呼ばれていました。これは錬金術用語で、卑金属が黄金などの貴金属に変わる現象のことです。ダーウィンもこの伝統に倣い、『種の起源』では「転成」という単語を使っています。「進化」という単語が同書に登場するのは第6版です。こちらの原義は「巻物を開くこと」で、「展開」という意味で使われていました。社会学者ハーバート・スペンサーが生物の進化現象にこの単語を使うようになり、1870年代に定着しました。[51]なお、ダーウィンはスペンサーをあまり快く思っていなかったようで、彼のことを「極度に独りよがりであった」と評しています。[52]

ダーウィンの功績は、進化論を発案したことでも「進化」という言葉を使い始めたことでもありません。

彼の偉大さは、**自然選択説**を理論化したことにあります。

動物の家畜化を考えてみましょう。ヒトの身長や体重、知能に個人差があるように、どんな動物にもそれぞれ個体差があります。きょうだいよりも少しだけ物覚えのいいイヌや、歌の上手い小鳥や、乳の出がいいウシがいるわけです。

そういう人間に都合のいい特徴を持った個体を選んで繁殖させれば、次世代ではその特徴が強化されるはずです。それを何世代も繰り返せば、やがて極めて賢いボーダーコリーや、極端に歌の上手いカナリア、湯水のごとく乳汁を分泌するホルスタインを作ることができます。

このような人間の手による選抜育種を**「人為選択」**と呼びます。その究極の例はカイコガでしょう。カイコガの成虫は飛行できません。幼虫は足の力が弱く、桑の木の枝に摑まっていることができず、地面に落ちてしまいます。効率よくシルクを生産するために品種改良を施された結果、彼らはもはやヒトの手を借りなければ生存・繁殖できない種へと進化してしまったのです。

同様の選抜育種が、自然界でも、そして神のようなデザイナーの介在がなくても起こりうるとダーウィンは気づきました。

ダーウィンの「自然選択」説では、はしごを上るような直線状の進化ではなく、共通の祖先からの「枝分かれ進化」が想定されています。ヒトも昆虫も微生物も、過去のどこかの時点で枝分かれした遠い親戚であり、横並びの関係です。「生命体の序列」という概念は、ダーウィンの進化論には存在しません。（誤解が多いようですが）進化しているからといって、優れているとはかぎらないのです。

たとえば哺乳類の多くは体内でビタミンCを合成できますが、ヒトにはできません。ヒトはビタミンCが欠乏すると壊血病になってしまいます。これは私たちヒトがかつてビタミンCの豊富な果実や草葉を簡単に摂取できる環境で暮らしており、その環境に適応した——進化した——結果なのです。

「転成」にせよ「進化」にせよ、前向きな（ポジティブ）ニュアンスがあり、進歩や発展をイメージさせる単語です。しかし実際には、生物はただ周囲の環境に適応していくだけです。生命の進化は、たとえば水が低い場所に流れたり、風が吹いたりするのと同様の自然現象にすぎません。そこには目的や方向性は存在しません。

私見を述べれば、ダーウィンは自然の「自己組織化」のメカニズムの1つを発見したと言えるでしょう。たとえば雪の結晶※56は、まるで誰かがデザインしたかのような美しい六角形になります。私たちの暮らす宇宙では、銀河系は「大規模構造」と呼ばれる美しい泡状の構造に分布しています。しかしそれらは誰かがデザインしたわけではなく、物理学・化学のメカニズムのみで、規則的かつ複雑な構造になっているだけです。

かつてペイリーは、生物は荒れ野に落ちた時計のようなものであり、神の存在証明だと考えました。しかしダーウィンは、神の介在がなくても時計のように精巧な生物が生まれうることを示しました。生物の進化は、ガレージを竜巻が通り過ぎるような一瞬の出来事ではありません。何千世代、何万世代という時間をか

※56 雪の結晶は、自己組織化の典型的な例。

けたゆっくりとした変化の結果なのです。

出版から160年以上が過ぎ、『種の起源』の内容には現在では修正すべき点が山ほどあります。ダーウィンは遺伝子の本体がDNAであることはもちろん、遺伝子の存在すら知りませんでした。それでも「自然選択」という発想の根幹部分は、時の試練に耐えて、(少なくとも科学者の間では)地動説並みに正しい仮説だと見做されています。

自然選択説はいかにして生まれたのか

話を19世紀に戻しましょう。

ダーウィンは1837年に進化論者に転向しました。が、すぐにはそれを公表しませんでした。なぜなら当時、進化論(転成論)は反社会的な危険思想だったからです。[※57] ダーウィンのような身分の人間が口にすれば、社会的地位を失う可能性がありました。

したがって、自分が進化論者(転成論者)であることを知人・友人に打ち明けるのは、ダーウィンにとってまるで「殺人の告白」のようなものでした。[53] また、生

※57 現代日本で言えば、反ワクチンや親プーチン論のようなものだろうか。

まれたばかりの自然選択説は証拠が充分に揃っておらず、説得力に欠けました。ここでもダーウィンは、周囲の人々に恵まれました。自説を補強・洗練するための助言や協力を多数得られたのです。

現代の私の目から見ると、中でも友人の植物学者ジョセフ・ダルトン・フッカー※58からの手痛い指摘は重要だったと感じます。「たくさんの種の詳細な記載もやっていない人間に、種の問題をうんぬんする」権利はないと言われてしまったのです。[54] のちに生涯の親友となる人物からの批判に激励されて、ダーウィンは8年間もかけてフジツボの系統分類の研究を行いました。[55] 現代でも、フジツボの研究はダーウィンの仕事が基礎になっています。

一方、彼の私生活は過酷を極めていました。原因不明の病気※59により、寝たり起きたりを繰り返すようになったのです。8年かかったフジツボの研究ですが「約2年間が病気によって失われた」とダーウィンは『自伝』に記しています。[57]

さらに1851年には、10歳になったばかりの長女アニーを病気で失いました。進化理論の完成が近づくたびにダーウィンの信仰心は薄れていきましたが、これが最後の一撃になりました。[58] ダーウィンは英国国教会の教えを信じなくなり、やがて不可知論者※60になりました。[59]

※58 ジョセフ・ダルトン・フッカー（1817年〜1911年）。イギリスの植物学者。南極やインドなどを調査し、多数の植物標本を収集した。

※59 ビーグル号航海中に感染したシャーガス病だったという説がある[56]。

※60 ごくかいつまんだ説明だが、無神論が神の存在を否定するのに対して、不可知論は「語りえぬものは語らない」という立場のこと。神の存在を証明も否定もできないのであれば、それについて語ることもやめようという立場。

なぜダーウィンは自然選択説を思いつき、『種の起源』を書くことができたのか——。後世の歴史家により微に入り細を穿つような研究がなされています。ここでは、とくに重要な3つの書籍を紹介しましょう。

1冊目はチャールズ・ライエル[※61]の『**地質学原理**』です。全3巻の大著で、1830〜1833年にかけて出版されました。ダーウィンもビーグル号の航海中にこれを熟読しました。同書の特筆すべき点は、自然の「斉一性」という概念を普及させたことです。

ヨーロッパでは長らく、「地球の年齢」が議論の的でした。ニュートンやケプラーの活躍した17世紀まで時計の針を戻せば、地球は紀元前4000年頃に神の手で創造されたと信じられていたのです。旧約聖書の『創世記』の登場人物たちの年齢と家系図から推計すると、その数字がはじき出されます。[60]

しかしライエルの時代になると、もはや『創世記』の言葉を一言一句正しいと考えるのは難しくなっていました。地質学が発展し、地層や岩石、化石の知識が蓄積されていたからです。『創世記』に描かれた天地創造の1週間は比喩的なものであり、1日ごとに長い隔たりがあったという説や、「1日」は24時間という意味ではなくもっと長い時間だったという説が、19世紀初頭には生まれていたのです。[61]

※61 チャールズ・ライエル（1797年〜1875年）。スコットランドの地質学者。近代的地質学の基礎となる斉一説を唱えた。

それでも聖書の内容がまったくのデタラメだとは考えられておらず、「ノアの洪水」のような天変地異が、かつて実際に起きたと信じられていました。化石に残る絶滅種たちは天変地異により滅んだ者たちだ、というわけです[62]。

ノアの洪水は神の怒りであり、人智を超えた力で引き起こされた現象です。地層や岩石、化石の形成には、そういう神秘的な力がかかわったと考えられていたのです。

この天変地異説に対して、過去の地球でも現在と同様の現象しか起きていない（したがって神秘的な力はかかわっていない）と見做す考え方を「斉一説」と言います。現在の地球では、川の流れで谷が浸食されたり、あるいは河口に砂が堆積したり、地質学的な現象は非常にゆっくりと進みます。過去の地球も同様だったはずだとライエルは考えたのです。

ダーウィンの自然選択説も同様です。神秘的な力に頼らなくても、現在の地球で観察できる自然法則だけで、新種が生まれうることを説明する理論です。

一方、当のライエルは進化論に否定的でした。既存の種から「新種」が現れるところを、現在の地球では観察できないからです※62。化石に詳しいライエルは、過去の地球でしばしば古い種が絶滅し、新たな種が生まれたことを知っていました。しかし『地質学原理』の中では、その仕組みは不明としました[63][64]。地層の形成につ

※62 現代ではウィルスなどの病原体の新種が現れるところを頻繁に観察できる。が、当時は病原体の正体すら分かっていなかった。

いては斉一性を信じたライエルですが、種の誕生に対しては、同じ考え方を（ある意味で）厳密に当てはめすぎたと言えるでしょう。

２冊目は、１８４４年の『**創造の自然史の痕跡**』です。著者はエジンバラのジャーナリストかつ出版業者のロバート・チェンバーズ[※63]です。彼は進化論（転成論）に関する当時最新の科学知識を取材し、それを1冊の本にまとめたのです。匿名で出版された本書はベストセラーになり、19世紀のイギリスでは『種の起源』よりも広く読まれました[65]。

そして、大激論を巻き起こしたのです。

『痕跡』が世に出たのは、産業革命によって社会が急速に変化している時代でした。次章で紹介しますが、１８４０年代は「鉄道狂時代」とも呼ばれ、イギリスでは路線網が猛烈な勢いで広がりつつありました。生まれた村を死ぬまで出ない人が珍しくなかった時代から、誰もが人生で一度くらいはロンドンを見物できるような時代になったのです。

こうした時代背景を受けて、『痕跡』では、万物には変化の法則があるという考え方が紹介されています。社会が変化したように、夜空の天体はガス状の星雲から惑星や恒星へと変化し、生物も昆虫から魚類、爬虫類、哺乳類へと変化した

※63 ロバート・チェンバーズ（1802年〜1871年）。エジンバラ王立協会とロンドン地質学会に所属していた地質学者でもある。

――。あらゆるものには単純なものから複雑なものへ、下等なものから高等なものへと変化する法則があるというのです。[66]

じつのところ『痕跡』の内容は、ダーウィンの理論にほぼ影響を与えていません。この書籍はダーウィン以前の進化論にチェンバーズの独自解釈を加えたもので、自然選択説の影も形もありません。

一方で、同書がベストセラーになったことで、イギリスでは進化論についての議論が以前よりも気軽な行為になりました。かつては「殺人の告白」のようなものだった進化論を、ダーウィンのような身分の人間でも世に問いやすくなったのです。

3冊目は、トマス・ロバート・マルサス※64の『**人口論**』です。初版は1798年に出版されました。ダーウィンはこの本を、進化論者に転向した翌年の1838年10月に「偶然、ただ楽しみのために」読みました。『痕跡』とは対照的に、こちらはダーウィンの理論に強い影響を与えました。「私はついに自分の研究の頼りとなる理論をえた」とダーウィンは述べています。[67]

『人口論』は、この世から貧困がなくならない理由を解説した悲観的な本です。マルサスはそれを、人口は幾何級数的に増加するが食糧は算術級数的にしか増加

※64 トマス・ロバート・マルサス（1766年～1834年）。イギリスの経済学者。

しないからだと論じています。

人間の数は「掛け算」で、いわゆるネズミ算で増えます。一方、食糧の増産には土地の開墾が必要であり、こちらは「足し算」でしか増えません。結果、人口は常に食糧生産を上回るようになり、食糧を入手できない人々——貧困層が生じるというのです。これを是正するには結婚を遅らせるなどの方法で子供の出生数を減らすしかなく、さもなくば疫病や戦争などで人口が減るまで貧困は解決しないとマルサスは論じました。

人口増加と食糧増産のギャップにより貧困が生じるという現象は、現在では**「マルサスの罠（わな）」**と呼ばれ、歴史上の様々な地域に当てはまることが分かっています。たとえば身近な例では、江戸時代の日本です。江戸中期以降の日本列島では、開墾できる土地は開墾しつくされ、1720〜1870年の150年間における人口増加率はわずか0・2%にすぎませんでした[68]。忌まわしい「間引き」によって人口を調整せざるをえない状況になっていたのです。

19世紀半ば以降、産業革命により食糧を始めあらゆるものの生産性が高まり、先進国で暮らす私たちはマルサスの罠を脱しました。そんな未来が来ることを、マルサスは知る由（よし）もありませんでした。

家畜の選抜育種のような現象が自然界でも起こりうるなら、それが新種の誕生に繋がるはずだとダーウィンは考えました。『人口論』が予言するのは「育種選抜のような現象」そのものです。彼は同書を一読して、「これらの条件下では有利な変異は保存され、不利な変異はほろぼされる傾向をもつであろうということ」に、すぐに思い当たりました。[69]

緊急出版された『種の起源』

こうして準備は整いました。

1856年、ダーウィンはついに自身の理論を解説する大著の執筆に取り掛かりました。タイトルは『自然選択』です。[70] しかし、この本は未完に終わりました。なぜなら、その要約版である『種の起源』を出版したからです。では、なぜ要約版を出すことになったかといえば、のっぴきならない緊急事態が生じたからでした。

1858年2月、東南アジアで活動していた剥製制作師・博物学者のアルフレッド・ラッセル・ウォレス※65が1本の論文をしたため、ダーウィンに送りました。そこにはダーウィンの自然選択説に（細部は違いますが）そっくりな理論が書かれ

※65　アルフレッド・ラッセル・ウォレス（1823年〜1913年）。イギリスの剥製制作師、博物学者。

ていたのです。[71]

ウォレスは労働者階級出身の社会主義者で、ダーウィンとはまったく違う社会的階層に属する人でした。その数年前から2人には交流がありました。ダーウィンはウォレスの制作した家禽（かきん）の剥製を、はるばる東南アジアから買い付けていたのです。どうやらウォレスは、すでに博物学者として名の知れていたダーウィンの熱烈なファンだったようです。そこで自身の渾身（こんしん）のアイディアを一読してもらいたいと考えたのです。

ダーウィンはうろたえました。このままでは、自分の考えていた理論が他者の名前で世に出てしまうからです。かといって、他人の成果を握りつぶし、自分の手柄にするほどの度胸もありませんでした。そこで彼は、先述のライエルとフッカーに相談しました。彼らはすでにダーウィンの口から自然選択説を聞いていました。

6月30日、ライエルとフッカーはリンネ学会でこの論文を、ダーウィンとウォレスの共同論文の一部として発表しました。[72] ここではウォレスの論文だけでなく、ダーウィンが以前に書いたエッセイも発表されました。内容があまりにも突飛だったからでしょうか。この日の学会では、とくに議論が紛糾することはありませんでした。

ウォレスの論文に対する、ダーウィン、ライエル、フッカーの処置は、現代でも物議を醸します。ウォレスの手柄をダーウィンが横取りしたように見えるからです。しかし当のウォレス自身は、むしろ喜んでいたようです。翌年1月に届いた手紙では、もしもフッカーたちが自分の論文だけを発表していたら、苦しみと後悔の念に苛（さいな）まれただろうとまで述べています。[73] 自分の論文によって、憧れの博物学者に発破をかけることができた――。ダーウィンのファンであるウォレスにとっては嬉しいことだったようです。[74]

リンネ学会での発表はダーウィンにとって不充分なものであり、一方で大著『自然選択』の完成にはまだ時間がかかる見込みでした。そこで、要約版を1冊の本にまとめることにしたのです。

1859年11月22日、ついに『種の起源』が出版されました。[75][76]

生命は神秘的だが「神秘」ではない

発売日の時点で、『種の起源』には印刷部数を20%も上回る注文が入りました。即座に重版が決まり、翌年1月には組版を大きく修正した第2版が発売されました。その後も『種の起源』は底堅く売れ続けて、1861年に第3版、1866年に第4版、1869年に第5版、1872年に最後の第6版がそれぞれ世に出ました。

時代は前後しますが、イギリス科学振興協会が設立されたのは1831年※66です。「科学／Science」が現代のような意味で使われるようになったのは、この協会の活動によるものです。彼らの活動はかなり人々の耳目を引いたようで、当時ジャーナリストとして活動していたチャールズ・ディケンズ※67も、これをテーマにしたパロディを二度も執筆しました[77]。

19世紀を通じて、科学と宗教の分離は加速していきました。『種の起源』出版から10年後、1869年に科学雑誌『ネイチャー』が創刊。この頃には、すでにイギリスの科学界では生物の進化は常識になっていました[78]。創刊当初の『ネイチャー』は中世的なリベラル・アーツやルネサンス的な万能人を志向していたようで、美術評論なども載せていました。しかし、掲載される論文の専門性はどんどん高まっていき、創刊の四半世紀後には科学専門誌となりました[79]。

生命の神秘は、おそらく宗教にとって最後の砦(とりで)なのでしょう。

※66 若き日のダーウィンがビーグル号で冒険していた頃である。

※67 チャールズ・ディケンズ（1812年〜1870年）。イギリスの小説家。代表作に『オリバー・ツイスト』『クリスマス・キャロル』『二都物語』などがある。

私の大学時代の専攻は生物学でした。研究室に泊まり込んで顕微鏡を覗き込み、ホヤの受精卵の胚(はい)発生を24時間かけて観察したときには、その精巧なメカニズムに胸を打たれました。あるいは森を散策して、草木の香りを嗅ぎながら小鳥たちの求愛の歌を聴いているとき。知床(しれとこ)沖で野生のシャチの群れを観察したとき。※68 デパートの壁面の石材にアンモナイトの化石を見つけたとき。都会の路地裏を駆け回るネズミたちを見かけたとき――。ただそれだけで、私は生命の神秘を感じて、深い感動を覚えます。生物学のレンズを通して見れば、スプーン1杯の泥ですら神秘的な謎の塊です。

生命活動を観察して、そこに何か超自然的な力が働いていると想像してしまうことは、ごく自然な感情だと私は思います。

一方、現代の生物学は、超自然的な力――魂とか心霊とか、目に見えない〝生命エネルギー〟とか――は存在しないという前提に立っています。生物とは自然が生み出した「からくり人形」のようなもので、物理学的・化学的な力だけで機能していると考えるのです。これは生物を一種の機械にすぎないと見做す考え方であり、**「機械論」**と呼びます。

機械論に対して、生命には何か超自然的な力がかかわっているはずだという考え方を**「生気論」**と呼びます。宗教観の薄れた現代日本でも、生物には魂がある

※68 ―― 知床のシャチ(筆者撮影)

と考える人のほうが多いでしょう。生物は機械にすぎないと言われると（なぜか）怒り出す人もいるはずです。

しかし生物学の世界では、誰も生気論を支持しなくなってすでに1世紀以上が経過しています。19世紀末に発表されたハンス・ドリーシュのウニの胚発生の研究が、歴史上、最後の生気論でした。

こうして科学と宗教は、完全に袂（たもと）を分かったのです。

世界を変え損ねた(?)6冊目・『資本論』

『種の起源』と同時代の大作の1つに、カール・マルクス※69の『**資本論**』があります。第1巻は1867年※70刊行。マルクスは生前に同書を完成させられず、死後、盟友エンゲルスの手によって1885年に第2巻が、1894年に第3巻が出ました。最終第4巻が出版されたのは1910年でした[80]。

マルクスが『共産党宣言』を書いたのは『種の起源』よりも前なので、ダーウィンの進化論が彼の思想に影響を与えたとは考えられません。とはいえ、マルクスは『種の起源』の内容に深い感銘を受けたようです。1873年6月にダーウィ

※69
カール・マルクス（1818年～1883年）。ドイツの哲学者、経済学者。20世紀以降の国際政治や思想に大きな影響を与えた人物。

※70
『種の起源』の8年後。

ンに献本した『資本論』第2版には、「心からの崇拝者カール・マルクス」というサインが入っていました。

もっともダーウィンの側は、簡単な感謝の手紙こそ送ったものの、同書の内容にはさほど興味を引かれなかったようです。当時の書籍は裁断されておらず、いわゆる「袋とじ」になったページをペーパーナイフで切り開きながら読むスタイルでした。ダーウィンの書斎に残された『資本論』は、全822ページのうち冒頭105ページしか切り開かれていませんでした[81]。

マルクスには大きく2つの顔があります。革命運動家としての顔と、経済学者としての顔です。前者の顔は、ある人々からは神格化されて崇められる一方、別の人々からは悪魔の如く憎悪されてきました。後者の顔を評価するにあたっても、そういうイデオロギーを無視して論じることが難しい人物です。

じつのところ、マルクスはプロレタリアートによる革命の後にどのような社会がありうるのか、具体的な話はほとんど書いていません。彼は現実世界の社会主義の建設者ではなく、それはウラジーミル・レーニン※71を始めとする後継者の仕事でした[82]。『資本論』は（革命後のことではなく）革命に至るまでの過程——すなわち、資本主義社会はいかにして崩壊するのかを理論化した本でした。

マルクスの理論を理解するためには、彼の目の前に横たわっていた当時のヨー

※71 ウラジーミル・レーニン（1870年～1924年）。ロシアの革命家、政治家、哲学者。ソビエト連邦の初代指導者。

ロッパ社会を知っておく必要があります。たとえばマンチェスターのある工場では、1862年の1週間の平均労働時間が84時間でした[83]。毎日14時間ほど働いた計算です。1875年頃のマンチェスターでは、有産階級の平均寿命38年に対して、労働者階級は17年であり、リヴァプールでは前者は35年、後者は15年でした※72[84]。
労働運動が合法化されたり、政府が資本家と労働者の仲介役として働いたりするところなど、想像もできない時代だったのです。

現代の水準で見ると、マルクスの経済学には大きな欠陥がいくつもあります。とくに労働価値説※73は、現代の主流経済学では間違いだと見做されています（と私は理解しています）。にもかかわらず、資本主義が崩壊に向かう過程を描いたマルクスの予言は、不気味なほど的中しました。

たとえば賃金が高騰した場合を考えてみましょう。これに対処するため、資本家は生産効率の高い機械設備に投資するはずです。しかし、マルクスの理論では価値は人間の労働から生まれると見做されているため、これは価値を生む生産設備（＝人間）を、価値を生まない設備（＝資本）へと置き換えたことになります。資本家は利潤を確保するために、ますます労働者1人あたりからの搾取を増やさざるをえず、また、機械設備に投資せざるをえなくなっていくでしょう。生産効率の高い工場との競争に敗れて、小規模な工房を営む職人たちは自分の事業を畳み、

※72
第2章の注釈（77ページ※6）でも書いた通り、平均寿命は乳幼児死亡率が高まると大幅に短くなる。全員が揃って40歳未満で死んでいたわけではない。

※73
商品の価値は、それを生産するために投じられた労働の量によって生じるという考え方。

誰かに雇われた賃金労働者――無産階級――にならざるをえないでしょう。※74

こうして機械への置き換えと無産階級の増加が進んだ先に、資本主義は行き詰まるとマルクスは予言しました[86]。

そして事実、ロシアを始め、少なくない国で資本主義は崩壊し、共産主義革命が起きたのです。

マルクスの目撃した経済体制――近現代型の資本主義は、産業革命の落とし仔でした。

では、なぜ18世紀後半のイギリスで産業革命が起きたのでしょうか？

どうして私たちは「マルサスの罠」を脱出できたのでしょうか？

次章では、この謎に迫ります。

※74 現在のAI脅威論ではマルクスの理論によく似た議論が繰り返されている。AIが人間の仕事を奪い続ければ、やがて世界の資本所得比率がほぼ100%に達するのではないかとニック・ボストロムは述べている[85]。ボストロムについては終章〈前編〉392ページを参照。

第5章

鉄道の発明
——マルサスの罠を打ち破る

鉄道はすべてを変えた

1836年10月、チャールズ・ダーウィンが5年に及ぶ世界一周の旅から帰宅したとき、屋敷で出迎える人はいませんでした。時刻はすでに深夜で、家族も使用人も寝静まっていたのです。[1] このとき、彼の移動手段は主にウマでした。時刻表通りに運行する鉄道とは違い、馬車は所要時間がまちまちです。そのため正確な帰宅日時が分からなかったのです。

それからわずか6年後の1842年、ロンドン近郊のダウン村に屋敷を買ったとき、ダーウィンは物件選びの条件の1つに、駅から近いことを挙げていました。[2] 結婚と短期間のロンドン生活を経て、鉄道が必要不可欠になっていたようです。

ここからも、鉄道がどれほど急速に人々の生活を変えたのかがうかがえます。たとえば時刻は、かつては町や村ごとに違いました。イギリスの場合、地域によってはロンドンと最大で30分間の時差がありました。[3] それでは列車の運行に不都合だったため、鉄道の登場後には速やかにグリニッジ天文台の時刻に統一されました。

かつて、生まれた村を死ぬまで出ない人は珍しくありませんでした。ところが鉄道は移動のコストを大幅に下げ、旅行を民主化（大衆化）しました。イギリスの場合、１８３５年に駅馬車を利用した人はのべ１０００万人でしたが、１８４５年に鉄道を利用した人は３０００万人、１８７０年には3億３０００万人にまで激増しました[4]。前章でも書いた通り、どんな田舎の人でも人生で一度くらいはロンドン見物に出掛けられる時代になったのです。

速さの点でも、鉄道には前例がありませんでした。

長距離移動の場合、馬車の速さは人間の徒歩と大差ありません[5]。ウマが全力疾走できる距離には限界があるため、速さを求めるなら乗り替えが必須だからです※1。しかし蒸気機関車には、そのような制約はありません。

たとえば日本の鉄道の歴史は、１８７２年10月に新橋―横浜間が開通したところから始まります。正式開業に先立ち、同年6月に品川―横浜間の約24キロメートルが仮開通し、所要時間は約35分でした[6][7]。もしもこの距離を徒歩で行けば、健脚の人でも6時間、休憩を含めれば7～8時間はかかる1日がかりの旅になるはずです。しかし鉄道以後の世界では、この距離を日帰りできるように――運行本数によっては、その日の正午までに帰ってこられるようになったのです。

人々の生活は一変しました。

※1 したがって、徒歩と比べたときの馬車の優位性は速さではなく積載量にある。

かつて農村では、仕事は季節ごとに進めるものでした。旅は日ごと、週ごと、ときには月ごとに進めるものでした。ところが鉄道以後の世界では、人々は時刻表通りに出勤し、積み荷を工場から（鉄道で）出荷し、始業から終業まで時間割に従って働くようになりました。分刻みの「鉄道時間」で生活するようになったのです。

歴史研究家ウィリアム・バーンスタインは「私たちは現代こそが劇的な技術革新の時代だと考えがちだが、これはうぬぼれた幻想でしかない」と述べています[8]。

鉄道は「産業革命」を象徴する発明です。

18世紀後半にイギリスから始まった産業革命は、この世界を永遠に変えました。前章で紹介した「マルサスの罠」[※2]を私たちは脱出し、『人口論』の暗い予言を打ち破ったのです。現代の先進国では、貧困と飢餓は結びつきません。富裕層のほうが健康のための支出を増やし、なおかつ運動のための余暇を確保できるので、貧困層のほうが肥満と生活習慣病のリスクが高くなってしまうのです。

産業革命後の世界の特徴は、私たち人類が「科学は儲かる」と気づいた点にあります。

かつて科学は有閑階級の趣味、あるいは宗教研究にすぎませんでした。しかし、

※2 ―― 第4章―98ページ参照。

科学技術の研究を——すなわち、知識資本への投資を——すると、それは経済成長に結びつきます。[9] 18世紀末以降、ようやく人類はこのことを理解しました。人々がこぞって技術開発を行うようになった結果、発明が発明を呼び、知識が雪だるま式に増えていくようになったのです。

なぜ産業革命はイギリスから始まったのでしょうか？

そして、なぜそれは18世紀後半だったのでしょうか？

結論から書きましょう。

歴史的な経緯から、イギリスでは賃金水準が上がり続け、燃料の価格が（相対的に）下がり続けていました。そして「労働を機械に置き換えること」で利益を出せる水準

人口1人あたりの所得の変化

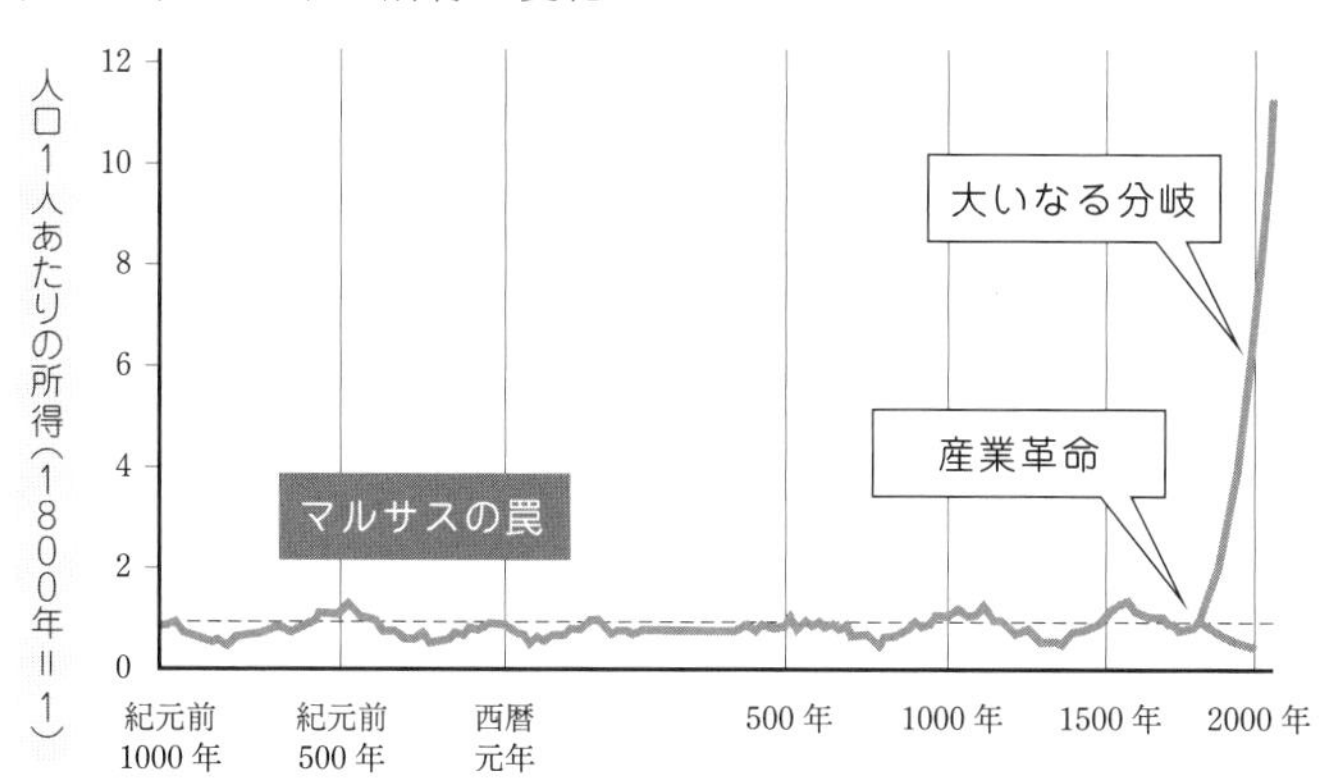

出典：グレゴリー・クラーク『10万年の世界経済史』（日経BP、2009年）

に達したのが、18世紀後半だったのです。当時のイギリスでは紡績機や蒸気機関などの機械を導入することで人件費を節約して儲けを出せました。それを阻止する権力者や社会制度も（他国に比べて）弱いものでした。結果として「発明が発明を呼ぶ状況」にいち早く到達したのです。

本章では、そこに至る過程を見ていきましょう。

かつて技術革新は歓迎されなかった

1589年、イギリスのノッティンガム州カルバートンの司祭ウィリアム・リー[※3]は、画期的な「靴下編み機」を発明しました。リーはロンドンへ赴き、エリザベス1世に謁見。この装置で商売をする特許を願い出ました。ところが女王の対応はけんもほろろでした。靴下職人の仕事を奪うという理由で、装置の商用を許さなかったのです。リーはめげず、エリザベスの跡を継いだジェームズ1世にも特許を申請しました。しかし彼もまた、同じ理由でそれを断りました。[10]

産業革命以前の世界では、これはありふれた光景でした。

技術革新が経済成長に繋がると理解されるまで、それは危険視されがちだった

※3 ウィリアム・リー（1563年～1610年）。

のです。既存の経済体制を害し、権力基盤を揺るがす可能性があるからです。第3章で見た通り、グーテンベルクは活版印刷機を「黒魔術」だと見做されないよう注意が必要でした。オスマン帝国のスルタン※4たちは活版印刷を規制しました。

これは権力者にかぎりません。

既得権益者からも、技術革新は歓迎されませんでした。

18世紀のフランスでは、ギルドが規制当局と結託していました。微に入り細を穿つ規制を作り上げて、商工業を縛っていたのです。[11] たとえばヒツジの毛を剃ることが許されるのは5月と6月だけでした。黒いヒツジを殺すことは禁じられていました。羊毛を梳く器具の、歯の本数や素材の種類も規定されていました。布を織るのに使う糸の本数にも規制があり、ある布は1376本、別の布は2368本を使うことが定められていました。布のサイズに自由はなく、布の染色だけでも317条の規定がありました。

骨製ボタンを作っていたボタン製造ギルドは、布製の新製品が発明されたと知るやいなや、大蔵大臣に手を回してそれを禁止させました。規定外のボタンを開発した仕立屋に罰金刑を科し、規定外の服を着ている人間を取り締まるために、個人の住宅を家宅捜索する権限までをも検査官に与えさせたのです。

※4 トルコ系イスラム圏における支配者の称号。

もちろん産業革命以前にも、目覚ましい技術革新がなかったわけではありません。紙や活版印刷、望遠鏡はすでに紹介した通りです。ヨーロッパでは、この他にも風車、糸車、機械式時計、眼鏡が13世紀頃に実用化されました。14世紀には、火薬を使った兵器ももたらされました。[12] 産業革命以前の世界も、完全に停滞していたわけではありません。

それでも、官民のどちらも「破壊的イノベーション」を嫌っており、技術の発展は遅々としていました。産業革命後の現代のように、科学技術の知識が雪だるま式に増えていくという状況からはほど遠かったのです。

私たち人類がこの状況から脱出するためには、いくつかの条件が揃う必要がありました。

その条件が揃うまでの物語を、ここでは1347年9月から始めましょう。

ペストがイギリスに与えた「2つの恩恵」

秋のある日、何隻かのガレー船がシチリア島のメッシーナに到着しました。それはジェノヴァの貿易船で、黒海沿岸から積み荷とともに招かれざる客を運んできました。ネズミと、その毛皮に巣食ったノミ、そして何より、ノミの体内に宿ったペスト菌です。[13]

黒死病の異名を持つペストは、その後の4~6年でヨーロッパ全土を蹂躙しました。

1348年にフィレンツェでペスト禍に見舞われたジョヴァンニ・ボッカッチョ[※5]は、その惨状を『デカメロン』の冒頭で生々しく描写しています。腺ペストの特徴的な症状として、脇の下や股の付け根に鶏卵~リンゴ大の腫れ物ができますが、これが出た人は3日程度で「まちがいなく」死んだと彼は述べています。[14]

当時はノミが媒介者だという知識もなく、患者の使った衣類に触れただけでも（そこに潜むノミを介して）感染する危険性があることがパニックをもたらしました。誰もが家に閉じこもり、患者の看病も避けるようになりました。結果、自宅で孤独死する人が続出し、「腐敗した死体の悪臭でやっと死んだということが隣人にも」分かったそうです。[15] 墓の数は足りず、「教会の墓地に大きな溝を掘り」「そこへ何百人という遺骸を並べて寝かせ」「上までぎっしり詰まると、そこにわずかの土をかけて表面を覆」って葬ったというのです。[16]

そして、これは第1波にすぎませんでした。

この後もおよそ1世紀にわたり、平均11~13年おきにペストはヨーロッパを襲

※5 ジョヴァンニ・ボッカッチョ（1313年~1375年）。イタリアの詩人、作家。

いました。当時のヨーロッパの人口はおよそ８０００万人と推計されていますが、１３４０年から１４００年の間に人口のおよそ３分の１が失われ、さらに15世紀半ばに底をつくまで減り続けました。[17]

しかし皮肉にも、ペスト禍はイギリスに２つの恩恵をもたらしました。「政治的な恩恵」と「経済的な恩恵」です。

まずは「政治的な恩恵」から見ていきましょう。

オックスフォード郊外のエインシャムには、次のような契約書が残されています。[18]

> １３４９年の腺ペストによる大量死の際、荘園にはかろうじて２人の小作人が残った。彼らは、その荘園の当時の僧院長にして封建君主だったアプトンのブラザー・ニコラスが、自分たちと新たな協定を結ばなければ、荘園を去るつもりだと表明した。
>
> （ダロン・アセモグル、ジェイムズ・A・ロビンソン『国家はなぜ衰退するのか 権力・繁栄・貧困の起源』ハヤカワ・ノンフィクション文庫、２０１６年、上巻 P.176）

この「新たな協定」には、貢納金および無給労働の削減が盛り込まれていました。ペストによる人口減少で人手不足が生じた結果、小作人が封建君主に対して交渉力を持つようになったのです。封建制度のもとでは、君主は単なる地主ではありません。農民から見れば警察と裁判官を兼ねる存在であり、君主の許しがなければ（本来なら）土地を離れることもできません。このように奴隷に近い扱いだった当時の農民のことを「農奴」とも呼びます。

ペストの大流行は、この封建制度の土台を揺るがしたのです。

ブラザー・ニコラスは新たな協定を受け入れざるをえませんでした。

イングランドでは農民の地位向上と封建制度の弱体化が進み、やがて自らの土地を所有する農民が現れました。彼らを「独立自営農民（ヨーマン）」と呼びます。

続いて「経済的な恩恵」ですが、「マルサスの罠」を遠ざけたことが挙げられます。耕作可能な土地に対する人口が大幅に減ったため、生き残った人々の食糧事情が改善したのです。先述の人手不足により、所得も増えました。一時的なものではありますが、人々の生活水準はペスト禍以前よりも改善しました。[19]

イングランドのヒツジたちも、この恩恵を受けました。

人口減少により使われなくなった耕作地が牧草地に転用された結果、中世までの低品質の短い羊毛ではなく、高品質の長い羊毛が得られるようになったのです。この羊毛を用いた「梳毛毛織物」が、イギリスの新たな輸出製品となりました。[20] 中世まで、ヨーロッパの毛織物市場を席巻していたのはイタリアとフランドル地方でした。イングランド産の新たな毛織物はこの市場を奪ったのです。[21]

毛織物貿易の玄関口となったのが、ロンドンです。

1500年には約5万人だったロンドンの人口は、1700年までの2世紀間で10倍に増えました。[22] 1660年代にロンドンから輸出および再輸出された商品の74%が毛織物であり、18世紀初頭までに労働者の4分の1が海運業や港湾サービス業、その他の関連事業に従事するようになりました。[23] ロンドンは貿易によって成長した都市なのです。

これら「政治的な恩恵」と「経済的な恩恵」は、その後、絡まり合いながらイギリスの運命を変えていきます。

農民のインセンティブが変わった

封建制度のもとでは、農民には増産や品種改良のインセンティブがほぼありません。どんなに仕事を頑張って利益を増やしても、すべて領主に収奪されてしまうからです。これは古今東西を問いません。

たとえば江戸時代の日本では、各藩は年貢米を米市場で換金しなければ現金収入を得られませんでした。米価の基準を作っていた中心的な市場は、大坂・堂島の米市場です。熊本藩の荒尾（あらお）郷・樺（かば）村では、村人およそ７００人のうち１８０人を動員して、2俵ぶんの米を1粒ずつ選別させていたという記録が残っています。この2俵は、堂島で米仲買に見本として見せるための米でした[24]。少しでも高く米を売りたいという大名たちの執念がうかがえます。これは熊本藩にかぎった話ではなく、堂島の米価に翻弄されたのはどの藩も同じでした。

ところが明治になり、廃藩置県と地租改正によって大名による締め付けがなくなると、日本全国で米の品質低下が起きました。砂を混ぜたり水をかけたりして重量をごまかしたり、良米と銘打ちながら粗悪米を混ぜるなどの不正が横行したのです。このことは、米の品質の高さによる追加的な利得※6を得ていたのは大名たちで、それは農民には還元されていなかったことを示唆しています[25]。

一方、イギリスのヨーマンたちは違う経済的インセンティブを持っていました。

※6　経済学用語で「品質プレミアム」と呼ぶ。

彼らは生産物の品質改善や増産によって得た利益を、自分の懐に収めることができたのです。結果、近世のイギリスでは「農業革命」と呼ばれる農業の生産性向上が起きました。たとえば単位面積あたりの小麦の収穫量は、1300年から1700年で2倍に増えました。[26]

18世紀に入ると、クローバーやイガマメ、ターニップ（西洋かぶ）のような新たな作物がイギリスに導入されました。これらは人間の食用だけでなく、家畜の飼料としても用いられました。

ヨーロッパで主食となる麦は連作障害※7を起こしやすく、数年おきに休耕地を作らなければなりません。一方、クローバーやイガマメのようなマメ科植物には、痩せた土地でも育ち、地力を回復させる力があります。根に共生している「根粒菌（こんりゅうきん）」と呼ばれる微生物が、大気中の窒素から肥料となる窒素化合物を合成できるからです。

つまり、麦の休耕地にクローバーを植えて放牧地にすれば、土地を肥沃な状態に戻しながら家畜を太らせることができるわけです。このような効率的な農法の導入と、地道な品種改良の結果、1300年から1800年の500年間で、乳牛1頭あたりの搾乳量は3・8倍、ヒツジ1頭あたりの羊毛は2・3倍、羊肉の重量は2・7倍に増えました。[27]

※7　同じ土地で同じ作物を育て続けると、土地が痩せ、さらに寄生虫や病原菌が蔓延しやすくなり、収穫量が落ちてしまう。これを連作障害という。

農業生産性の高さは、その国・地域の都市化率から推測できます。

都市化率とは、総人口に占める都市人口の比率のことです。農業の生産性が低く、農民たちが自分の家族を食べさせるので精一杯であれば、都市化は進みません。都市に集まった人々に充分な食糧を供給できないからです。反面、農業の生産性が高まるほど、多数の都市人口を養うことが可能になり、人口に占める農業従事者の比率は下がります。

1500年のイングランドの都市人口は7％、農業人口は74％でした。[※8] 1800年には都市人口は29％に増え、農業人口は35％まで減りました。[28] 1人の農民が3人のイングランド人を養えるようになったのです。

※8 合計して100％にならないのは、農村で暮らす手工業者などの非農業従事者がいるため。

大航海時代の消費の多様化と賃金高騰

イングランドの農業革命は、毛織物産業の勃興および貿易都市ロンドンの成長と無関係ではありません。というのも、**お金を稼ぎたいというインセンティブは、お金で買いたくなる商品がなければ生じない**からです。

ヨーロッパの「大航海時代」の歴史は、15世紀初頭から始まります。当時、インドなどのアジアから輸入されていた香辛料――中でも8割を占めた胡椒[29]――は、中東の商人たちの手を幾重にも介したため、ヨーロッパでは非常に高価でした。アジアと直接貿易のルートを開くことができれば、胡椒を格安で仕入れて大儲けできるはずでした。そこで、ポルトガルのエンリケ航海王子※9は繰り返し船団を送り、アフリカ大陸の南端を迂回する航路を探索させました。これに対してスペインの援助を得たクリストファー・コロンブス※10は、西回りの航路でアジアを目指し、1492年に新大陸に到達しました。1494年には、ポルトガルとスペインはトルデシリャス条約を締結。[30]これは航海で発見した「新世界」のうち、大西洋の(おおよそ)真ん中を通る子午線を境に、西側をスペイン領、東側をポルトガル領とする条約でした。さらに1498年にはヴァスコ・ダ・ガマ※11がついにインドに到達。この時代の世界の海はスペインとポルトガルのものでした。

ところが1588年、スペインはアルマダの海戦でイングランドに敗れます。これはイングランドにとって海洋国家への第一歩でした。[31]1600年には東インド会社(EIC)が設立されました。※12さらに17世紀を通じて三度の英蘭戦争をイギリスは戦い、オランダが一歩先んじていた東アジアとの貿易で地歩を固めました。こうしてイングランドは、覇権国家・大英帝国へと発展していったのです。

通商圏の拡大に伴い、イギリスには――とくにロンドンには、世界中の商品が

※9
エンリケ航海王子(1394年～1460年)。ポルトガル王国の王子であり、初期の大航海時代における重要人物の1人。

※10
クリストファー・コロンブス(1451年～1506年)。イタリア・ジェノヴァ出身の探検家、航海士。

集まりました。

胡椒はもちろん、コーヒー、茶、絹、磁器などが輸入されました。新大陸からは、それまで旧世界には存在しなかった作物が持ち込まれました。たとえばジャガイモ、トウモロコシ、トウガラシ、サツマイモ、タバコ、トマト、カカオ、ヒマワリ、カボチャなどです。さらに長年ヨーロッパ人を苦しめてきたマラリアの特効薬キニーネも新大陸で発見されました。これは現代で言えば、がんやエイズの特効薬が見つかったようなものでした。[32]

中世までは、パンと肉とワインこそが豊かさの象徴でした。しかし近世に入ると様相が変わり、ロンドンの住民は多様な商品を消費できるようになったのです。前章で紹介したコーヒーハウスの大流行は、その好例でしょう。なお、イギリスに紅茶文化を根付かせたのは、1662年にチャールズ2世のもとにポルトガルから嫁いできたキャサリン・オブ・ブラガンザです。お茶好きだった彼女は、イギリス王室に喫茶習慣を持ち込みました。[33]東洋のお洒落(しゃれ)な飲み物として、お茶はイギリスで大人気になります。男性的な飲み物だったコーヒーに対して、紅茶は女性的な飲み物として受け入れられたのです。1717年にトーマス・トワイニングがロンドンで紅茶専門店を開店したとき、店のメインターゲットは最初から女性客でした。[34]

※11
ヴァスコ・ダ・ガマ(1469年頃〜1524年)。ポルトガル王国の探検家。

※12
第4章143ページ参照。

　そして農村の人々も、ロンドンと同じように多様な消費生活を楽しみたいと望みました。だからこそ彼らは農業の効率化に取り組んだのです。さらに労働時間も伸びました。要するに、以前の時代よりも真面目に働くようになった――。この変化を「勤勉革命」とも呼びます。[35][36]

　今も昔も、都市では田舎よりも賃金が高くなります。近世のロンドンも同様でした。このロンドンの高賃金に牽引（けんいん）される形で、イギリス全土で賃金が上昇したのです。[37]

　1737年にイングランドを旅したフランスのル・ブラン神父は、当地では農家の下男ですらお茶を飲んでから1日の仕事に取り掛かることに驚嘆しました。彼が故郷に送った手紙によれば、当時のイングランドでは農民でさえ冬にはフロックコートを着

イングランドの労働者の賃金

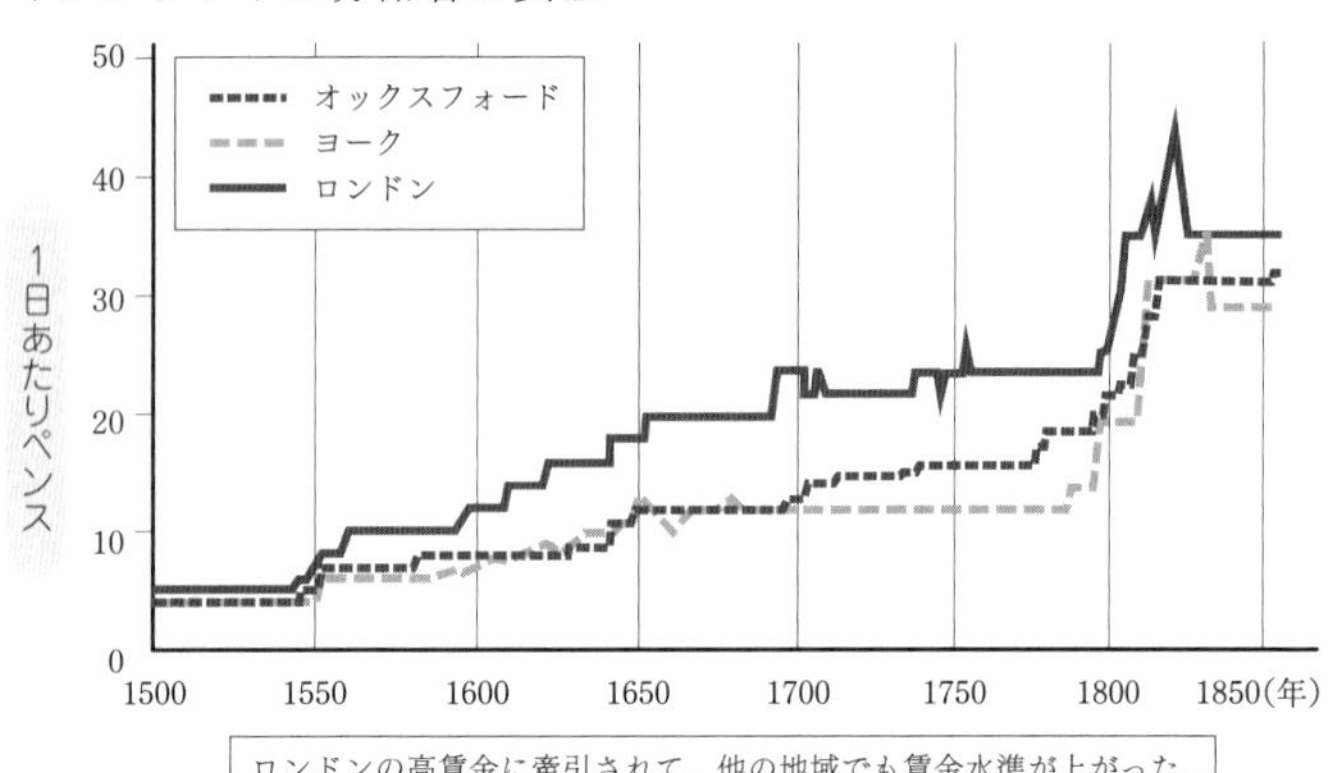

ロンドンの高賃金に牽引されて、他の地域でも賃金水準が上がった。

出典：ロバート・C・アレン『世界史のなかの産業革命』（名古屋大学出版会、2017年）

込み、妻や娘は真のレディに見えるほどエレガントな服装だったというのです[38]。

こうして、産業革命の始まる18世紀後半までに、イギリスは世界で一番賃金の高い地域になりました。

石炭が「格安の燃料」に

「はじめに」で触れたように、人類は古代ローマの時代には蒸気から運動エネルギーを得られることを知っていました。産業革命初期の発明品を生み出すのに、アルキメデス[※13]の時代よりも多くの知識は必要なかったとさえ言われています[39]。それでも18世紀まで蒸気機関が普及しなかったのは、薪よりも人間のほうが安上がりだったからです。

世界の労働者の賃金

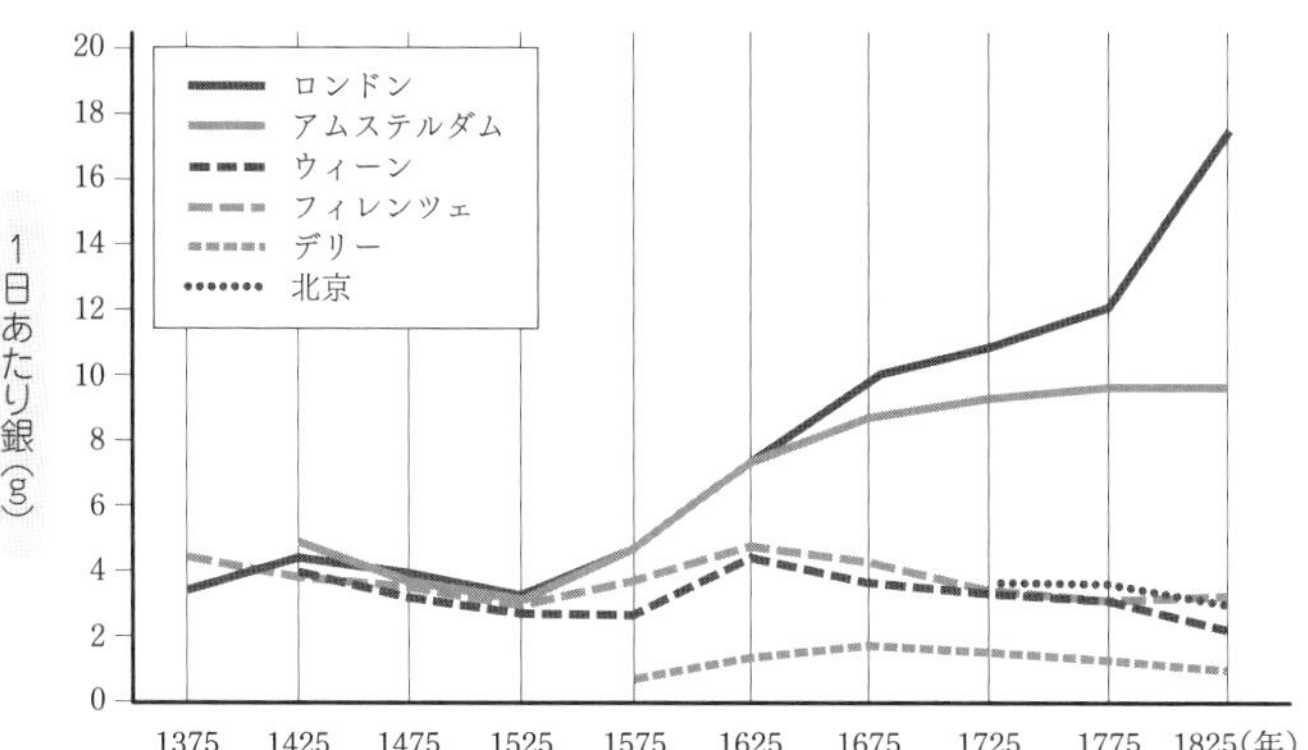

出典：ロバート・C・アレン『世界史のなかの産業革命』（名古屋大学出版会、2017年）

18世紀後半のイギリスが世界で一番燃料費の安い地域になった背景にも、ロンドンの成長がかかわっています。

イギリスでは古くから、石炭は身近な燃料の1つでした。記録が残っている16世紀半ばの時点で、ロンドンにおける石炭の価格は木材（木炭を含む）とほぼ同じであり、[40] それ以外の地域では半額程度でした。[41] 当時の石炭は、石灰の煆焼（かしょう）や金属の鍛造、海水の煮沸による製塩など、もっぱら工業用途で用いられており、[42] 家庭の暖房・炊事には使われていませんでした。

というのも、中世までのイギリスの一般家屋では、石炭を利用できなかったからです。[43]

中世のイギリスの典型的な家屋は、中央に広間または大部屋のある間取りでした。その部屋の真ん中に暖房用と炊事用を兼ねる低い炉が設置され、そこで薪を燃やしました。煙突はなく、煙は天井の穴から排気されました。天井近くに溜まった煙で、ベーコンを燻（いぶ）すことすらできました。

この家屋で石炭を利用すると2つの問題が生じます。まず、石炭を燃焼したときに生じる硫黄臭が家じゅうに充満してしまうこと。そして、火がすぐに消えてしまうことです。石炭を安定的かつ効率的に燃やすためには、開放的な炉ではなく、（暖炉やストーブのように）狭い場所に熱を閉じ込めなければなりません。

※**13** アルキメデス（前287?年～前212年）。古代ギリシャの数学者、物理学者。年代としては、古代ローマよりもさらに数世紀さかのぼる。

※**14** 産業革命以前の世界では、荷車1台ぶんの薪を売って利益が出るのは、陸路の場合わずか15キロメートル圏内だった[44]。

※**15** 第4章169ページ参照。

家庭用の燃料として石炭を利用するためには、専用に設計された家屋が必要だったのです。

そのような新しい設計の家屋は、ロンドンの成長によって誕生しました。

都市が大きくなるほど、周囲の森が伐採されます。木材の生産地から都市の中心部までの輸送距離が伸びます※14。生産地が遠ざかることによる輸送コストの増大は、末端価格に転嫁されます。そのため、ロンドンでは都市圏の拡大とともに、薪および木炭の価格が高騰したのです[45]。建設業者から見れば、「石炭を利用できる設計」をセールスポイントにできるようになったわけです。悪臭が広まらず、かつ効率的に熱を利用できる建築の研究が進みました[46]。

前章で触れた1666年のロンドン大火※15

ロンドンにおける木材と石炭の実質価格

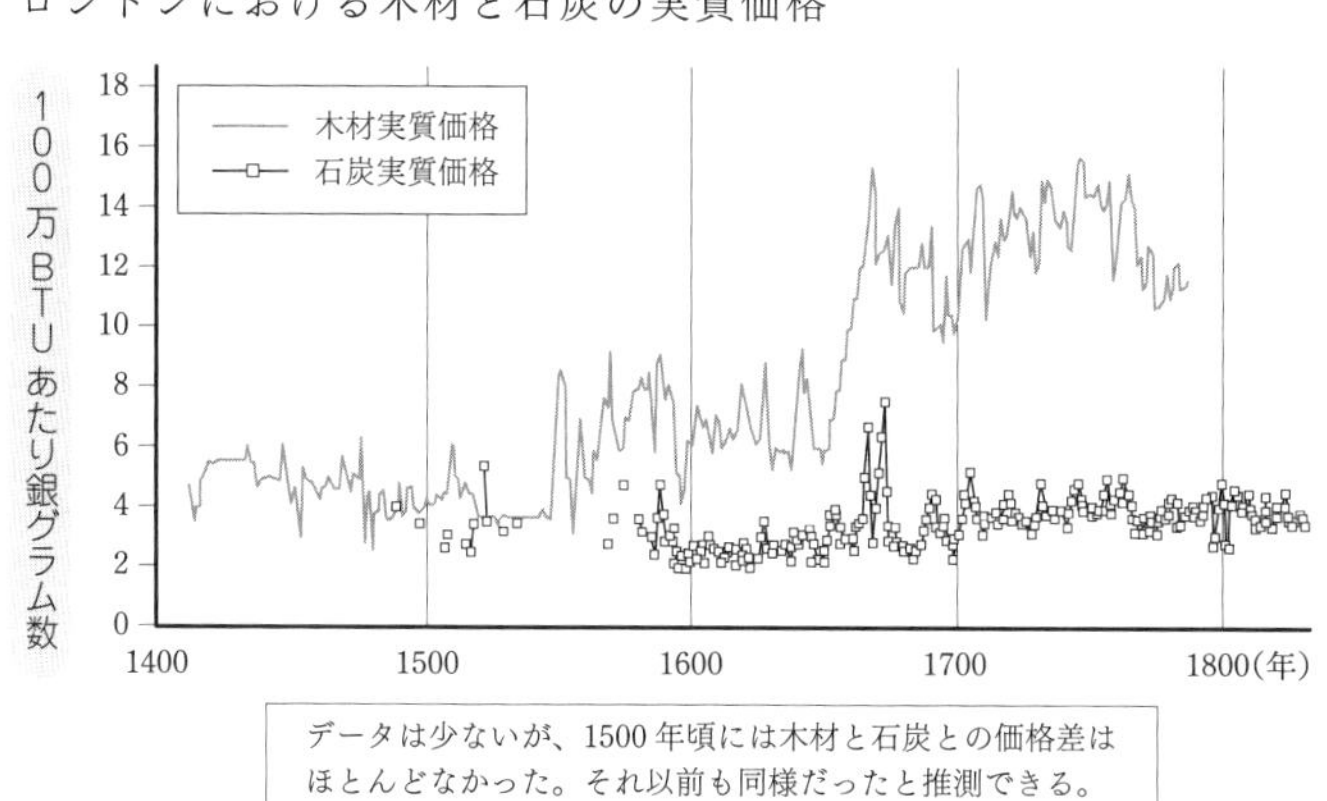

出典：ロバート・C・アレン『世界史のなかの産業革命』（名古屋大学出版会、2017年）

※BTU（British Thermal Unit／英国熱量単位）とは、質量1ポンドの水を華氏1度上昇させるのに必要な熱量。カロリーに換算すると約252カロリー。

も、新しい建築設計の発達・普及を後押ししました。この大規模な火災をきっかけに、それまでの木造建築に代わって、耐火性の高い石造（せきぞう）やレンガ造の家屋が建設されるようになったのです。石炭に適した暖炉と煙突を備えた家屋がロンドンで生まれると、それはイギリスじゅうに広まりました。中世の家屋から近代的な家屋への建て替えは1570年から18世紀前半まで続き、イギリスの「大再建」と呼ばれています。[47]

グラフで見ると、木材燃料の価格高騰が一目瞭然です。

一方、石炭の価格は近世を通じてほぼ一定でした。「大再建」によって家庭用石炭の需要は伸びていたはずです。にもかかわらず価格が高騰しなかったのは、それを補うほどの供給があったから——石炭業者が、

ミッドランド地方における木材と石炭の実質価格

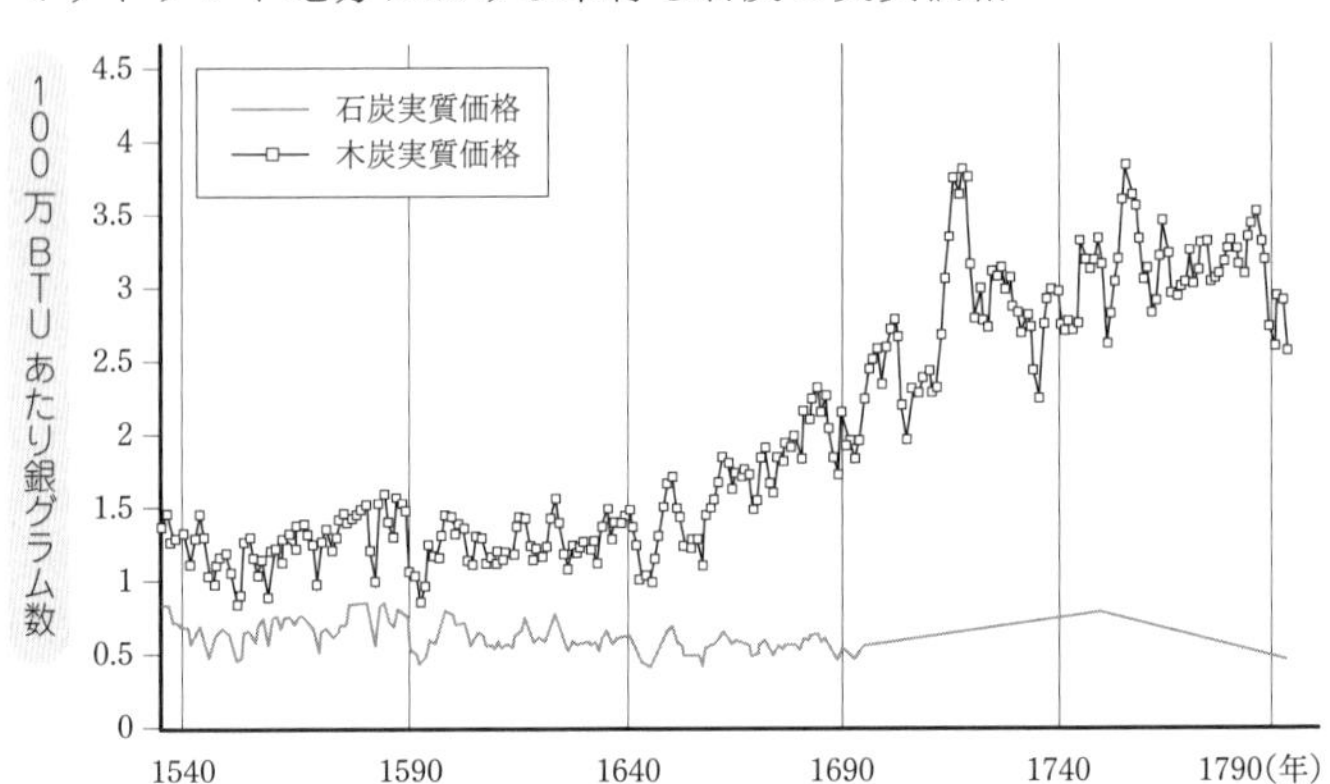

出典：ロバート・C・アレン『世界史のなかの産業革命』（名古屋大学出版会、2017年）

積極的に炭鉱を開発したからです。

1560年に約23万トンだったイギリスの石炭生産量は、1700年には約299万トン、1800年には約1505万トンに達しました。およそ66倍の増加です。当時、イギリス以外で世界で唯一の場所はベルギー南部で大規模な石炭産業が存在していた世界で唯一の場所はベルギー南部でしたが、それでも1800年頃の生産量は年間約200万トン、イギリス全体の13%にすぎませんでした[48]。

こうして産業革命が始まる18世紀半ばまでに、イギリスは世界で一番燃料費の安い地域になりました。それはロンドンのような都市部よりも、ニューキャッスルのような炭鉱近くの町で顕著でした。産業革命がロンドンやエジンバラのような大都市ではなく、比較的郊外の都市から始まった理由

1700年代初期のエネルギー価格

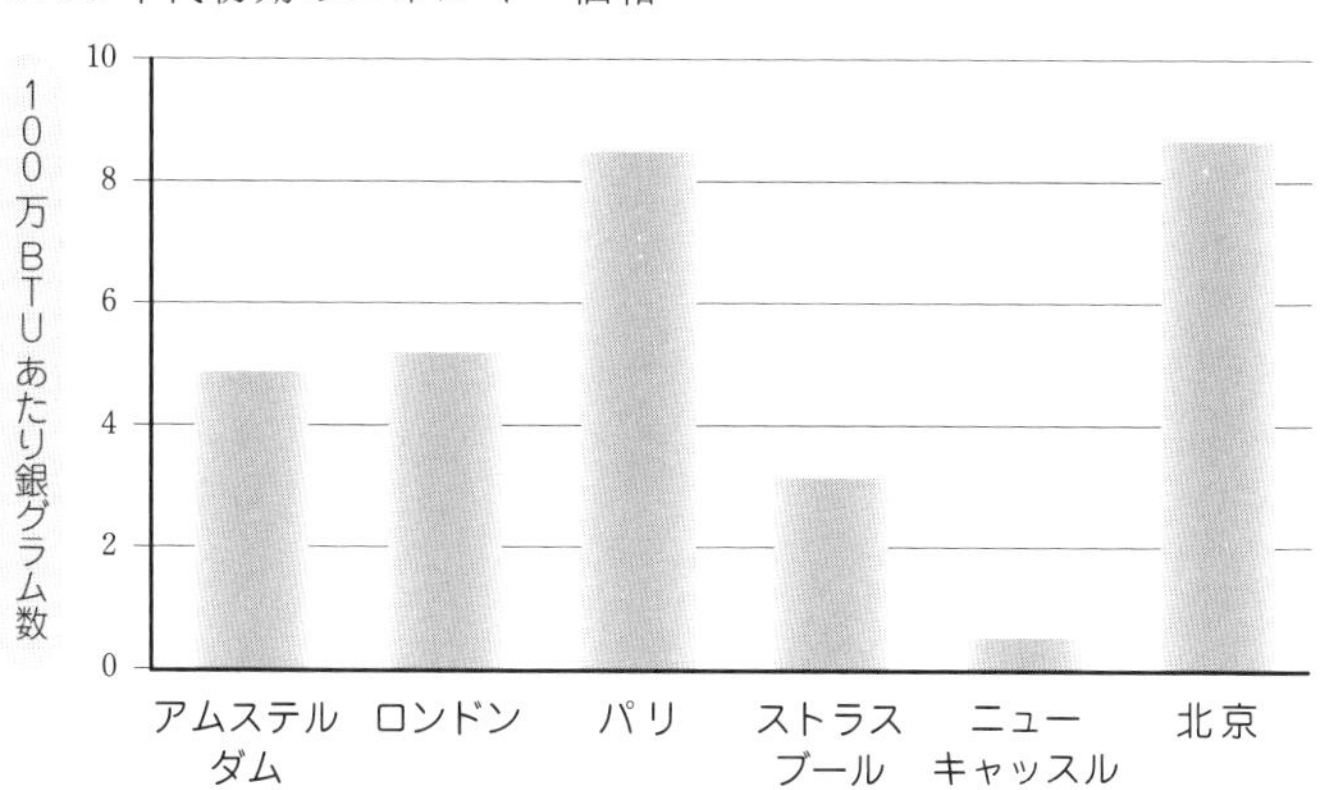

出典：ロバート・C・アレン『世界史のなかの産業革命』（名古屋大学出版会、2017年）

もここにあります。

まとめましょう。

14世紀半ばにヨーロッパを襲ったペストの大流行は、一方で、イギリスには「政治的な恩恵」と「経済的な恩恵」の2つの恩恵を与えました。政治的な面では、人口減少によって農奴や小作人の交渉能力が高まった結果、封建制度が弱体化し、やがて独立自営農民（ヨーマン）という社会的地位の人々の誕生に繋がりました。また、経済的な面では、人間の食糧を作っていた農地が牧草地に転用された結果、羊毛の品質が向上し、毛織物がイギリスの主要な輸出製品となりました。これが貿易都市ロンドンの成長に繋がりました。

ロンドンの成長は、イギリス人に多様な消費生活をもたらし、農民たちに生産性向上のインセンティブを与えました。結果、イギリス人は「農業革命」と賃金の高騰を経験しました。また、ロンドンの成長は薪や木炭の価格高騰を招き、それが石炭を利用できる家屋への「大再建」と、炭鉱業の発展をうながしました。こうして、産業革命の前提となる「高い賃金」と「安い燃料費」という条件が揃い、イギリスは歴史上初めて「労働を機械に置き換えること」で利益を出せる地域になったのです。

初期の産業革命は繊維産業が牽引した

1733年、ジョン・ケイ[※16]が「飛び杼(ひ)」[※17]を発明しました。杼とは、布を織る際に横糸を通す器具です。ケイはこれを改良し、製織(せいしょく)の生産効率を大幅に向上させたのです。従来は2人で操作していた機織(はたお)り機を、1人で、より高速に動かせるようになりました。また、従来よりも幅広の布を織れるようになりました[49]。

飛び杼は破壊的イノベーションであり、失職を懸念した機織り職人から反発を招きました。コルチェスターの職人たちが、これを正式に禁止するよう国王ジョージ2世に陳情を行ったほどです(が、失敗に終わりました)。

しかし飛び杼は、すぐには発明の連鎖と爆発的な経済成長には結びつきませんでした。製織が効率化されても、原料となる糸の生産——紡績(ぼうせき)——が従来のままでは、それがボトルネックになってしまうからです。当時、糸は「手紡ぎ車」で1本ずつ紡がれていました。飛び杼は機織りのコストを下げて生産性を高めただけでなく、糸の需要を増やしたのです。

1764年、ランカシャーの僻地(へきち)ラムズクロー村で、ジェームズ・ハーグリー

※16 ジョン・ケイ(1704年〜1780年)。イギリスの発明家。

※17 飛び杼

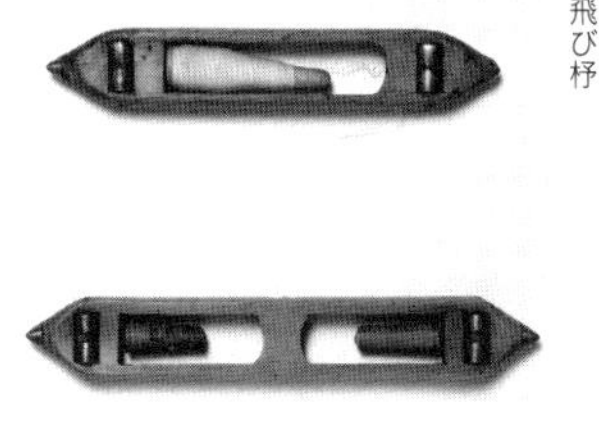

ヴス[※18]は「ジェニー紡績機[※19]」を発明しました。これは一度に8本の糸を紡げる手動式の機械でした。噂を聞きつけた近隣の住民はハーグリーヴスの家に押しかけ、完成したばかりのジェニー紡績機を叩き壊しました。仕事を奪われることを恐れたからです。彼はめげずにリヴァプール郊外のブルックサイドに工場を構えましたが、またしても暴徒の襲撃を受けました[50]。

こうした抵抗に遭いながらもジェニー紡績機は普及し、1788年には2万台以上がイギリス国内で稼働していました[51]。改良が重ねられ、一度に紡げる糸の本数も増えていきました。

ジェニー紡績機は女性1人で操作できる装置なので、一見すると資本集約的な生産手段には思えません。しかし当時の遺産目録を調べると、従来の手紡ぎ車が大抵は1シリング以下であるのに対し、24本を同時に紡げるジェニー紡績機は70シリングでした[52]。つまりジェニー紡績機を導入することは、人件費に対する資本の比率を70倍以上に増やすことを（あるいは資本に対する人件費の比率を70分の1以下にすることを）意味したのです。当時のイギリス人にとって、ジェニー紡績機を購入することは人件費の節約に繋がる設備投資でした。

具体的には、当時のイギリスで耐用年数10年の24紡錘（ぼうすい）ジェニー紡績機を購入した場合、収益率は38％に達したと推計されています[※20]。高賃金だったからこそ、人

※18
ジェームズ・ハーグリーヴス（1720年頃〜1778年）。イギリスの大工、発明家。

※19
ジェニー紡績機

※20
機械装置の導入でどれほど利益を出せるかは、生産量の増加率や労働者の稼働率など様々な要因に左右される。当時の家内紡績工（＝女性）は家事や農作業の合間に糸を紡い

件費の節約によって大きな利益が見込めたのです。同時代のフランスの人件費の水準で計算すると、収益率は2・5%まで落ちます。インドではマイナス5・2%となり[53]、機械など使わないほうがマシという結果になってしまいます。

1769年、リチャード・アークライト※21が「水力紡績機※22」の特許を得ました。これは水車を動力として動くだけでなく、圧延ローラーによって丈夫で上質な糸を紡ぐことができる機械でした。

アークライトの功績は、単に紡績機を改良しただけでなく、近代的な「工場」そのものを発明した点にあります[54]。彼は1767年にノッティンガムで（水車ではなく）ウマを動力とした小さな工場を建てましたが、これは1772年まで稼働しませんでした。解決すべき技術的課題が山積みだったからです。効率よく原料や仕掛品（しかかりひん）を動かすための機械装置の配置や、工場労働者をどう管理すべきかなど、アークライトは手探りで決めていかなければなりませんでした。ここで得た反省をもとに、彼は1776年、ダービシャーのクロムフォードで第2工場を操業。この第2工場こそが、その後、世界中に広まる綿紡績工場の原型でした[55]。アークライトの装置は、熟練工を要しませんでした。彼は非熟練の女性たちを訓練して機械を操作させました。また、労働者を臨時雇用ではなく完全雇用しました[56]。

でいたため、大抵のジェニー紡績機はフル稼働の40%ほどしか使用されていなかったようだ。それでもこれほどの利益が見込めた。

※21 リチャード・アークライト（1732年〜1792年）。イギリスの発明家。

※22 水力紡績機

1779年、サミュエル・クロンプトンが[※23]「ミュール紡績機[※24]」を完成させました。これはジェニー紡績機と水力紡績機の長所を組み合わせた機械でした。[※25]ミュール紡績機の特筆すべき点は、生産された糸の品質が飛躍的に向上したことです。この発明により、イギリスはモスリン（薄手の綿布）でもインドと競争できるようになったのです。[57]

1785年、その後の歴史を決定づけるアイディアが実現しました。エドモンド・カートライトが[※26]、織機を蒸気機関に繋いだのです。生まれたばかりの「力織機[※27]」はさほど性能のいいものではなく、また、機織工からの強い反発を受けました。1790年にマンチェスターのノットミルで30台の力織機が導入された際には、その工場は不審火で焼けました。[58]とはいえ、蒸気を繊維産業の動力源にするというアイディアの有用性は誰の目にも明らかでした。1820年代にはリチャード・ロバーツによって、蒸気機関で動く「自動ミュール紡績機」が実用化されました。[59]

以上のように、初期の産業革命を牽引したのは繊維産業であり、そのきっかけはイギリスの高賃金でした。人件費の高さが「労働を機械に置き換える」というインセンティブを生み、それが発明の連鎖と経済成長を引き起こしたのです。

※23
サミュエル・クロンプトン（1753年〜1827年）。イギリスの発明家、紡績工。

※24
ミュール紡績機

※25
クロンプトン自身は、アークライトの発明については何も知らないと主張していた。

石炭が筋肉の代わりを果たす

イギリスにおける蒸気機関の歴史は、飛び杼よりもさらにさかのぼります。

1712年、ダドリーの炭鉱で、トマス・ニューコメン※28の発明した蒸気機関が実用化されました。[60] それまでは人間やウマなどを動力源に行っていた炭鉱の排水作業を、機械で代替したのです。

ニューコメンの発明は、前章で紹介した「科学革命」の延長線上にあります。

ガリレオ・ガリレイは、吸引ポンプで水を吸い上げても、約8・5メートル以上は吸い上げられないことに気づきました。水柱の上に「真空」が現れることを発見したのです。ガリレオの秘書であるエヴァンジェリスタ・トリチェリ※29は1644年、水の代わりに水銀を用いて、世界初の大気圧計を発明しました。それから半世紀ほど後の1690年、フランス人のドニ・パパン※30が、蒸気を用いて大気圧から動力を取り出す方法を考察した論文を発表。さらに、1698年にはイギリス・デヴォンの技師トマス・セイヴァリ※31が火力による排水ポンプの特許を出願しました。[61][62] ニューコメンの発明の背景には、こうした科学技術の発展があり

※26 エドモンド・カートライト（1743年～1823年）。イギリスの牧師、実業家、発明家。

※27 力織機

ました。

ニューコメンの蒸気機関は「低圧」のものでした。

まず（ボイラーとは別に設けられた）シリンダーに蒸気を吹き込み、そこに水をかけて冷却すると、蒸気が水に戻るのでシリンダー内は真空に近い状態になります。すると、周囲の大気圧によってピストンが押し下げられるという仕組みです。ここでシリンダーの弁を開けば、大気が吸い込まれて真空状態が解消され、ピストンは元の位置に戻ります。

とはいえ、これは燃費が劣悪でした。

ピストンが1回往復するごとに、シリンダーの加熱と冷却を繰り返す必要があったからです。これにより、熱エネルギーの大半が無駄になっていました。最初期には、1馬力1時間あたり約20・4キログラムもの燃料を要したのです[63]。売り物にならないくず炭を格安で入手できる炭鉱の近くでなければ、とても採算が取れませんでした。そして当時、そんな炭鉱の町が存在するのは世界でイギリスだけだったのです。

1769年、ジェームズ・ワット※32が改良型蒸気機関の特許を取得しました。ワットのアイディアは、シリンダーを直接冷やすのではなく、シリンダーとは別の凝縮器へと蒸気を引き込んで、そこで蒸気を水に戻すことで真空状態を得ると

※28 トマス・ニューコメン（1664年〜1729年）。イギリスの発明家、技術者。左図は彼の蒸気機関。

※29 エヴァンジェリスタ・トリチェリ（1608年〜1647年）。イタリアの物理学者。

いうものでした。彼にはこのアイディアを実現する資金がなかったため、実用化は1776年にずれ込みました。ワットにより蒸気機関の燃費は劇的に改善しました。燃料を50～75％も削減[※33]できたのです。[64][65]

ワットの改良により、蒸気機関は幅広い産業で利用しやすいものになりました。水力や風力は立地条件がかぎられ、稼働状況は天候に左右されます。ワットの蒸気機関は、歴史上、人類が初めて手に入れた筋肉以外の汎用(はんよう)動力だったのです。18世紀末の時点で蒸気機関がもっとも普及していたのはバーミンガムで、製鉄所、醸造所、製粉所、その他の様々な工場で利用されていました。[66]

ニューコメンの蒸気機関にせよ、ワットの蒸気機関にせよ、蒸気の役割はシリンダー内を真空に近づけることです。ピストンを動かす力は、大気圧でした。もしも高圧の蒸気をシリンダーに吹き込んで、その蒸気圧でピストンを動かすことができれば、よりわずかな燃料でより高い出力を得られるはずでした。機関そのものも小型化できるはずでした。ところが、これには危険が伴いました。高圧の蒸気でも爆発しない頑丈なシリンダーが必要であり、かつ、皮膚が溶けるほど高温の蒸気の流れを完璧に制御する必要があったのです。

この「高圧」の蒸気機関を実用化したのが、リチャード・トレヴィシック[※34]です。[67] 世紀の変わり目頃に高圧蒸気機関を発明した彼は、早くも1801年のクリスマ

※30 ドニ・パパン（1647年～1713年）。フランスの物理学者、発明家。

※31 トマス・セイヴァリ（1650年頃～1715年）。イギリスの発明家、技術者。

スに、それを車両に取り付けて動かしました。この「パフィング・デヴィル号」こそ、世界初の蒸気動力の乗り物でした。さらに彼は１８０４年、ウェールズに16キロメートルの線路を敷設し、ペナダレン溶鉱炉と近くの運河を鉄道で結びました。時速８キロメートルで、10トンの鉄と70人の人間を輸送することに成功したのです。１８０８年にはロンドンで、１人５シリングの料金で「蒸気馬車」に客を乗せて楽しませるところまで行きました。[68]

ここから鉄道の歴史が始まるのですが――。

その前に、近代のイギリスにおける「運河ブーム」に触れておきましょう。

鉄道が普及するまで、もっとも安価かつ高速の貨物輸送手段は船でした。

中世の時点で、徒歩の行商人が１日に25～40キロメートルしか移動できないのに対して、ライン川やポー川の船舶は１日に１００～１５０キロメートルを移動できたと見られています。海上の帆船なら、ときには１日２００キロメートルを移動することも可能でした。[69] 水上輸送は、徒歩や馬車とは比較にならないほど効率的だったのです。だからこそヴェネチア、アムステルダム、大阪、そしてもちろんロンドンなど、歴史的に商業の中心だった都市の多くで運河網が整備されたのです。

※32 ジェームズ・ワット（1736年～1819年）。スコットランドの発明家、技術者。

※33 ニューコメンの蒸気機関も改良により燃費が改善していたため、いつの時代のものと比べるかによって数字に幅がある。ニューコメンの蒸気機関が1馬力1時間あたりに消費する燃料は、1760年までに約20・4キログラムから約13・6キログラムまで減っていた。さらにワットと同時代のジョン・スミートンにより、1772年までに約8キログラムまで減った。一方、ワットの蒸気機関は完成直後の1778年の時点で、1馬力

産業革命により、イギリスでは物流が活発になりました。それはとりもなおさず、運河の需要拡大を意味していました。運河を掘って通行料を徴収するビジネスが儲かるようになったのです。

1758～1803年の間に、イギリスでは165本の運河法案が議会に提出※35されました。[70] 単純計算で、毎年3本以上の運河開削が計画されていたことになります。この運河ブームは19世紀半ばまで続きました。

鉄道は、こうした時代背景の中で産声を上げたのです。

産業革命の象徴「鉄道」の幕開け

1801～1821年の間に、イギリスでは14社の鉄道会社が特許を取得しました。[72] これら最初期の鉄道会社は、運河と同様、レールを敷設して通行料を取るビジネスモデルでした。

イギリスでは16世紀末頃から、貨物用に馬車軌道が利用されていました。[73] 貨車を木製や鉄製のレールの上でウマに牽引させると、摩擦が大幅に減るので、より少数のウマでより重たい貨物を運べるのです。しかしナポレオン戦争によりウマ

1時間あたり約4キログラムの石炭しか消費しなかった。

※34 リチャード・トレヴィシック（1771年～1833年）。イギリスの技術者であり、蒸気機関車の発明者。

※35 当時のイギリスでは自由に株式会社を設立できず、企業が株式を発行して資金調達するには議会の承認と国王の特許状が必要だった[71]。

不足および飼料高騰が深刻化した結果、蒸気機関で貨車を動かすというアイディアが真剣に検討されるようになったのです。[74][75]

この時代には多数の技師が様々な蒸気機関車を試作しました。中でもジョージ・スティーヴンソン※36は「鉄道の父」と称されます。貧しい炭鉱の町に生まれ、読み書きすらできなかった彼は、しかし1814年、33歳のときに「ブリュハー号」という蒸気機関車の走行に成功しました。[76]

1821年、ストックトン・アンド・ダーリントン鉄道が特許を取得。この会社は、自社で蒸気機関車を所有することを決意し、1825年に世界初の鉄道運営会社として開業しました。[77] このときに導入されたのが、スティーヴンソンの「ロコモーション号」です。9月27日の初走行ではスティーヴンソン自身が運転士を務め、11両以上の石炭の貨車と、乗客を満載した20両の無蓋貨車を牽引しました。[78] 蒸気機関車は、ウマよりもはるかにパワフルだったのです。

さらに、産業都市マンチェスターと港湾都市リヴァプールを結ぶ大規模な鉄道計画が持ち上がりました。この路線で使われる機関車を決めるため、ランカシャーのレインヒルでレースが開催されました。スティーヴンソンは傑作「ロケット号」で、このレースに勝利。ロケット号は時速50キロメートルで走行可能で、重たい貨物を牽引した状態でも、100キロメートルの距離を平均時速22キ

※36

ジョージ・スティーヴンソン（1781年～1848年）。イギリスの技術者であり、蒸気機関車の実用化に成功した。

ロメートルで走破する性能を持っていました[79]。

1830年9月15日に開通したリヴァプール・アンド・マンチェスター鉄道※37は、あらゆる点で画期的でした。最初から蒸気機関車の導入が前提だっただけでなく、かつてない規模の長距離のレールを敷設し、人口密集地を繋いで旅客輸送を行ったからです。なお、同区間を結んでいた運河会社は、この鉄道の開業に猛反発しました。しかし彼らの反対を押し切った結果、運河なら片道36時間かかる所要時間は5時間に短縮され、運賃は3分の1になりました[80]。

1836年には、ロンドンで初の鉄道が開通し、労働者の多い工業地区であるバーモンジーと、デプトフォード、グリニッジを結びました。さらに1837年にはロンドン・アンド・バーミンガム鉄道が開通しました[81]。

ダーウィンがロンドンで新婚生活を楽しんでいた1840年頃には、イギリス国内だけでも3000キロメートル以上の鉄道網が整備されていました[82]。先述の通り、1840年代は「鉄道狂時代※38」とも呼ばれ、イギリスやアメリカで鉄道網が燎原（りょうげん）の火のごとく広がり、それは19世紀半ばには西ヨーロッパにも波及していきました。『種の起源』の出版から3年と数ヶ月後の1863年には、世界初の地下鉄がロンドンのファリンドン—パディントン間で開通しました[84]。

こうして鉄道は、日常生活になくてはならない存在になったのです。

※37
リヴァプール・アンド・マンチェスター鉄道の開業記念列車

※38
経済史研究者はより細かく、1839年〜1846年を「鉄道ブーム」の時代と呼ぶ[83]。

出遅れた国々① インドの場合

京都大学の文化人類学者・梅棹忠夫は、1955年5～11月にアフガニスタン・パキスタン・インドの調査旅行を行いました。このときに目撃した凄まじい貧困の様子を、彼は次のように報告しています。

インドを旅行していると、まったくたまげるような職業にぶつかる。ここでは、洗濯ものをほすのに、ものほしざおにかけたりはしない。女が身にまとうサリーは、ながい一枚の布である。ふたりの男が、その両端を手にもって、日のあたるところにたつのである。そのまま、かわくまでたっている。

わたしはまた、道ばたにはいつくばって、手で地面をたたいている男をなんどもみた。それは、道路の修理工である。道具ももたずに、れんがのひとつひとつを、素手で地面にうめこんでいるのである。おそるべき人海戦術だ。

（梅棹忠夫『文明の生態史観』中公文庫、1974年、P.21）

本章を読み進めてきた読者の皆さんには、もはや明らかでしょう。当時のインドでは、物干し竿を購入するよりも、男２人を雇うほうが安上がりだったのです。木製やゴム製のハンマーを購入するよりも、（時間がかかっても）素手で叩くほうが安上がりだったのです。18世紀後半のインドは、ジェニー紡績機を購入しても利益を出せないほど人件費の安い地域でした。梅棹が訪れた20世紀半ばになっても、そういう状況を脱していなかったのです。

それどころか、18世紀よりも悪化していた可能性すらあります。

１７６３年のパリ条約[※39]でインドの利権をめぐる英仏の抗争に決着がつくと、イギリス東インド会社（ＥＩＣ）はインドへの介入・支配を強めていきました。18世紀末のマイソール戦争[※40]、世紀を跨いで戦われたマラーター戦争[※41]、さらに19世紀半ばのシク戦争[※42]などに勝利し、ＥＩＣは植民地支配を確立しました。

一方、イギリス本国では産業革命が進行中であり、力をつけた商工業者の圧力によって、１８１３年にはＥＩＣはインドとの貿易独占権を失いました。さらに１８３３年には商業活動そのものが停止され、ＥＩＣはインドの統治者へと姿を変えました。しかし、１８５７年に始まったインド大反乱[※43]を受けて、１８５８年にＥＩＣは解散。イギリス政府はインドの直接支配に乗り出します。１８７７年

※39 イギリス、プロイセン側と、フランスを始めその他列強が争った7年戦争（1756年〜1763年）を終結させた条約。

※40 EICと南インドのマイソール王国との間で行われた戦争。

※41 EICとマラーター同盟との間で行われた戦争。これに勝利したイギリスはインド中部の覇権を握った。

※42 EICとパンジャーブ（北西部のインダス川中流地域）を拠点とするシク王国との間で行われた戦争。これに勝ったイギリスはインド全域を支配。シク戦争がイギリスの最後の征服戦争となった。

にはヴィクトリア女王がインド皇帝に即位し、インド帝国が成立。インドは完全にイギリスの植民地になりました。

　EICおよびイギリスによる植民地支配の原理原則（プリンシプル）は、「できるかぎり富を収奪すること」でした。インドにおける主たる収入源は地税でした。彼らは旧来のコミュニティを解体し、人々の相互扶助を破壊し、効率よく税収を上げる体制を構築しました。要するに「創意工夫によって生産物の品質や生産量を向上させよう」というインセンティブが生じない状況を作り上げてしまったのです。

　早くも1810年代の後半には、英印の輸出入は逆転しました。先述の通り、機械織りの綿布（めんぷ）によってインドの布製品は競争力を失い、インドは綿花や藍（あい）、アヘンなどの一次産品を輸出し、イギリスから工業製品を輸入する立場になったのです。

　1930年3月12日、〝マハトマ〟ガンディー※44と78人の賛同者がグジャラート州アフマダバードから、400キロメートル近く離れた同州南部ダンディの海岸を目指して、徒歩での行進を始めました。[85]

　彼らの目的は「塩を拾うこと」でした。

　インドの海岸では古くから上質な塩が採れ、人々の生活の糧になっていました。

※43
セポイの乱とも呼ばれる。

※44
マハトマ・ガンディー（1869年～1948年）。インドの宗教家、政治主導者。本名はモーハンダース・カラムチャンド・ガンディー。第一次世界大戦後、非暴力・不服従という戦術でインドの独立を主導した。

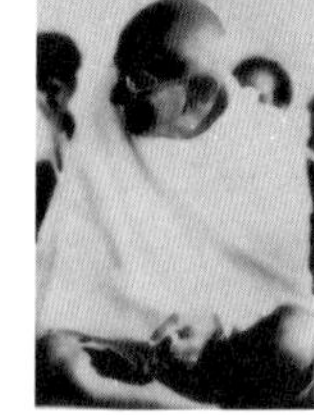

どこまでも広がる干潟に、真っ白な結晶が自然に析出していたのです。しかしEICはイギリス製の塩をインドで販売するため、19世紀初頭からインド国内での製塩を厳しく規制しました。19世紀末には、インド人が塩を拾っただけで厳罰に処される状況になっていました。[86]

4月5日、ガンディーがダンディの浜に到着したときには、行進は数千人の規模に膨れ上がっていました。参加者には、エリートの知識人も、貧困のどん底であえぐ人も、女性も、様々な社会的階層の人々が含まれていました。ガンディーは集まった人々の前でひと晩祈りを捧げたあと、ついにイギリスの法を破って、塩を拾いました。[87]

塩の規制は、イギリスによる圧政と収奪の象徴でした。だからこそ、ガンディーは独立運動の旗印に塩を選んだのです。彼は塩の製造と販売の自由——つまり、経済的な自由を掲げることで、支配を切り崩そうとしたのです。

二度の世界大戦を経て、イギリスも以前の覇権を維持できなくなりました。1947年のインド独立法の制定によって、インドは、ヒンドゥー教徒を主体とするインド連邦およびイスラム教徒を主体とするパキスタンという2つの国として独立を勝ち取りました。

出遅れた国々② オーストリアとロシアの場合

インドが産業革命で立ち遅れたのは、低賃金のために労働を機械に置き換えても利益を出せなかったからです。そこには植民地支配が影を落としています。しかし東欧やロシアでは事情が違いました。支配者たちが自らの権力を守るために、産業革命を拒絶したのです。

14世紀のペスト禍は、東欧とロシアでは、イングランドとは逆の結果をもたらしました。人口減少に伴い、生き残った地主たちがさらに小作地を広げた一方、農民たちはさらに自由を剥奪されたのです。16世紀に入り、人口回復と経済成長によって西ヨーロッパの食糧需要が増すと、東欧がその供給源となりました。西ヨーロッパ向けの穀物輸出が増えるにつれて、農民への締め付けはますます強くなり、やがて「再版農奴制」と呼ばれる体制として結実しました。

たとえばポーランドのコルチンでは、１５３３年には封建君主の要請したあらゆる労働に賃金が支払われていましたが、１６００年にはおよそ半分が無給の強制労働になっていました。ハンガリーの場合、１５１４年の時点で地主が土地を

※45 アウステルリッツの戦いは「三帝会戦」とも呼ばれる。フランス皇帝ナポレオン１世、オーストリア皇帝フランツ１世、ロシア皇帝アレクサンドル１世が参加したため。なお、フランツはこの戦いに先立つ１８０４年には、すでにオーストリア皇帝を名乗り始めていた。

全面的に支配しており、労働者には週1日の無給労働が法律で義務付けられていました。これが1550年には週2日になり、16世紀末までに週3日になりました。農村人口の9割が農奴になってしまったのです。[88]

こうした歴史的経緯により、東欧とロシアでは19世紀に入っても農奴制が残っていました。この地域の支配者たちにとっては、この時代になっても、封建秩序の維持こそが権力の源泉であり、経済政策の柱だったのです。

神聖ローマ帝国の最後の皇帝フランツ2世は、産業革命に抵抗した権力者の典型です。彼は1792年、フランスでは市民革命が進行している時代に即位しました。ナポレオン戦争に巻き込まれた彼は、1805年にアウステルリッツの戦い※45で敗

1800年のヨーロッパにおける農奴

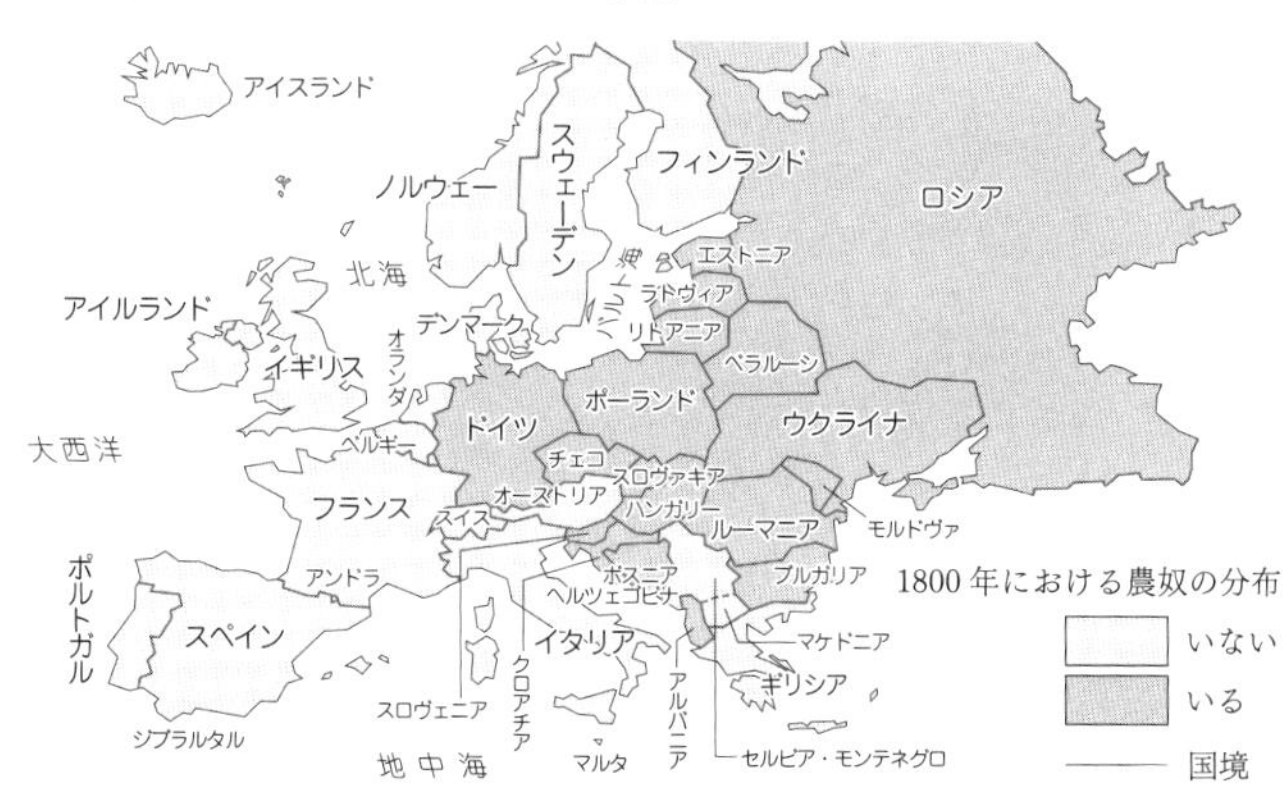

出典:ダロン・アセモグル、ジェイムズ・A・ロビンソン『国家はなぜ衰退するのか』(ハヤカワ・ノンフィクション文庫、2016年)

れ、帝位を放棄。神聖ローマ帝国は消滅しました。しかし、彼はその後もオーストリア帝国の皇帝フランツ1世※46として君臨しました※47。

北米や西ヨーロッパで広まる自由主義とナショナリズムに対抗して、フランツは保守反動的な絶対君主として振る舞いました。憲法の制定に反対し、大臣との協議の場であった国家評議会を解散し、あらゆる言論を検閲しました[89]。商工業への規制も多く、都市経済はギルドに支配されたままでした。

何より、フランツは技術革新に反発していました。1802年、彼はウィーンでの工場新設を禁止しました。この禁止令は1811年まで続きました。さらに、銀行家ザーロモン・ロートシルト※48から帝国内の鉄道敷設を提案されたときにも、頑として首を縦に振りませんでした[90]。

余談ですが、ロートシルトは英語読みでロスチャイルドです。ザーロモンは、有名なネイサン・ロスチャイルドの兄です。イギリスで「ロケット号」を見てその可能性に気づいた弟は、オーストリアの広大な土地に鉄道を敷けば大儲けできると踏んで、兄に連絡を取ったのです。しかし、皇帝が乗り気でなかったため、銀行家一族の計画は頓挫しました。

工場が増えれば、労働組合のような新たな政治勢力が台頭するかもしれません。鉄道が敷設されれば、農奴が逃亡しやすくなるかもしれません。そうなれば、貴

※46
フランツ1世（1768年～1835年）。初代オーストリア皇帝。最後の神聖ローマ皇帝フランツ2世でもある。

※47
世界史の教科書では大抵、オーストリア皇帝フランツ1世よりも、その外相であるクレメンス・フォン・メッテルニヒのほうが扱いが大きい。メッテルニヒは外交の天才であり、ナポレオン戦争の戦後処理を決めるウィーン会議の議長を務めて、その後の「ウィーン体制」の指導的立場になった。なお、ウィーン会議は「会議は踊る、されど進まず」という警句で有名である。

族などの支配的地位の人々から支持を失い、帝位を狙う競争相手が現れるかもしれません。最悪の場合には、フランス同様に市民革命が起きてしまうかもしれません。

産業革命は、都市化率の上昇や、新規産業の勃興に伴う旧来の産業の没落、ヒト・モノ・カネの移動の活発化などをもたらします。これらすべての変化が、フランツにとっては都合が悪かったのです。彼は、創造的破壊によって権力の基盤が損なわれることを恐れたのです。

帝政ロシアの歴史は、1721年にピョートル1世[※49]が皇帝を名乗ったところから始まります。彼は当時の西ヨーロッパを参考に、絶対主義的な体制を作り上げました。エカチェリーナ2世の在位中である1770年代にはプガチョフの農民反乱が起き、その鎮圧後には農奴制はさらに強化されました。農奴たちは週3日の無給労働をせねばならず、職業選択の自由も移動の自由もなく、領主から領主へと売り渡されることすらありました[91]。

1825年にニコライ1世[※50]が即位したときにも、このような過酷な農奴制が維持されていました。オーストリアのフランツ同様、ニコライ1世も産業革命を拒絶しました。

※48 ザーロモン・マイアー・フォン・ロートシルト（1774年～1855年）。オーストリアの銀行家、貴族。ロスチャイルド家の第3代、5人兄弟の次男。

※49 ピョートル1世（1672年～1725年）。初代ロシア皇帝。

※50 ニコライ1世（1796年～1855年）。ロマノフ朝第11代ロシア皇帝。

じつのところニコライ1世の即位以前に、ロシアでは国有の商業銀行を設立して産業に融資する計画がありました。しかしニコライ1世のもとで財務相を務めたイゴール・カンクリンはそれを白紙撤回し、代わりに封建地主しか融資を受けられない旧来の貸付銀行を再開しました。商業銀行から資金が移動されたことで、産業界の利用できる資金は金融市場から払底しました。[92] さらにカンクリンは、いくつかの産業博覧会を中止に追い込みました。世界各国の技術革新の成果が人々の目に触れるのを防ぐためです。

ニコライ1世とカンクリンは、鉄道の敷設にも消極的でした。イギリスでダーウィンが屋敷を買った1842年までに、ロシアで開通していた鉄道はたった1本。サンクトペテルブルクから、郊外のツァールスコエ・セロー宮殿およびパヴロフスク宮殿を結ぶ、わずか27・4キロメートルほどの路線だけでした。

1848年、ヨーロッパは「諸国民の春」と呼ばれる状況になりました。フランスの二月革命をきっかけに、各国に革命が飛び火したのです。『共産党宣言』が出版されたのもこの年です。マルクスとエンゲルスは「万国のプロレタリア[※51]よ、団結せよ！」と叫びました。

この国際情勢を受けて、ロシアでは1849年に新しい法律が制定され、モスクワの工場に厳しい規制が課されました。製鉄所と紡績工場の新設は全面禁止さ

※51　賃金労働者階級のこと。無産階級とも。

れ、染色や製織などのその他の工場も、軍政長官に陳情しなければ開業できなくなりました。さらにその後、綿の紡績工場は稼働を停止させられました[93]。

おそらくニコライ1世たちには、増え続ける工場の存在そのものが革命運動の原因に思えたのでしょう。プロレタリアの団結を許すわけにはいかなかったのです。

1870年のヨーロッパの鉄道網を見ると、こうした経済政策の帰結が一目瞭然です。いち早く産業革命を成し遂げたイギリスや、18世紀初頭の時点で世界2位の炭鉱業を持っていたベルギーでは、すでに鉄道網が国土を覆い尽くしていました。オランダ・ドイツ・フランスなどは産業革命では2番手としてイギリスの後を追いましたが、その状況が鉄道網にも表れています。比べ

1870 年のヨーロッパの鉄道網

出典:ダロン・アセモグル、ジェイムズ・A・ロビンソン『国家はなぜ衰退するのか』
(ハヤカワ・ノンフィクション文庫、2016年)

ると、ロシアおよびオーストリア・ハンガリー帝国の遅れは明白です。

彼らは出足のつまずきを取り戻せなかった……と言えるかもしれません。なぜならこの地図の20年ほど前には、すでに西ヨーロッパからの遅れは認識されていたからです。

1848年の「諸国民の春」で、オーストリアの農奴制は廃止されました。メッテルニヒは失脚し、ウィーン体制※52は終わりを迎えました。

ロシアの後進性が白日のもとに晒(さら)されたのは、1853年に勃発したクリミア戦争です。オスマン帝国領内のギリシャ正教徒保護を口実に、ロシア軍がオスマン帝国に侵入したことで開戦に至りました。ロシアの南下政策を止めたいイギリス、フランス、さらにフランスの歓心を買いたいサルディーニャ王国が、オスマン帝国を援助する側として参戦したことで、大規模な国際紛争に発展したのです。当時はまだスエズ運河は開通していませんでしたが、それでも地中海はインドなどのアジアに繋がる通商路として重要でした。ロシアによる地中海封鎖を英仏両国は懸念したのです。

世界各地で戦闘が行われましたが、焦点となったのは黒海のクリミア半島・セヴァストポリの要塞をめぐる攻防戦でした。イギリスやフランスからは遠く離れ

※52 自由とナショナリズムを抑えるため、フランス革命・ナポレオン以前のヨーロッパの国際秩序（絶対王政）を復活させた反動的国際体制。

※53 クリミア戦争はヨーロッパの社会・文化にも多大な影響を与えた。たとえば喫煙習慣の普及である。戦地でのストレスに耐えるため、英仏露の兵士たちは配給されたタバコを塹壕(ざんごう)の中で吸っていた。そしてすっかり愛煙家になって、喫煙習慣を故郷に持ち帰った［94］。

た戦場であり、兵士や武器・食糧の補給は簡単ではありませんでした。一方、ロシアから見れば膝元の戦場です。にもかかわらず、ロシアはこの戦争で敗北を喫したのです。[※53]

ロシアは装備・戦術・補給のあらゆる面での遅れを認識しました。とくに、兵士を前線まで素早く輸送する鉄道が、安全保障上も重要であることに気づきました。アレクサンドル2世[※54]は改革に着手せざるをえず、1861年には農奴解放令を発しました。

それでも、遅れを取り戻すのは簡単ではありませんでした。

1883年になっても、オーストリア・ハンガリー帝国では鉄の半分以上を木炭で製銑(せいせん)[※55]していました。当時、世界の鉄の90%以上が、ずっと効率のいい石炭で製銑されていたにもかかわらず、です。また、20世紀に入っても織物業は完全には機械化されていませんでした。[95]

19世紀後半の帝政ロシアでは工業化が試みられましたが、賃金は生存費ぎりぎりのままでした。生み出された利潤はすべて、資本家と地主階級に流れたのです。この不均衡な経済成長が、共産主義革命とロシア内戦を引き起こしました。ロシアで本格的な工業化が始まるのは、ソビエト連邦が成立してからでした。

※54
アレクサンドル2世（1818年～1881年）。ロマノフ朝第12代ロシア皇帝。

※55
鉄鉱石から抽出したばかりの鉄は炭素含有量が多く、ハンマーで叩けば割れるほど脆(もろ)い。これを銑鉄(せんてつ)と呼ぶ。製銑とは、鉄鉱石から銑鉄を抽出する工程のこと。銑鉄から炭素を減らして、強くしなやかにしたものが鋼鉄である。

追いついた国々 日本の場合

日本の封建制は明治維新によって終わり、近代化と継続的な経済成長が始まりました。当時の日本は、欧米列強と結ばされた不平等条約により国内産業を守ることはできず、なおかつ低賃金のために「労働を機械で置き換える」という経済的インセンティブもありませんでした。

明治の日本の工業化を推進したのは、富国強兵策という政治的インセンティブです。このままでは欧米列強に負けて自分たちの利権すら危うくなると気づいた日本の支配的階層の人々は、かつてのオーストリアやロシアのように技術革新を拒絶するのではなく、御雇(おやとい)外国人を登用して、先進的な科学技術を貪欲に導入したのです。

とはいえ、当時の欧米の技術は高賃金な経済環境で生まれたものであり、そのままでは日本で利益を出せませんでした。そこで当時の人々は、低賃金な日本でも利益が出るように改良することで問題を解決しました。たとえば築地製糸場[※56]で使われた「諏訪式座繰機(すわしきざぐりき)」はヨーロッパ式の機械でしたが、金属部品は木製部品

※56 小野組築地製糸場の図

で代替され、動力源は蒸気機関ではなく人力でした。また、当時のイギリスやインドで一般的だった１日11時間勤務ではなく、11時間２交代制が日本では採用されました。[96] こうすることで、工場の稼働１日あたりの機械の購入価格を、実質半額にできたからです。

18世紀後半から19世紀半ばまで、石炭と蒸気を動力源に、繊維産業のような軽工業が世界の経済を牽引しました。この時代を「第一次産業革命」とも呼びます。これに対して、19世紀後半から20世紀初頭にかけて石油と電気が主役になり、非鉄金属の重工業も盛んになりました。『シャーロック・ホームズ』シリーズの舞台となったこの時代を「第二次産業革命」とも呼びます。

日本もこの変化に取り残されず、１９０４年の日露戦争までには、戦艦を建造して列強と干戈（かんか）を交（まじ）えるまでに経済発展していました。１８７０年に７３７ドルだった１人あたりＧＤＰは、太平洋戦争前夜の１９４０年には２８７４ドルに増加しました。とはいえ、欧米先進国に比べれば依然として後塵を拝しており、この期間の経済成長率が１９５０年以降も続いたとしたら、アメリカに追いつくのに３２７年かかった計算です。[97] 日本が経済規模で先進国の仲間入りができたのは、戦後の高度成長があったからです。

戦後日本の高度成長は、「ビッグプッシュ型」の工業化と呼ばれます[98]。

これは明治時代とは逆の発想で成し遂げられました。低賃金に合わせて機械を改良するのではなく、高賃金でしか利益を出せない高効率な最新技術を、あえて導入したのです。

これには政府主導の計画経済が欠かせません。たとえば最新鋭の製鉄所を作り、鋼鉄を大量生産したとして、誰がそれを買うのでしょうか？　自動車産業や造船業、建設業など、供給を受け止めるだけの鋼鉄需要を計画的に作り出さなければなりません。要するに、製鉄所が鉄の生産を始める前から、自動車会社は工場の生産ラインを建設し始める必要があるわけです。このような計画を策定し、実現したのは、当時の通商産業省でした※57。

映画『バック・トゥ・ザ・フューチャーＰＡＲＴ３』には、こんなシーンが登場します。

１９５５年の登場人物が、故障したタイムマシンの部品を見て「やっぱりな、『メイド・イン・ジャパン』と書いてある」と言います。それに対して、１９８５年から来た主人公は「何を言っているんだ、日本製は最高だぜ？」と答えます。

１９５０年代には粗悪品しか作れなかった日本の工業は、「ビッグプッシュ型」の経済成長により、その30年後には世界でも最高品質の製品を生産できるように

※57　１９５０年代に通商産業省は「国民車構想」を策定。自動車各社は大衆車の開発に取り組んだ。中でも〝てんとう虫〟スバル・３６０は一世を風靡した。

なっていた――。このシーンは、それを象徴しています。

こうして1990年代には、日本は先進国に完全にキャッチアップしました。バブル崩壊後の日本が低成長の時代に入った一番の要因は、世界の最先端まで追いついてしまったからです。海外の既存の科学技術のパッケージを丸ごと国内に導入できた昭和までとは違い、平成以降は世界の技術革新の水準と同じペースでしか成長できなくなったのです。

とはいえ、これはゼロ成長やマイナス成長を肯定するものではありません。歴史上、産業革命後の先進国は、技術革新に合わせておおむね年率1・0〜2・0％ほどの経済成長を経験してきました。令和以降の日本も、この水準を理想的な成長率だと考えるべきでしょう。

ついに人類はマルサスの罠を打ち破った

私たちがマルサスの罠を脱出する上で、20世紀半ば――とくに1960年代――はターニング・ポイントでした。世界の農業生産性が急上昇し、食糧事情が大幅に改善したのです。これを「緑の革命」と呼びます。

じつのところ20世紀前半には、人類は数十年以内に大飢饉に見舞われると考えられていました。世界人口の増加によって深刻な食糧難が生じ、20世紀末までに(大袈裟に言えば)文明社会は崩壊すると予想されていたのです。それを裏付けるかのように、1943年にはベンガル大飢饉が起きました。1960年代の半ばには、インドは常に飢饉と隣り合わせでした。

しかし人類は技術革新により、その運命を変えました。中でも重要なものが2つあります。

1つは、穀物の品種改良です。

農業学者セシル・サーモンは、ダグラス・マッカーサー[※58]の指揮する進駐軍の一員として日本を訪れました。彼が日本で集めた小麦の中に「農林10号」がありました。これは通常は120センチメートルまで伸びる茎が、60センチメートルしか伸びない「短稈(たんかん)品種」です。[99] 麦や稲は、茎が長くなるほど強風などによる倒伏(とうふく)の被害を受けやすくなります。茎の短さは、収穫量増加に直結するのです。

農林10号はその後、様々な小麦と掛け合わされ、品種改良が進みました。新しい品種の導入には地元民の抵抗もあり一筋縄ではいかなかったものの、1974年までにインドの小麦収穫量は3倍に増え、小麦の純輸出国になりました。[100] さらに稲でも短稈品種が開発されました。こうした穀物の品種改良により、世界の

※58 ダグラス・マッカーサー(1880年〜1964年)。アメリカの陸軍軍人。第二次世界大戦後、連合国軍最高司令官として各種の占領政策を行い、民主化を進めた。

――とくにアジアの食糧難は回避されたのです。

もう1つの技術革新は、ハーバー・ボッシュ法です。

これは大気中の窒素から、肥料となる窒素化合物を生み出す技術です。マメ科植物と共生する根粒菌がやっていることを、化学的・工業的に行う技術だと言えるでしょう。俗に「空気からパンを生み出す技術」とも呼ばれます。現在、私たち人類の体内に存在する窒素原子のおよそ半分は、このような工業的な製法を行うアンモニア工場を経由しています。[101] 歴史は意外と古く、1913年にドイツの化学者フリッツ・ハーバー[※59]とカール・ボッシュ[※60]により実用化されました。

短稈品種を始め、どれほど素晴らしい新品種を開発しても、栄養が不十分なら収穫量は増えません。20世紀後半の食糧増産にハーバー・ボッシュ法は不可欠でした。[※61]

現代は、歴史上もっともカロリーが安くなった時代とも言えます。

たとえば日本のまるか食品の『ペヤング焼きそばGIGAMAX[※62]』は、1食で2142キロカロリー。成人男性が1日に必要とするカロリーとほぼ同等です。にもかかわらず、この原稿を執筆している時点で、希望小売価格は408円（税別）。東京都の最低賃金は1113円なので、30分間にも満たない労働で1日分のカロリーを入手できるわけです。カロリーベースで見たときの食糧価格がこれ

※59 フリッツ・ハーバー（1868年〜1934年）。ドイツの物理化学者、電気化学者。

※60 カール・ボッシュ（1874年〜1940年）。ドイツの科学者、工学者。

※61 ここで紹介した2つ以外にも、トラクターを始めとする機械動力の導入や化学の発展に伴う効率的な農薬の登場など、農業の生産性を高めた技術革新は多岐にわたる。

※62 正式な商品名は「ペヤングソースやきそば超超超大盛GIGAMAX」。

ほど安くなったからこそ、現代の先進国では貧困と飢餓が結びつかなくなったのです。

歴史から学ぶ「豊かさとは何か？」

物質的な豊かさとは、「あらゆるものがタダ同然になっていくこと」と定義できると私は考えています。単位労働時間あたりに入手できる財が、質・量ともに増えると言ってもいいでしょう。[※63]

たとえばイギリスには古くから、貧富を問わず遺言状を作る習慣がありました。数百年前の遺言状が現存しているのです。中にはこんな内容のものもあります。

ウィリアム・スターティン、トールスハント・メジャー在住、農夫、1598年11月14日。

息子のフランシスに10シリング。義理の息子のトーマス・ストナードに、彼に対する借金を考慮して牛1頭。トーマスの息子のウィリアムとヘンリー、同じく彼の娘のメアリーに白目の大皿を1枚ずつ。残りの物を妻の

※63
これは物価低下を意味する「デフレーション」とは別の概念である。私たちが商品を買うときに支払うお金は、その商品を売っている側から見れば収入である。デフレに陥ると商品の価格だけでなく私たちの収入も減るので、経済全体の規模は縮小し、私たちはむしろ貧しくなる。

エリザベスに遺贈する。検認、1599年2月3日。
(グレゴリー・クラーク『10万年の世界経済史』日経BP、2009年、上巻 P.147)

注目すべきは「白目の大皿」を、遺贈すべき財産として書き残していることです。ウシ1頭に比べれば安かったようですが、それと並べて書く程度には価値があったのです。白い皿など、現代の日本ならコイン1枚でも買えます。それどころかヤマザキの「春のパンまつり」のように、別の製品のおまけとして無料配付されることすらあります。よっぽど高級なブランドの製品でもないかぎり、白目の大皿を遺産目録に載せる人はいないでしょう。16世紀と21世紀で、皿の価値は大きく変わったのです。

同じことは、私たちの身の回りのあらゆる商品に当てはまります。

発明されたばかりの自動車は、現代で言えばプライベートジェット機のような贅沢品でした。しかし21世紀の現在では一般庶民でも購入できます。それも19世紀とは比べものにならないほど安全かつ高速・低燃費の自動車を、です。高校生がアルバイト代を貯めて買うことも夢ではないでしょう。

夏目漱石[※64]がイギリスに留学した明治時代には、海外留学はひと握りのエリートだけに許された特権でした。先述の梅棹忠夫がインドを旅した1950年代にも

※64 夏目漱石(1867年〜1916年)。日本の小説家。

状況はさほど変わっておらず、海外旅行を楽しめるのは富裕層だけでした。ところが（「はじめに」でも触れた通り）１９７０年代に〝ジャンボジェット〟ボーイング７４７が就航したことで状況が一変します。７４７はあまりの巨体ゆえに座席が埋まらなかったため、格安の座席――エコノミークラス――が販売されるようになったのです。

現在では、一般庶民でも海外留学は珍しいものではなくなりました。大学生でも、卒業旅行の行き先にしばしば海外を選びます。もはや熱海や宮崎が新婚旅行の定番だった時代ではありません。

１８５８年、大西洋横断電信ケーブルが敷設されました。[※65] しかし通信速度は劣悪で、かつコストは高額でした。8月16日にロンドンのヴィクトリア女王がワシントンのブキャナン大統領に99語のメッセージを送ったとき、送信には16時間かかりました。１キロバイト足らずの文章の送信に、それだけの時間を要したのです。当時、大西洋の反対側に電報を送るには１００ドルほどかかり、これは一般的な労働者の賃金数ヶ月分に相当しました。[102]

現代の日本では、下り10Ｇｂｐｓの光回線でも月額５０００円ほどで使い放題です。スターリンクのサービス開始により、名実ともに世界中どこでもギガバイト単位の情報をやり取りできるようになりました。今でも通信は「タダ」ではあ

※65 第７章３４７ページ参照。

りません。しかし19世紀に比べれば「タダ同然」になったと言えます。

卑近な技術革新の例では、私はキッコーマンの「密封ボトル」に感嘆します。

これは特殊な構造のペットボトルで、醬油が空気に触れる表面積を最小限にすることで味の劣化を防ぎます。キッコーマンは開封後120日間にわたり鮮度を保てると謳(うた)っています。同じ味を楽しむには、以前なら醬油メーカーの工場に出向いて、搾りたてを入手する必要がありました。密封ボトルはその旅費と労力を「タダ同然」にしたのです。

なぜ私がこれに驚くかと言えば、醬油のボトルなど数百年前から基本的な構造が変わっておらず、イノベーションの余地などないと思い込んでいたからです。

現代の私たちは、〝太陽王〟ルイ14世[※66]よりも物質的に豊かな生活を送っています。技術革新により、あらゆるものが(17世紀に比べれば)タダ同然で入手できるようになったからです。

本書では、歴史を変えた技術革新ばかりを扱ってきました。しかし、そういう大きな発明だけが、現代の豊かさをもたらしたのではありません。実際には、キッコーマンの密封ボトルのような小さな発明が、気が遠くなるほど積み重ねられた結果、今の世界が実現したのです。

※66 ルイ14世(1638年~1715年)。ブルボン朝第3代フランス国王。メヌエットを宮廷舞踊に取り入れた際、太陽神アポロンに変装して踊ったことから「太陽王」と呼ばれるようになった。

科学的な技術革新だけではありません。

政治制度の技術革新も、この豊かさにはかかわっています。

つい先日、私は健康保険証を家に忘れて内科を受診しました。目玉の飛び出るような金額を請求されて、健康保険のありがたみを実感しました。大雑把に言えば、健康保険は加入者の数が増えるほど、保険料を安く、保険金（給付金）を高くできます。したがって健康保険のサービス向上だけを考えるのなら、国民全員で加入することがもっとも効率的です。

国民皆保険制度の基礎を作ったのは、19世紀のドイツ・プロイセン王国の〝鉄血宰相〟オットー・フォン・ビスマルク[※67]です。保守派だった彼は、健康な兵士を輩出するため、そして社会主義運動を牽制するために、社会保険制度を創設しました。現代日本の私たちが数千円で医者にかかれるのは、その後の社会福祉制度の発展のおかげ――政治制度の技術革新のおかげなのです。

現代の日本の私たちは、病気や事故で働けなくなっても「健康で文化的な最低限度の生活」を保障されています。これは、日本の豊かさの象徴です。本書では、農業が充分に効率化されなければ余剰食糧を生み出せず、都市人口を養えないという話を書きました。同様に、経済全体が豊かで余剰を生み出せなければ、働けない人々を養うこともできないのです。

※67 オットー・フォン・ビスマルク（1815年〜1898年）。ドイツ統一の中心人物であり、ドイツ帝国の初代宰相。

立ち止まるわけにはいかない

こうした豊かさは、人類の歴史の成果です。

数百万年前のアフリカで私たちの祖先が石器を握ったときから、この旅は始まりました。

数十万年前には、火の利用方法を学び、着火技術を身に着けました。

数万年前には、槍の先に石刃（せきじん）を取り付け、弓矢を発明し、家屋を建設するようになりました。動物の骨から縫い針を作ることを思いつき、毛皮でコートやブーツを作り、さらには繊維を編んで布製の衣服を発明しました。植物を品種改良し、動物を飼い慣らし、およそ8000年前から農耕を始めました。生み出された技術・知識を、文字を通じて伝達するようになりました。やがてそれは印刷技術と結びつき、科学と人権思想を産み落としました。

産業革命を経て、人類は、かつては想像もできなかった世界を作り上げました。それは飢えよりも肥満が社会問題となる世界です。数え切れないほどの人間が、鳥よりも高速で空を飛び回る世界です。生まれた赤ん坊1000人のうち2人ほどしか死なない世界です。致命的な疫病を、ワクチンで予防できる世界です。すべての子供が教育を受け、地球は太陽の周りを回っていると知っている世界です。すべての大人が読み書きを覚え、四則計算に困らない世界です。地球の裏側と、言葉の壁すら超えてリアルタイムで会議ができる世界です。

わずか150年前でも「ユートピア」として夢想されるだけだった世界を、人類は実現したのです。この豊かさは、自然現象がもたらした偶然でも、神がもたらした天の恵みでもありません。人類が、自分自身の手で作り出したものです。少しでも暮らしをマシにしたいと考えた人々の創意工夫の結晶です。絶え間ない発明の上に、私たちが生きる現代の世界は成立しているのです。

技術革新を否定することは、ここに至るまでの先人たちの努力を否定することにほかなりません。

また、現在の科学技術の水準で立ち止まることは、文明社会の滅亡を意味しています。なぜなら現在の豊かさは、まったく持続可能ではないからです。これは、ここまでの歴史の負の側面でしょう。

もしも熱エネルギーを薪だけに頼った場合に、日本列島に何人が暮らせるのか、フェルミ推定で概算してみましょう。見過ごされがちですが、薪は再生可能エネルギーです。木材を伐採しても、切り株から生えてきた芽を10年ほどかけて育てれば、再び伐採可能になるからです。管理された森林1ヘクタールからは、平均すると1年あたり5〜10トンの薪を得られます[103]。

現代の日本にも、冬の暖房を薪ストーブまたは暖炉だけに頼っている人々がいます。彼らのブログやYouTubeの動画を見ると、（地域や暖房器具の性能にもよりますが）ひと冬でおおむね3〜5トンの薪を消費するようです。つまり森林1ヘクタールあたり1〜2世帯しか養えないことが推測できます。人数で言えば2〜4人程度でしょう。

林野庁のホームページによると、2022年時点の日本の人工林の面積は約1009万ヘクタールです[104]。日本の人工林の面積は、1960年代からおよそ1000万ヘクタールでほぼ一定です[105]。したがって、日本国民すべてが薪エネルギーに頼った場合、人口2000万〜4000万人が限度という計算になります。

江戸時代の日本人口は、1720年には約3000万人。大政奉還から間もない1870年には、約3500万人でした[106]。森林の面積と薪エネルギーから推定した日本列島が収容可能な人口の上限は、そこそこイイ線を突いていそうです。

2008年のピーク時に、日本の人口は1億2808万人でした。収容可能な人口の3〜4倍の人々が暮らしていたことになります。なぜそんなことが可能だったかと言えば、化石燃料に頼ったからです。言い換えれば、現代の森林を燃やす代わりに、数億年前の森林を燃やすことで、私たちは戦後の豊かな日本を作ったのです。

石油や石炭はいつか枯渇します。それらの燃焼時に生じる温室効果ガスは、気候変動をもたらしています。現在とまったく同じ生活を続けることは不可能です。私たちは技術革新により、より消費電力の少ない機械設備や家電製品、計算機を作らなければなりません。より燃費のいい移動手段を見つけなければなりません。10万年間埋めておくという非現実的な方法ではない、クリーンな核廃棄物の処理方法を見つけなければなりません。水力、太陽光、風力、地熱、波力、潮力などの自然エネルギーを、より効率よく利用する方法を発見しなければなりません。[※68]

これらの問題の解決策を発明できなければ――技術革新がなければ――人類文明は大きな後退を余儀なくされるでしょう。飢餓と貧困、高い死亡率がよみがえるでしょう。ヒトやモノの移動が困難になり、さらに情報・通信のコストが高まり、人々の分断は深まるでしょう。やがて公的教育や社会福祉も消え去り、封建的な秩序と人権蹂躙が復活してしまうかもしれません。

私たちは、立ち止まるわけにはいかないのです。

※68 たとえばソーラーパネルは本来、都市の屋上で電気を地産地消することで、送電線の抵抗による電力のロスを減らし、環境破壊を最小限にできる点が魅力であるはずだ。都市から遠く離れた山を削ってメガソーラーを建設する今の状況は、インセンティブ設計に失敗しているとしか思えない。

第6章

コンピューターの発明

——思考を代替するデバイス

産業革命と地続きの「現代」

前章までで、歴史紹介を終えてもいいと考えていました。

18世紀後半から始まった産業革命により、人類文明は「発明が発明を呼ぶ」という状態になりました。この発明の連鎖は、現在でも終わっていません。数万〜数百万年というスケールで見れば、トレヴィシックやスティーヴンソンが蒸気機関車を走らせていた時代と、現代とは、同じ時代区分に含めることができると私は考えています。

ダーウィンの著作を読むと、その思考が現代的であることに驚かされます。あるいは、世紀の変わり目頃に書かれた『シャーロック・ホームズ』シリーズの登場人物たちの価値観は、現代とさほど変わりません。事件の真相を神の怒りや悪魔の呪いだとは考えず、科学的な証拠を集めて合理的に犯人を突き止める。[※1]女性や子供の虐待も許さない。コナン・ドイル[※2]は、そういうキャラクターとしてホームズを描きました。旧約聖書や古事記のような神話が書かれた時代は、19世紀にははるか遠い過去になっていたのです。

※1
『這う男』はシリーズでほぼ唯一の例外。これすら、当時の科学知識に基づくサイエンス・フィクションだったと主張するファンもいる。

※2
アーサー・コナン・ドイル（1859年〜1930年）。イギリスの小説家。『シャーロック・ホームズ』シリーズで人気を博す。

とはいえ、ダーウィンもドイルも、タクシーやUberではなく辻馬車を利用していました。WeChatやＬＩＮＥではなく、電報で連絡を取っていました。不特定多数の相手との情報交換には、FacebookやInstagramではなく新聞の広告欄を使っていました。

過去１〜2世紀で、私たちの生活が様変わりしたことに異論の余地はありません。産業革命後には、人類の歴史を変えるレベルの発見・発明が目白押しでした。抗生物質、内燃機関、航空機、原子力――。

しかし、本書で取り上げるべきは情報通信技術でしょう。言うまでもなく、生成ＡＩの技術は情報技術――計算機科学――の産物です。また、学習に大量のデータセットが必要だという点で、インターネットの存在もその誕生には大きな影響を与えました。

たとえば現在、Googleでは推定で1日あたり56億回の検索が行われています。[1]ダーウィンやドイルの時代には、これほどの質問に答えられる存在はありませんでした。

たとえば現在、コンビニに行けば新鮮なサラダが並んでいます。カット野菜は足が速いにもかかわらず、店舗周辺の需要を充分に満たし、かつ、廃棄による損失を最小限にできる個数だけ販売されているのです。ＰＯＳシステム[※3]がなければ、

※3――商品の売上や在庫を把握・管理するためのシステム。商品が販売されたその場で、リアルタイムで数量・金額を管理できる。

こんなことは不可能です。

たとえば現在、新幹線の切符売り場に行けば、自動券売機のタッチパネルで指定席券を購入できます。それも、わずか5分後に出発する車両の座席を、です。決済には当然、ICチップの埋め込まれたクレジットカードが使えます。

たとえば現在、1週間の天気予報をほぼ無料で利用できます。選挙の開票速報は、ごくわずかな開票率で当選確実が出ます。外国の友人と『Apex Legends（エーペックスレジェンズ）』で遊びながら、深夜に何時間も通話することが日常の光景になりました。

これらのことを可能にしたのは、情報通信技術の革新です。

前章で登場した蒸気機関は、ヒトの筋肉を代替する機械でした。本章では、ヒトの脳を代替する機械——計算機——の歴史を見ていきましょう。

早すぎた天才チャールズ・バベッジ

計算を機械にやらせる試みは、かなり古い時代からあったようです。紀元前1世紀頃のギリシャでは、アンティキティラ島の機械※4が制作されました。[2] これは歯車の回転によって、天体の運動をシミュレーションする装置だったと考えられて

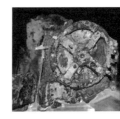

※4 アンティキティラ島の機械

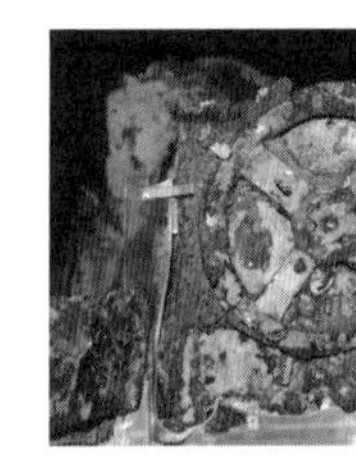

※5 ヴィルヘルム・シッカート（1592年～1635年）。世界で初めて自動計算機を作った。

います。

近世〜近代の機械式計算機のうち、最初期に発明されたものとしてヴィルヘルム・シッカート※5の計算機が挙げられます。シッカートは、ドイツ・テュービンゲンのヘブライ語教授でした。この計算機は、彼がヨハネス・ケプラーに宛てた手紙の中に登場します。手紙によれば、彼は1623年にそれを完成させたそうです。残念ながら完成から間もなく焼失し、現存しません。[3]

1652年には、ブレーズ・パスカル※6が加算器を発明しました。[4] 第1章にも登場した「人間は考える葦である」という格言で有名な数学者・哲学者です。幾何学や流体力学で業績を残した彼は、計算の自動化にも興味を持っていたようです。

さらにビッグネームが続きます。1673年、ゴットフリート・ライプニッツ※7が計算機を発明したのです。[5] ライプニッツは「機械を使えば他のだれにでも安心してまかせられるような計算作業のために、奴隷のように時間を空費するのはむだだ」と考えていました。[6]

これら初期の計算機は、いずれも（当然ながら）電気を用いず、歯車などの機械の動きによって計算を行う**機械式計算機**でした。その金字塔とも言える装置が、チャールズ・バベッジ※8の2つの機械——**階差機関**と**解析機関**です。

※6 ブレーズ・パスカル（1623年〜1662年）。フランスの自然哲学者、物理学者など。左図はパスカルの加算機。

バベッジは1791年、ロンドンの裕福な銀行家の息子として生まれました。若くして数学的な才能を認められ、25歳でイギリス王立協会[※9]の会員に選ばれました。彼は1822年、自身の階差機関の開発資金を援助するよう、英国政府に書簡を送りました[7]。

階差機関の解説に入る前に、「数表」について紹介しておきましょう。

たとえば大砲の弾を命中させるためには、かなり複雑な計算が必要です。弾は放物線を描いて飛びます。弾の初速はもちろん、重量や空気抵抗、風向き、コリオリ力など、様々な要素が弾道に影響します。それらを計算しなければ、正確な着弾点は分かりません。電卓すらない時代、兵士たちがこうした計算を戦場で行うのは非現実的でした。そのため、あらかじめ計算結果を「数表」にまとめておき、冊子として持ち歩いていたのです。

弾道計算だけではありません。18世紀後半には業種に合わせた様々な数表が登場していました。対数表と三角法の表はその代表です。さらに水夫のための航海表、天文学者のための星表、アクチュアリーのための生命保険表、建築家のための土木表——。枚挙にいとまがありません。1766年からは、イギリス政府は『航海年鑑』の出版を開始しました。

これらの数表はフリーランスの計算係——多くは退職した事務員や牧師——の

※7
第4章167ページ参照。左図はライプニッツの計算機。

※8
チャールズ・バベッジ(1791年～1871年)。イギリスの数学者。世界で初めてプログラム可能な計算機を発案・設計した。

手によって計算されていました。[8] このような計算作業を請け負う職業の人々のことを「計算手／computer」と呼びます。※10 現在の「コンピューター」の直接の語源です。

問題は、計算結果が不正確だったことです。

ある日、チャールズ・バベッジは同年輩の天文学者ジョン・ハーシェル※11とともに、天文学の表の点検を行っていました。数表の検算は、地味で退屈な作業です。たまりかねて、バベッジは「こうした計算が蒸気機関で行えたらどんなにいいだろう」と漏らしました。すると、ハーシェルは答えました。「それは大いに可能性がある」。この一件が、**階差機関**の着想に繋がったというのです。[9]

バベッジが階差機関を着想した由来には諸説ありますが、数表の正確性を高めて、制作作業を効率化したいという動機から始まったことは間違いないようです。それはまた、計算手の人件費を節約できるという点で、イギリス政府とも利害が一致していました。バベッジは資金援助を得て、計算機の開発に乗り出しました。

※9 イギリスの一流の科学機関。第4章169ページを参照。

※10 現在ではレトロニム化して「human computer」と呼ぶこともある。

※11 ジョン・フレデリック・ウィリアム・ハーシェル（1792年〜1871年）。イギリスの天文学者、数学者。

階差機関にできること

バベッジの階差機関が何をする装置なのか、もう少し詳しく見ていきましょう。[10] ここでは例として、次の表を使います。

この表は、N^2+N+41 の各 N に対する**階差表**です。$N=0$ のとき、計算結果は 41 です。$N=1$ のとき、計算結果は 43 です。そして、43 から 41 を引いた結果（=2）が、D_1 の列に記入されています。

さらに表を下に見ていきましょう。$N=2$ のとき、計算結果は 47 です。D_1 の列には、47 − 43 = 4 が記入されます。そして、$N=2$ のときの $D_1=4$ から、$N=1$ のときの $D_1=2$ を引いたものが、D_2 の列に記入されています。

左の表を見ると、N の値をどれだけ大きくしても、D_2 の数値は「2」で一定であることが分かります。

では、$N=6$ のときの（イ）（ロ）（ハ）は、それぞれいくつになるでしょうか？

（ハ）の値は、当然ながら「2」です。

（ロ）の値は、$N=5$ のときの D_1 の値 = 10 に、（ハ）の値 = 2 を足したものです。

つまり「12」になります。

(イ)の値は、$N=5$のときの計算結果＝71に、(ロ)の値＝12を足したものです。したがって、$71+12=83$になります。

つまりこの表を使えば、N^2+N+41の計算結果を、足し算のみで求めることができるのです。

このような「$a+bx+cx^2+\cdots+dx^m$」の形で表せる式を、多項式と呼びます(mは正の整数とします)。下記の表で扱ったのは$m=2$の多項式です。バベッジの階差機関は、$m=6$までの多項式を計算できるように設計されていました。

重要なのはここからです。

バベッジと同時代の数学者カール・T・W・ワイエルシュトラス[※12]は、「ワイエルシュ

N^2+N+41の各Nに対する階差表

N	N^2+N+41	D_1	D_2
0	41		
1	43	2	
2	47	4	2
3	53	6	2
4	61	8	2
5	71	10	2
6	(イ)	(ロ)	(ハ)

出典:ハーマン・H.ゴールドスタイン『計算機の歴史』(共立出版、2016年)

トラスの近似定理」を証明しました。これは、閉区間で滑らかな（連続な）任意の関数は、多項式によって誤差がどれだけでも小さくなるように近似することができるという定理です。要するに、数学や物理学で扱う大抵の関数を、多項式によって（必要な精度で）近似的に表すことができるのです。

多項式の計算結果は、先述のような階差表を用いれば、足し算だけで算出できます。つまり階差機関とは、**様々な関数の近似値を自動的に計算できる機械**だったのです。

階差機関は、たった1つのプログラムしか実行できないので、現代的な意味での「汎用計算機」とは呼べません。階差表を用いて多項式を解くだけです。しかし、バベッジの狙いは明らかです。あらゆる数式を計算できる機械を作りたいと、彼は望んでいたのです。

バベッジの共同研究者・エイダの存在

1833年までに、バベッジは階差機関の試作機を完成させました。しかし、その頃には、すでに万能の計算機——**解析機関**——のアイディアが彼の脳内では

※12 カール・テオドル・ヴィルヘルム・ワイエルシュトラス（1815年〜1897年）。ドイツの数学者。

渦巻いていたようです。1834年、バベッジは階差機関の実用機を完成させるための資金援助を、当時の首相ウェリントン公爵に求めました。ところが首相に宛てた手紙の中で、バベッジは階差機関の完成を諦めて、代わりに解析機関の製作を許可してほしいとほのめかしたのです[11]。

狙いとは裏腹に、この手紙によってバベッジは政府からの信用を損ないました。バベッジは（当初の目的を超えて）万能の計算機を作ることに価値を見出していました。一方の政府は、作表にしか興味がなかったのです。悪い言い方をすれば、政府の目には、バベッジは自らの興味関心のためにカネを無心しているように見えたはずです。

とはいえ、バベッジがすぐに失脚したわけではありません。むしろ当時の彼は、名声のピークでした。数学を始め、工学や経済学など幅広い分野に通じた人物として知られていたのです。当時のバベッジは、しばしば自らの邸宅に客を招いて夜会を開き、応接間に飾った階差機関の試作機を披露して、万能の計算機について宣伝していました[12]。

バベッジの夜会には、当時のロンドンで最高の知識人たちが招かれました。1837年3月7日には独身時代のダーウィンも兄とともに参加しました[13]。ビーグル号の航海から帰国したばかりで、若き博物学者として一躍有名になっていた頃です。

注目すべきは、バベッジの自然科学に対する思想でしょう。彼の著した『ブリッジウォーター叢書第9巻』[※13]では、神はプログラマーとして描写されていたのです。

当時すでに化石のデータから、過去の地球では様々な生物の種が誕生・絶滅を繰り返していたことが分かっていました。神はその都度、直接手を下して新たな種を創造したのではないとバベッジは考えました。歴史上の正しいタイミングで、正しい動植物が生まれるような法則を、天地創造の時点でプログラムしたというのです。

バベッジの思想が、ダーウィンの進化論に影響を与えたとは思えません。しかしダーウィンに、自分の進化論を受け入れてくれそうな人たちがいると感じさせて、その背中を押すくらいの影響はあったでしょう。ダーウィンが進化論のアイディアをノートにまとめて研究に本腰を入れるのは、バベッジ邸の夜会から約4ヶ月後のことでした。[14]

夜会の参加者のうち、注目すべき人物がもう1人います。エイダ・バイロン[※14]です。

※13
『ブリッジウォーター叢書』とは、故ブリッジウォーター伯爵が、不信心だった人生への贖罪として資金提供した全8巻の論文集。聖職者や信心深い医者などが論文の著者となり、カンタベリー大司教が監修を行った。宗教的に保守的な内容だった。バベッジの『第9巻』は、それを皮肉ったパロディである。

※14
エイダ・バイロン（1815年～1852年）。イギリスの貴族、数学者。

彼女はダーウィンよりもひと足早く、1833年にバベッジと知り合いました。バベッジは41歳、エイダは弱冠18歳のときです。じつのところ来客のうち、バベッジの解説を理解できる者はさほど多くありませんでした。エイダは例外であり、当時の女性としては珍しく、高度な数学の素養があったのです。オーガスタス・ド・モルガン[※15]から数学の手ほどきを受けたことさえありました。彼女はのちに、バベッジの解析機関の解説者として重要な役割を果たします。

話を解析機関に戻しましょう。

たった1つのプログラムしか実行できない階差機関とは違い、解析機関は汎用計算機として設計されていました。「現代のコンピューターの持つ重要な機能をほとんどすべて具体化させた」と評されています。[15] とくに重要なのは、算術計算を行う部品と、数値保存を行う部品とを分離したことです（階差機関では、両者は一体化していました）。解析機関では、現代のコンピューターで言えばCPUにあたる部品は「ミル／mill」、メモリにあたる部品は「ストア／store」と名付けられました。

バベッジはこれらの用語を、織物産業から借りてきたようです。当時の織機では、糸はストアからミルに運ばれ、ミルで布へと織り上げられ、それがストアに戻される――という設計でした。バベッジはとくにジャカード織機から着想を得

※15 オーガスタス・ド・モルガン（1806年〜1871年）。イギリスの数学者、論理学者。

たようです。これはパンチカードに穿孔（せんこう）した穴で指定しておけば、千差万別の柄を織れる汎用装置でした。ここから、パンチカードで数値や数式を指定しておけばどんな計算でも行える機械を、バベッジは構想したのです。

残念ながら政府は解析機関に興味を抱かず、バベッジは資金援助を絶たれました。彼の不運は、時代が早すぎたことです。汎用計算機の需要はほぼ存在せず、また、彼の構想を実現できるほど工作精度の高い部品を入手することも、当時の科学技術では困難でした。バベッジは私財を投じて研究を続け、解析機関の設計・試作を続けました。しかしついに、階差機関も解析機関も完成させられませんでした。

１８４２年、バベッジは自らの研究成果を『解析機関の素描』という論文にまとめ、フランス語で出版しました。そして、その英訳をエイダ（すでにラブレース伯爵と結婚していた）に依頼したのです。エイダは本文の4倍にも及ぶ注釈を加筆し、彼の名声を不朽のものにしました。

この功績から、エイダは「史上最初のコンピューター・プログラマー」とも呼ばれます。現在ではこれは過大評価だとされていますが、それでもバベッジの共同研究者であり、最良の紹介者でした。彼女にちなんで「Ada」と名付けられたプログラミング言語が存在します。また、NVIDIA社のＧＰＵのアーキテクチャは数学史上の偉人にちなんで名付けられるのが慣例ですが、2022年に発売されたRTX 40xx番台の製品は「Ada Lovelace世代」と呼ばれています。

IBMの歴史は国勢調査から始まった

汎用計算機の実現までに、それから1世紀ほどかかりました。しかし、電気を用いた集計・作表装置は、ずっと早く実用化されました。1890年のアメリカ国勢調査で用いられた**タビュレーティング・マシン**です。[16]

アメリカで第1回国勢調査が行われたのは1790年です。当時の人口は約390万人。人口増加とともに集計作業は膨れ上がり、約1世紀後の1880年の国勢調査では手作業によるデータ処理はほぼ限界を迎えました。報告書は2万1000ページ以上に及び、1495人の事務員の手で、約7年もかかったのです。

そこで政府は、次回1890年の国勢調査を自動化・効率化できる装置を募集しました。そこで名乗りを上げたのが、ハーマン・ホレリス※16でした。

ホレリスはコロンビア大学を卒業後、国勢調査局で働きました。彼は集計装置

※16 ハーマン・ホレリス（1860年～1929年）。アメリカの発明家。

のアイディアを、手回しオルゴールから得たようです。楽譜の代わりに穴の開いた紙を通すと、穿孔された箇所でのみ音が鳴って、自動的に音楽を演奏できる装置です。同様に、パンチカードの穿孔によって数値を記録して、穴の開いた箇所でのみ電気が通るような装置を作れば、自動的にデータを集計できるとホレリスは考えました。

1889年に行われたコンペティションでは、ホレリスの他に2人の発明家が手を挙げました。前回の国勢調査データの一部である約1万通でテストを行い、見事、ホレリスのタビュレーティング・マシンが勝利を収めたのです。

1890年6月1日、ついに国勢調査が始まりました。全国から調査票が集まり、7月1日にデータ処理を開始。わずか6週間後の8月16日には、約6262万人という総人口を発表できました。ホレリスの機械1台で、以前の集計係20人分の仕事ができたとされています。最終的に2万6408ページに達した調査報告書の作成に、2年半しか要しませんでした。約5000万ドルの経費削減に繋がったと見られています。

1896年、ホレリスはタビュレーティング・マシン・カンパニーを設立。この装置の商用利用に乗り出しました。これが**IBM社の歴史の始まり**です。[17] 当初は顧客が見つからず苦労したようです。が、パンチカードの穿孔機を始め、様々な「自動装置」を販売するようになった結果、1908年に30社だった顧客は、1911年には100社を超えました。政府の国勢調査を請け負う企業から、事務機器メーカーへと転身を遂げたのです。

1911年、ホレリスは会社を売却。巨万の富を得てセミリタイア生活に入りました。一方、会社名はC－T－R社[※17]に改名されました。このとき総支配人として就任したのが、のちにIBMを巨人へと成長させる伝説的経営者トーマス・J・ワトソン・シニア[※18]です。

ニューヨーク州キャンベルで農夫の息子として生まれたワトソンは、18歳から働き始め、簿記係や、ピアノやオルガンの訪問販売に従事しました[18]。1895年、彼はNCR社[※19]に入社しました。

NCRは、現在でも金融機関のATMなどを製造している大手企業です。当時は社名の通り、小売店用のキャッシュレジスターが主力製品でした。NCRの創業者ジョン・H・パターソンは商才に長けた辣腕経営者で、強力なセールスチームを組織することで業績を伸ばしました。魅力的な歩合制と、厳格な販売ノルマという、アメとムチでセールスマンたちを焚きつけたのです。主な顧客である個人商店の経営者たちが街を歩いていて、ふとキャッシュレジスターが欲しくなっ

※17 コンピューティング－タビュレーティング－レコーディング社

※18 トーマス・ジョン・ワトソン・シニア（1874年〜1956年）。IBM社を世界的な企業にまで押し上げた経営者・実業家。

※19 ナショナル・キャッシュ・レジスター社

てNCRの店舗に立ち寄る――などということはありえないと、パターソンは理解していました。キャッシュレジスターは「購入されたのではなく、販売された」のです。[19]

このNCRで、トーマス・J・ワトソンは頭角を現しました。わずか29歳で、ニューヨーク州ロチェスター全体の販売代理人へと昇進。さらに1908年にはセールスマネージャーになりました。近い将来、ワトソンがNCRの総支配人になるのは確実と見做されていました。しかし気まぐれなパターソンは、彼を解雇してしまったのです。

無職となったワトソンは、しかし引く手あまたでした。雇われマネージャー以上の地位を望んだ彼は、C-T-Rを再就職先に選びました。当時のC-T-Rは、NCRに比べればごく小さな企業でした。ところがワトソンはNCR流のセールス手法を導入。「T-H-I-N-K（考えろ）」というスローガンを掲げてセールスチームを鼓舞し、商売を拡大していきました。

1914年[※20]に、ワトソンは社長に就任。さらに1924年には、社名を**IBM（インターナショナル・ビジネス・マシーンズ）**に改めました。

この時代のIBMの収益を支えたのは、補充用のパンチカードです。IBMの装置に使われるパンチカードには特殊な紙が使われており、他社が簡単には模倣

※20――第一次世界大戦が始まった年。

できなかったのです。1930年代までに、IBMは年間30億枚のカードを販売しており、それは収益の10%、利益の30~40%を占めていました。[20] ワトソン率いるIBMは、装置を(販売ではなく)リースすることで定収入を確保し、パンチカードで利益を上げるという「レンタルと補充」のビジネスモデルで台頭したのです。

バベッジの夢がついに現実になる

1937年、IBMに汎用計算機を作りたいという提案が舞い込みました。その提案者は、ハワード・ハサウェイ・エイケン。※21 ハーバード大学で真空管を研究する大学院生でした。エイケンは博士論文を書き進めるために、非線形の微分方程式を解かねばならず、そのような退屈な計算作業を自動でやってくれる装置が欲しいと考えたのです。

エイケンが汎用計算機の製作を周囲の教員に相談したのは1936年。しかし、すぐには計画は動き始めませんでした。それでも、彼の噂はハーバード物理学研究所内で広まっていきました。

※21 ハワード・ハサウェイ・エイケン(1900年~1973年)。アメリカの計算機科学者。

ある日、1人の技官がエイケンに近づいてきて言いました。

「そういう機械はすでにここにある」[21]と。

研究所の屋根裏部屋に、バベッジの計算機関の断片が保管されていたのです。

これは1886年にバベッジの息子ヘンリーによって大学に寄贈されたものでした。半世紀間、エイケンと出会うのを待っていたのです。エイケンはさっそく大学の図書館に向かい、バベッジの自伝『ある哲学者の人生の断章』※22を読みました。彼は「バベッジが過去から直接自分に話しかけてきたように感じ」ました。設計や技術の観点では、エイケンはバベッジからほぼ影響を受けていません。しかし、天命が下ったという感覚は揺るぎないものでした。

エイケンはIBMの主任技師ジェームズ・ブライスを紹介され、自身の構想を伝えました。ブライスの説得を受けて、ワトソンは1万5000ドルもの資金援助をエイケンに約束しました。エイケンは提案書をまとめて1937年12月にIBMに提出。こうして、彼の計画は実行に移されたのです。

エイケンの発案およびIBMの協力によって完成したのが、自動逐次制御計算機――通称「**ハーバード・マークI**」です。

これは重量5トンに及ぶ巨大な機械でした。第二次世界大戦中の1943年1月に試運転が始まり、本格的な数表計算に利用され始めたのは1944年5月。

※**22** 原著は1864年出版。

※**23** 当時すでに事務会計用途の機械式計算機が普及していた。たとえば1887年に生産が開始されたコンプトメーターは、戦間期には並外れてよく売れて、数百万台が生産された[23]。日本では1923年に発売されたタイガー計算機が一世を風靡し、手回し式の計算機の代名詞となった[24]。これらはハーバード・マークIのようなプログラム可能な汎用計算機ではなかったが、人間よりも高速で加減算ができた。

そして同年8月に、正式にハーバード大学に贈呈されました。

ハーバード・マークIは電気で動作するものの、電子計算機ではありません。**電気機械式計算機**に分類されます。というのも、電磁石でスイッチを開閉する「リレー」という機械部品によって情報を扱うからです。情報を電子によって扱う真空管やトランジスタに比べると、リレーは可動部品の物理的な動きが必要になるため、計算の速さは数桁遅くなります。ハーバード・マークIの場合、27個の数字を保存することができ、加減算は1秒に3回、乗算には1秒、除算または平方根の演算には約5秒かかりました。[22] これは当時の水準でも、決して速いとは言えませんでした。ハーバード・マークIの重要性は、それが世界初の完全自動計算機だった点にあります。※23

ハーバード・マークIにかかわった重要人物の1人に、グレース・マレー・ホッパー※24がいます。[25] 当時の彼女はヴァッサー大学の数学教授で、大学を休職して海軍士官学校に通っていました。海軍は彼女をハーバードの計算研究所に派遣し、マークIのプログラミングを手伝うよう命じたのです。マークIのプログラムは1行24個までの穴を穿孔した紙テープを読み込ませることで行われていました。

このときの経験により、ホッパーは計算機の歴史に大きな足跡を残すのですが——。

※24
グレース・マレー・ホッパー
（1906年〜1992年）。アメリカの軍人、計算機科学者。ハーバード・マークIの最初のプログラマーの1人。

それは少し先の話です。

ハーバード・マークIの物語には、苦いオチがついています。完成式典でのエイケンの態度があまりにも傲慢で、IBMとの信頼関係を破壊するほどだったのです。エイケンはマークIを完成させた手柄を自分1人のものだと宣伝し、IBMの技術者たちの貢献を認めませんでした。これに対してワトソンは、真っ青になって怒りに打ち震えたと伝えられています。

世界大戦中のムーア・スクールの伝説

第二次世界大戦中、ペンシルヴェニア大学の電気工学教室〝ムーア・スクール〟で開発された電子計算機ENIAC（エニアック）※25は、計算機の歴史を永遠に変えました。ENIACは極めて広範な問題を解くことができる電子デジタルコンピューターであり、本機から派生して設計・開発されたEDVAC（エドヴァック）※26およびEDSAC（エドサック）※27は、現代の「プログラム内蔵方式」と呼ばれるコンピューターの礎（いしずえ）となりました。

※25 **E**lectronic **N**umerical **I**ntegrator **and** **C**omputer

※26 **E**lectronic **D**iscrete **V**ariable **A**utomatic **C**omputer

※27 **E**lectronic **D**elay **S**torage **A**utomatic **C**alculator

物語のプロローグは、1937年のアイオワ州立大学から始まります。[26] 数学と物理学の教授ジョン・ヴィンセント・アタナソフ[※28]は、大学院生のクリフォード・ベリーと共同で、初歩的な電子計算装置を作成したのです。1939年には試作機が稼働し、その後の2年間で2人は装置を完成させました。これが、**アタナソフ・ベリー・コンピューター（ABC）**です。

1940年12月、アタナソフは米国科学振興協会で、同年輩の科学者の講演を聞きました。その科学者の名はジョン・W・モークリー[※29]。当時は気象予報のための原始的な計算機を研究していました。志を同じくする2人は意気投合し、半年後の1941年6月、アタナソフは自らの研究室にモークリーを招いてABCを紹介しました。1週間の滞在中に、モークリーはABCについて学べるかぎりの知識を吸収したと見られています。モークリー自身はのちに、ABCからは「何のアイディアも得ていない」と法廷で証言[※30]していますが、このときに電子計算機の実物を目撃したことは疑う余地がありません。

同じく1941年の夏、モークリーはペンシルヴェニア大学〝**ムーア・スクール**〟で行われた10週間の特別講義を受けました。これは、戦時中に不足していた電子工学の専門家を養成するための集中コースでした。優秀な成績を収めたモークリーは、そのまま講師としてペンシルヴェニア大学に残ることを打診され、そ

※28 ジョン・ヴィンセント・アタナソフ（1903年〜1995年）。アメリカの物理学者。

※29 ジョン・ウィリアム・モークリー（1907年〜1980年）。アメリカの物理学者。

※30 モークリーはのちに特許をめぐる訴訟に巻き込まれた。

れに応じました。[27]

そして1942年、モークリーは電子計算機の開発を打診するメモを同僚たちに回覧するのですが――。

まずは当時のムーア・スクールで作成されていた「射撃表」「爆撃表」について紹介しましょう。

先述の通り、当時の戦場の砲手たちは、弾道の計算結果をまとめた表を冊子として持ち歩いていました。しかし20世紀に入ると兵器の性能向上に伴い、旧来の表は役に立たなくなっていきました。たとえば第一次世界大戦の初期、ドイツ海軍は極めて強大な大砲を製作しましたが、いざ撃ってみると、その最大射程は旧来の方法で計算した距離のほぼ2倍もあったのです。[28]弾道の大半が、空気の密度が地上の半分ほどしかない上空を通っていたからです。大気の密度を一定だと仮定したそれまでの計算式では、もはや歯が立ちませんでした。

戦時体制となった大学で、ムーア・スクールには正確な表を作成するというミッションが課せられていました。

典型的な射撃表には、約3000の弾道のデータが記載されていました。[29]弾道1つあたり7つの変数を持つ常微分方程式を積分する必要があり、これにはアナログ式の微分解析機で10～20分間を要しました。また卓上サイズの機械式計算機で人間の計算手が計算した場合にも、弾道1つあたり1～2日間を要しました。100人のチームが不眠不休で作業しても、1冊完成させるのに約1ヶ月かかったのです。

この作表作業を指揮した重要人物の1人が、ハーマン・H・ゴールドスタイン※31です。ミシガン大学で数学を教えていた彼は、1942年7月に兵役に就き、ムーア・スクールの作業を応援するよう命じられたのです。8月7日に着任した彼が真っ先に取り組んだのは、理系の女子を計算手として訓練することでした。[30]当時、男性の多くが兵役に就いたこと、および総力戦となったことで、労働力として女性の活用が進んでいたのです。ムーア・スクールでは約100～200人の「計算ガール」が働いていました。彼女たちの指導教官の中には、モークリーの妻マリーの姿もありました。

ゴールドスタインは、モークリーの提案した電子計算機の重要性に真っ先に気づいた1人でもあります。作るべき表の数はあまりにも多く、その計算にはあまりにも時間がかかったからです。作表作業の遅れは、戦地で自国兵士が命を落とすことを意味していました。1943年4月2日、ゴールドスタインはモークリーの提案書の正式版を提出しました。[31]こうして**電子計算機ENIAC**の開発が

※31 ハーマン・ハイネ・ゴールドスタイン（1913年～2004年）。アメリカの数学者、計算機科学者。

始まりました。

1944年8月15日で終わる週にゴールドスタインがまとめたメモ[32]を見ると、彼の危機感が分かります。毎日約6件の新しい表の作成要求が届くにもかかわらず、「計算能力の不足のために、まだ作業がはじまっていない表の数は、進行中の表の数よりもはるかに多く」なっていました。開発開始から約18ヶ月、ＥＮＩＡＣは完成には遠い状態でした。

ハーバード・マークＩにも用いられたリレーの場合、回路の開閉には1～10ミリ秒を要しました。一方、真空管やトランジスタはずっと高速です。ＥＮＩＡＣの場合、1回の回路の開閉にほぼ5マイクロ秒しか要しませんでした。文字通り、桁違いの速

1944年8月15日で終わる週のゴールドスタインのメモ

	完成済み	進行中
地上射撃表	10	16
爆撃表	1	28
対空射撃表	3	16
弾道表		6
各種主要計算	1	8

さです。だからこそ最初期の電子計算機であるENIACでも、当時もっとも洗練された電気機械式計算機よりも数百~1000倍も速かったのです。[33]

一方、当時の真空管は、信頼性が著しく低いという問題を抱えていました。ENIACには、約1万7000本の真空管が用いられました。ゴールドスタインは次のように述べています。

> 17000本の中のたった1本の真空管が間違った動作をしただけでも、10マイクロ秒ごとに1回の割合で誤りが起こる。これは、誤りを起こす可能性のある機会が1秒間に17億（1.7×10^9）回、1日（=100000秒）では約1.7×10^{14}回もあることを意味している。いいかえれば、ここで考えられている機械が12時間誤りなく動くようにするためには、その運転中の誤作動の確率は$1/10^{14}$程度のものにしなければならない。人間は、かつてこれだけ高い正確さまたは信頼度で運転することができる機器をつくったことはなかった。
>
> （ハーマン・H・ゴールドスタイン『計算機の歴史』共立出版、2016年復刊版、P.173）

この工学的な難題に挑んだのが、若きエンジニアであるジョン・プレスパー・

エッカート[※32]でした。ENIAC開発が本格始動する前年の1942年、モークリーの回覧したメモを目にしたうちの1人です。彼は計数回路の文献を調べることに没頭し、瞬く間にその道の専門家となりました。[34]

エッカートはENIACを構成するあらゆる部品に厳格な規準を設定し、不良品を取り除きました。真空管はもちろん、それをはめ込むソケット、抵抗、コンデンサ、配線盤など、「エッカートが設定した規準は最高のもの」でした。彼は「非凡な発明の才と抜群の知性とを」備えていたとゴールドスタインは評しています。[35]

1944年の夏のある日、ゴールドスタインがアバディーンの駅のプラットフォームでフィラデルフィア行きの列車を待っていると、偶然にもジョン・フォン・ノイマン[※33]が通りかかりました。

ノイマンは歴史上でも傑出した天才数学者の1人です。6歳にして父親と古典ギリシャ語で冗談を言い合い、大学在学中の1920年代には、すでに偉大な数学者として注目されていました。第二次世界大戦中にはプリンストン高等研究所に招聘（しょうへい）され、ロスアラモス国立研究所のマンハッタン計画にも携わっていました。

当時、2人の間に面識はありませんでした。しかしノイマンは世界的に有名で、

※32　ジョン・プレスパー・エッカート（1919年〜1995年）。アメリカの電気工学者。

※33　ジョン・フォン・ノイマン（1903年〜1957年）。ハンガリー出身のアメリカの数学者。

ゴールドスタインも顔を知っていたのです。彼は大胆にもノイマンに話しかけて自己紹介しました。ゴールドスタインによれば、ノイマンはユーモアのセンスのある、人当たりのいい人物だったようです。しかし毎秒333回の乗算ができる電子計算機を開発していると告げると、くつろいだ雰囲気は一変し、「数学の学位審査のための口頭試問を思わせるようなものに、がらりと変わってしまった」そうです。[36]

ノイマンがENIACに興味を示したので、ゴールドスタインは彼が8月にムーア・スクールを訪問できるように手配しました。[37] このときエッカートは生意気にも、ノイマンが本当に天才であるかどうかは、彼の最初の質問で分かると嘯(うそぶ)きました。それが機械の論理構造に関するものであれば、ノイマンを天才だと認めるというのです。

> もちろん、フォン・ノイマンの最初の質問は、この論理構造に関するものであった。
>
> （同書 P.209）

結局、ENIACの完成は終戦には間に合わず、1945年11月にずれ込みました。※34 とはいえ性能は申し分なく、「飛んでいる弾丸の軌道を、その弾丸が飛ぶ

※34 ENIACの十進カウンター。左がゴールドスタイン、右がエッカート。

よりも速く計算できる」と称されました。[38] ゴールドスタインはムーア・スクールで働いていた「計算ガール」のうち、とくに優秀な6人をENIACのプログラマーとして抜擢しました。[39]

「プログラム内蔵方式」という妙案

ENIACの完成が近づくにつれ、ムーア・スクールの人々はその改善点にも気づきました。しばしば会議を開き、改良版であるEDVACについて議論を始めたのです。この会議には、ほぼ毎回、モークリーやエッカート、フォン・ノイマン、ゴールドスタインなどの主要なメンバーが参加しました。

ENIACでは、数字を十進数で扱っていました。22本の真空管からなる10個のフリップ・フロップ回路のユニットで、数字の1桁を扱っていたのです。二進数を用いれば、同じ数のフリップ・フロップ回路で10桁の数字を扱えます。これは十進数で3桁分に相当します。[40] さらに、二進法なら回路の設計もシンプルになります。たとえば掛け算の場合、1桁あたり「0×0＝0、0×1＝0、1×0＝0、1×1＝1」という4通りの演算ができれば充分です。一方、十進法では（小学生の〝九九〟で学んだように）100通りの演算ができなければなりません。[41]

ENIACは、プログラミングに時間がかかることも問題でした。計算の内容によっては、部品の配線から組み替える必要があったのです。ハーバード・マークIで約80時間かかる偏微分方程式を解くのに、ENIACでは30分間しか要しませんでした。しかし正味の計算時間はわずか2分間で、残りの約28分間はパンチカードの作成のためだけに使われていました。[42] さらに、高速な演算回路に対してカードを読み取る装置の動作が遅く、ボトルネックになっていました。

ここでは、いわば「コロンブスの卵」的な発想が必要でした。

当時の計算機では、数値データもプログラムの命令も、まずは紙テープやパンチカードといった同じような媒体に記録し、それを機械に読み込ませていました。であれば、数値データもプログラムの命令も、機械の内部にある記憶装置※35に、同じように保存しておけるはず——。

現代の「プログラム内蔵方式のコンピューター」というアイディアが萌芽したのです。

1945年6月30日、『EDVACに関する報告書・第1稿』と題された101ページの報告書が書かれました。ここには、プログラム内蔵方式のコンピュー

※35 当時は水銀遅延線という部品が使われていた。

ターの概念がほぼ完璧な形で記載されていました。問題は、これがフォン・ノイマンの手で、彼の単独の名前で書かれていたことです。共同研究者に対する謝辞も述べられていませんでした。

ゴールドスタインによれば、この文書はあくまでも草稿であり、ノイマンはこれを書き、「グループ全体の考えを明確にし、調整するために使う中間報告のつもりで」「公表する意図はなかった」ようです。[43] しかし噂を聞きつけた当時の科学技術者たちの間でコピーが出回ってしまったのです。

この報告書が後世に与えた影響は大きく、(現代の主流である)プログラム内蔵方式のコンピューターが「フォン・ノイマン型コンピューター」と呼ばれる所以(ゆえん)となりました。

私見ですが、ENIACおよびEDVACの開発史から言えば「ムーア・スクール型」と呼ぶほうが適切であるように思えます。もちろんノイマンは、理論の面ではコンピューターの発展に大きく貢献しました。しかし、世界初の汎用電子コンピューターENIACを実現した技術者たち——とくにジョン・プレスパー・エッカートの功績は、どれだけ言葉を尽くして称賛しても足りないでしょう。

いずれにせよ、ムーア・スクールの人々の間には亀裂が生じました。ノイマンやゴールドスタインなどの「論理屋」と、エッカートやモークリーなどの「技術屋」とが、対立するようになったのです。この人間関係の混乱は、ついに修復されることはありませんでした。そしてEDVACの完成が遅れることにも繋がったのです。

ところで『第1稿』を読んだ人間の1人に、ケンブリッジ大学の数理物理学者モーリス・ウィルクス[※36]がいました[44]。1946年5月に『第1稿』を入手した彼は、すぐさまその重要性を理解しました。同年8月に渡米し、ムーア・スクールで開催されていたレクチャーに参加。帰国後の10月から本格的にプログラム内蔵方式コンピューターの開発を開始しました。ウィルクスは自らのそれを**EDSAC**と名付けました。

当時の技術水準では、プログラム内蔵方式は紙上の設計の域を出るものではなく、とくに記憶装置の発明が必須でした。1947年2月、ウィルクスのチームは、改良した水銀遅延線で長時間のデータ保存に成功しました。

1949年5月6日、EDSAC[※37]が完成。コンピューターの時代が幕を開けたのです。

※36 モーリス・ヴィンセント・ウィルクス（1913年〜2010年）。イギリスの計算機科学者。

※37 EDSAC

コンピューターの商業化が始まる

時代は少し前後します。1946年3月31日、ジョン・プレスパー・エッカートとジョン・W・モークリーはムーア・スクールを退職しました[45]。知的財産権の放棄を迫られたからです。彼らの経歴なら、他の大学やIBMなど再就職先には困らなかったでしょう。しかし、2人はビジネスパートナーとなり、エレクトロニック・コントロール・カンパニーを創業しました。1948年12月には株式会社化し、社名をEMCC※38に改称。彼らはコンピューターの商業化に踏み切ったのです。

1951年3月30日に完成した**UNIVAC**（ユニヴァック）※39は、汎用電子コンピューターとしては世界初の製品です。当初、主な顧客は政府機関であり、記念すべき第1号機はアメリカ国勢調査局に納品されました。彼らは翌年にかけてさらに2台を納品し、3台を受注しました※40[47]。

UNIVACを一躍有名にしたのは、1952年アメリカ合衆国大統領選挙の開票速報です[50]。モークリーはペンシルヴェニア大学の統計学者の助けを借りて、

※38 エッカート・モークリー・コンピューター・カンパニー

※39 UNIVersal Automatic Computer。なお、EMCCの資本は貧弱であり、キャッシュを得るためにBINAC／BINary Automatic Computerという製品をUNIVACに先んじて作らざるをえなかった[46]。ノースロップ航空の発注で1949年に納品されたBINACは、世界初の商用コンピューターと呼ばれる。しかし性能・機能ともに制限が多く「汎用」とは呼び難い製品だった。

過去の投票パターンから、ごくわずかな開票率でも選挙結果を予想できるプログラムを書き上げたのです。UNIVACによる選挙予想はCBSの放送網で全国に放映されました。

UNIVACがドワイト・D・アイゼンハワーの地滑り的な勝利を予想したとき、モークリーら関係者は落胆しました。ギャロップやローパーといった従来の世論調査では、アドレー・スティーブンソンの勝利が予想されていたからです。しかし夜が深まるにつれ、落胆は歓喜に変わりました。アイゼンハワーの勝利が確実になっていったからです。実際の選挙結果はアイゼンハワー対スティーブンソンが442対89だったのに対し、UNIVACの予想は438対93でした。※41

この開票速報によって、一夜にして（技術者だけでなく）アメリカ人の誰もがコンピューターの存在を知りました。UNIVACはコンピューターの代名詞になりました。

なお、UNIVACのプログラミングにも、やはりグレース・マレー・ホッパーが携わっていました。彼女はハーバード・マークIのチームから引き抜かれたのです[51]。ホッパーの名前は、この後再び登場します。

IBMのトーマス・J・ワトソン・シニアには、様々な都市伝説があります。

※40 これに先立つ1950年、資金難からEMCCはレミントン・ランド社の子会社となった[48]。これは事務機器メーカーの吸収合併により生まれた大手企業で、源流の一つには銃火器で有名なレミントン社のタイプライター事業部門がある。人間の筆耕人は毎分25語を書けるが、これに匹敵する速さのタイプライターが登場したのは1870年代だった。レミントン社は1874年にタイプライターを発売し、1890年代には年間2万台を製造していた。現在のキーボードのQWERTY配列はレミントン社の発明である[49]。

※41 私見だが、モークリーの書いたプログラムの精度にも驚かされる。

その1つが、ハーバード・マークIの完成目前の1943年に「世界のコンピューター市場はせいぜい5台くらいだろう」と発言した、というものです。[52][53] これは後世の創作らしいのですが、エッカートとモークリーが資金繰りで苦労したことからも分かる通り、1940年代にはコンピューター産業の将来が不明瞭だったことは事実です。※42

とはいえIBMも、電子計算機の発展を座して眺めていたわけではありません。ワトソンは早くも1943年10月には、優秀な電子工学者を見つけて雇うようにと指示を出していました。※43[55] さらに1947年にはCPC、※44 1948年にはSSEC※45という「スーパー計算機」を完成させました。

興味深いのは、これら初期のIBMのコンピューターが「計算機／Calculator」と名付けられていたことです。当時の「Computer」は、人間の計算手のことでした。新しい技術により失業が生じるという懸念を持つ人からの批判を、ワトソンは避けようとしたのです。[57]

1952年12月、**「国防計算機」**の別名でも知られるIBMの**モデル701**※46が完成しました。これは科学計算用の汎用電子コンピューターで、UNIVACの競合製品でした。1953年9月には、IBMはビジネス用途のデータ処理向けにモデル702を発表。※47 さらに、比較的安価だったモデル650は2000台が売

※42 ハーバード・マークIの開発者エイケンは、アメリカでのコンピューターの需要は5～6台だと考えていたようだ[54]。その逸話が、ワトソンの発言として誤って広まったのかもしれない。

※43 レミントン・ランド社の出資を受ける直前、エッカートとモークリーはIBMにもEMCCの子会社化を打診していた。ワトソンは興味を示したが、独占禁止法に阻まれて実現不可能だった[56]。

※44 Card Programmed Calculator

※45 Selective Sequence Electronic Calculator

れて、フラッグシップモデルである700シリーズよりも多くの収入をもたらしました。※48[58]

1956年、トーマス・J・ワトソン・シニアが引退し、長男であるジュニアが社長に就任しました。[59] しかしIBMの快進撃は止まりませんでした。

映画『デスク・セット』は1957年公開のロマコメ映画です。[60] とある企業にコンピューターを導入しに派遣されたエンジニアが、それに抵抗する現場社員のヒロインと恋に落ちるというあらすじ。ヒロインは当初、コンピューターを自分や同僚の仕事を奪う存在として敵視しますが、やがて恐れるに足らない愛すべきものだと理解します。この映画にIBMは全面的に協力しており、そのロゴがたびたび画面に映ります。コンピューターは退屈な作業をなくす道具であり、人間を失業させるものではないのだと、IBMは宣伝したかったのです。当時の人々のコンピューターに対する反応がうかがえます。

プログラミング言語におけるホッパーの功績

1950年代には、ソフトウェア産業も萌芽しました。

※46 IBMモデル701

※47 モデル702の納入が実際に始まったのは1955年からで、UNIVACに4年遅れた。

※48 モデル650は701の4分の1ほどの価格設定だったが、それでも月額レンタル料3250ドル、買い上げで20万ドルの超高額製品だった。

コンピューター産業の黎明期には、ハードウェア⇕ソフトウェアという概念の切り分けも不明瞭でした。計算機に価値ある仕事をさせるためには、優れたソフトウェアが欠かせません。しかし、それはハードウェアに（いわば）バンドルして一緒に納品されていたのです。また、この時代の顧客は政府機関や研究所であり、大抵の場合、必要であればソフトウェアを自力で開発できる人材を抱えていました。

世界初の独立したソフトウェア開発請負会社は、1955年3月に設立されたCUC[※49]だとされています[61]。創業者はIBMの科学計算プログラミング部門のOB2人で、4人の女性プログラマーとともに事業を開始しました。最初の売上が入金されるまで、彼女たちは創業者の1人のアパートで仕事をしたそうです。現代のスタートアップ企業でもしばしば見かける光景です。

現在では、ソフトウェア開発と「プログラミング言語」の関係は切っても切り離せません。その歴史はケンブリッジ大学のEDSACにさかのぼります[62]。

コンピューターの内部では、あらゆる情報が**バイナリ（0と1の羅列）**で扱われます。これを機械語と呼びます。EDSACでは、たとえば「メモリの25番地の整数を加えよ」という命令は次のように表現されました。

※49 Computer Usage Company

1110000000110010

これを人間が読んで理解するのは容易ではありません。ＥＤＳＡＣの開発者たちは、これを簡単な記号に置き換えてプログラムを作成していました。「メモリの25番地の整数を加えよ」という命令ならば、次のように書きました。

A 25 S

「A（Add／加えよ）」「25（番地）」「S（Short／整数）」の略です。

こうした工夫は、フォン・ノイマンやゴールドスタインらＥＤＶＡＣの開発者たちも行っていました。しかし当初、このような記号をバイナリの機械語に変換する作業はプログラマー本人か、その下で働く「コーダー」の仕事だと考えられていたのです。

ケンブリッジ大学の20代の研究員ディヴィッド・ウィーラーは違いました。記号をバイナリに変換する作業そのものを、コンピューターに行わせればいいと気づいたのです。ウィーラーと仲間たちは１９４８年から１９５１年にかけて「イニシャルオーダー」という小さなプログラムを書きました。彼らは、研究者たちの使う記号言語から、自動的に機械語で書かれたプログラムを生成することを可能にしたのです。

このような「自動プログラミング」を行うプログラムのことを「**コンパイラ**」と呼びます。※50

アメリカで最初の「自動プログラミング」が行われたマシンは、おそらくUNIVACです。本章でたびたび登場しているグレース・マレー・ホッパーが、「A−0」および「A−1」というコンパイラを開発したのです。[63]「コンパイラ」という用語そのものが、ホッパーの発案でした。[64]彼女はさらにビジネス向けの「B−0」というコンパイラを作り、こちらは「FLOW-MATIC（フローマティック）」や「MATH-MATIC（マスマティック）」という名でも呼ばれました。[65]残念ながら、これら最初期のコンパイラは動作が遅く、さほど実用的ではなかったようです。

そのため1954年にIBMでプログラミング言語の開発が始まったときも、社内ではほとんど期待されていませんでした。[66]このプロジェクトを主導したのはジョン・バッカスという20代の研究者で、チームに与えられた部屋は本社別館の「19階でエレベータの機械室の横」だったそうです。2年半に及ぶ苦闘の末、彼らは1957年4月にモデル704※51向けのプログラミング言語**「FORTRAN（フォートラン）」**を

※50 正確には、プログラム言語をまとめて機械語に「翻訳」し、その後に計算を実行するものをコンパイラと呼ぶ。これに対し、プログラム言語を1行ずつ機械語に「通訳」して、その都度計算を実行するものをインタープリタと呼ぶ。

※51 モデル704は、国防計算機と呼ばれた700シリーズの改良版。1954年発表。

完成させました。

FORTRANはとくに科学技術計算の分野で成功した言語の1つで、現在でもアップデートが重ねられています。[※52] FORTRANが普及した理由の1つは、IBMがコンピューター市場を長らく寡占していたからです。しかし、それだけではありません。FORTRANのコンパイラは「人間によって書かれたコードと同じくらい効率的で速い」機械語を生成できたのです。[67]

反面、1950年代にはコンパイラの使用を嫌がるプログラマーも珍しくありませんでした。[68] 人間と同じくらい効率的なコードを生成できるようになったと言っても、人間とまったく同じ、あるいは人間を超えるほどではなかったからです(パソコンや家庭用ゲーム機、モバイル機器の性能が貧弱だった90年代頃まで、コンパイラの生成したコードには、しばしば人力での調整が必要でした)。

一方、グレース・マレー・ホッパーは何年にもわたって地方講演を繰り返し、自動プログラミングの利点を喧伝(けんでん)しました。これも彼女の功績の1つです。

1959年末、アメリカの国防総省から**「COBOL(コボル)」**というプログラミング言語の仮仕様書が公表されました。[69] 科学技術計算の分野で普及し始めていたFORTRANに対し、こちらはビジネス向けの共通言語を目指していました。COBOLの源流の1つはホッパーの開発した「B-0」です。また、まるで普通

※52 この原稿を執筆している2024年3月時点での最新版はFORTRAN 2023。

の英語のような命令文を用いることも、ホッパーの思想の影響を受けています。コンピューターの専門家でなくても、まるで自然言語のように読み書きできることがCOBOLの理想でした。現代のChatGPTにも繋がる「コンピューターと対話する試み」は、この時代には始まっていたのです。

FORTRANと同様、COBOLも成功した言語です。現在でも、金融機関ではCOBOLで書かれたシステムが珍しくありません。ATMで現金を下ろすたびに、私はホッパーに感謝せずにはいられません。

1950年代の締めくくりとして、話をハードウェアに戻しましょう。1959年、IBM 7094およびIBM 1401という製品が発表されました。[70] 両者ともに、真空管ではなくトランジスタが使われた製品です。この頃にはトランジスタの信頼性向上および価格下落のため、真空管は時代遅れになりつつありました。IBM 7094は科学計算用途であり、IBM 1401は主にビジネス向けのデータ処理用途でした。商業上重要だったのは後者で、IBMのタビュレーティング・マシンを使っている場所ならどこでも代替できる製品でした。IBM 1401は1万台以上が売れました。[71]

こうして1960年までに、コンピューター産業は「IBMと7人のこびと」

と呼ばれる状況になりました。[72] シェア第1位のＩＢＭに比べて、２位以下——ＵＮＩＶＡＣ、[※53] バロース、ＮＣＲ、コントロール・データ、ＲＣＡ、ハネウェル、ゼネラル・エレクトリック——のシェアが、あまりにも小さかったからです。

そして、これでもなお、ＩＢＭの成功譚の序章にすぎなかったのです。

※53 ——ＵＮＩＶＡＣを製造販売していたレミントン・ランド社は１９５０年代半ばにスペリー社に買収され、１９６０年にはスペリー・ランド社になっていた。

より「人間的な」コンピューターへ

現在では「コンピューター」という言葉から真っ先に思い浮かべるのはパソコンです。しかし１９６０年の時点では違いました。コンピューターはプライベートジェット機と同様の超高額製品で、個人用（パーソナル）コンピューターなど夢のまた夢でした。

当時のコンピューターは大抵、機能ごとにユニットに分割されて、金属製のキャビネットに収められていました。コンピューターの本体とでも呼ぶべき中央処理装置、磁気テープを読み書きする装置、パンチカードから磁気テープにデータを書き写すカードリーダー、計算結果を出力するプリンタ、そして、それらの制御卓——。こうしたユニットが空調の効いたタイル貼りの部屋に並んでいたのです。このような大型コンピューターのことを**「メインフレーム・コンピューター」**と呼びます。

1950年代には「オペレーター」という職業がありました[73]。これら装置の間に立って、操作する仕事です。※54 この時代、コンピューターを触らないプログラマーも珍しくありませんでした。プログラマーはコーディング・シートという原稿用紙にコードを書き、それをキーパンチ・オペレーターに渡すだけだったのです。オペレーターは、渡された原稿用紙をもとにパンチカードを作成し、それを機械にセットしてスタートボタンを押し、必要であれば磁気テープを交換し、プリンタから打ち出された計算結果をプログラマーに渡しました。

オペレーターの仕事はあまり専門知識を要求されず、非熟練労働者でも可能でした。そのため1960年代にはソフトウェアに置き換えられていきました。かつてオペレーターの行っていた仕事を代替するソフトウェアのことを、**OS(オペレーティング・システム)**と呼びます。

また、この時代のコンピューターは基本的に「**バッチ処理**」で利用されていました。人間の行動は秒単位ですが、電子部品はナノ秒単位で動作します。人間が考えをまとめるまでの時間やキーボードを打ち終わるまでの時間が、コンピューターの側から見れば計算を行っていない待ち時間になってしまうのです。当時の

※54
1950年代の電算室

コンピューターは極端に高額だったため、わずかな待ち時間が発生するだけでも非経済的でした。できるかぎり24時間休まず計算を続けさせるために、一定期間のデータを集めて、まとめて処理を行っていたのです。

現代の私たちは、キーボードやタッチパネルを通じてリアルタイムでコンピューターに命令を与え、まるでコンピューターと対話するかのように処理を実行させています。パンチカードはもちろんCUI[※55]すらも過去のものになりつつあり、大抵の操作はGUIでこと足ります。このような現代的なコンピューターの利用方法が実現していった時代——。それが1960年代です。

1961年11月、MIT（マサチューセッツ工科大学）で世界初の「タイムシェアリング・システム」が発表されました[74]。それまで大学のコンピューターは、大抵、時間予約制でした。学生や教員は半時間〜1時間単位で使いたい時間を予約して、プログラムを実行していたのです。もしも時間内に（プログラムのエラー等で）望みの計算結果を得られなかった場合、予約を取るところからやり直しでした。

これを解決する方法として考案されたのが、タイムシェアリングです。1台のメインフレームに複数の入出力端末を繋ぎ、多人数で同時に利用するシステムです。ユーザーが考えたりキーボードを打ったりしている「待ち時間」の間に、他

※55 「はじめに」Ⅰページ※2参照。

のユーザーから命令された処理を実行してしまおう、という発想でした。

世界初のタイムシェアリング・システムは、わずか3台の端末が接続されているだけでした。それでも1人ひとりのユーザーには「コンピューターを占有している」かのような体験を与えたのです。タイムシェアリングはその後10年以上、重要な技術であり続けました。

1963年には、アメリカの半自動警戒管制組織「**SAGE**※56」が完全稼働しました[75]。これは、レーダーに映った敵国の航空機をいち早く見つけて爆撃を阻止するための防空システムです。当然、(バッチ処理ではなく)リアルタイム処理が必要でした。

SAGE開発史は、1949年8月にさかのぼります。ソビエト連邦が原爆実験に成功したという情報が、スパイを通じてアメリカに届いたのです。米国本土を攻撃可能な長距離爆撃機をソ連がすでに有していることも明らかになりました。しかし当時のアメリカの防空システムは貧弱で、1950年の時点で「足が不自由で、目もあまり見えず、頭もよくない」と評されました[76]。だからこそ、10年以上の歳月をかけて新たな防空網を作り上げたのです※57。

ちなみに、SAGEの開発中に取り入れられた技術の1つに、コンピューター

※56 Semi-Automatic Ground Environment

※57 リアルタイム処理の歴史そのものはSAGEよりもさらに古く、1943年に始まったワールウィンド計画にさかのぼる[77]。Whirlwindとは「つむじ風」のこと。航空機パイロットを養成するためのフライトシミュレーターを作る計画だった。この計画では1945年から電子コンピューターの利用が検討されるようになり、リアルタイム処理の研究が進んだ。研究成果はSAGEへと引き継がれた。

のインターフェイスとしてCRTディスプレイ※58を用いることが挙げられます。[78]

SAGE誕生でもっとも恩恵を受けたのは、開発を請け負ったIBMでした。彼らは新たな技術を吸収し、民間に転用したのです。その最たる例が、1964年に完全稼働したアメリカン航空の座席予約システム「SABRE（セイバー）」でした。[79]

戦後、航空機はアメリカ人の足として大いに発展しました。便数の増加と機体の大型化に伴い、1950年代には座席予約はほぼパンク状態に。そこで1960年、アメリカン航空は新しい座席予約システムの開発をIBMに依頼。4000万ドルという「5〜6機のボーイング707が買える」金額で契約を結びました。

およそ3年の開発期間を経て完成したSABREは、「1日につき8万5000本の電話に応え、3万件の運賃照会をこなし、4万件の旅客予約を行い、3万件のほかの航空会社からの照会に応え、2万件の発券」を行うことができました。年間1000万人の予約を取り扱うことができました。当然、ここにはリアルタイム処理が必須でした。

同じく1964年に、日本ではMARS－101という座席予約システムが完成しました。こちらは日立製作所と国鉄（現在のJR）の共同開発でした。[80]航空機のア

※58 CRTディスプレイとは、液晶ディスプレイが普及する以前に使われていたブラウン管のディスプレイのこと。

メリカに対して、鉄道の日本という、お国柄の違いを感じます。

1964年には、ソフトウェア開発でも重要な出来事がありました。ダートマス大学で、プログラミング言語「BASIC（ベイシック）」が開発されたのです[81][82]。

BASICが生まれた背景には、タイムシェアリングの普及があります。それまでのプログラミング言語、とくに科学研究の場で使われていたFORTRANには、翻訳（コンパイル）が遅いという欠点があったのです。リアルタイムでコンピューターを操作できるようになった結果、学生たちはプログラムを試行錯誤しながら書くことが容易になりました。高速で翻訳できる言語が求められたのです。

教育目的で開発されたBASICは、初学者でも2時間程度の講習で簡単なプログラムを書けます。理工系の学生にかぎらず、すべての新入生が扱えるほど分かりやすい言語でした。

さらにBASICはマイクロソフト社の誕生にもかかわるのですが――。

それは少し先の話になります。

IBMの栄華と新たなる潮流

ハードウェアに目を向けましょう。

1964年4月、IBMは「**System/360**」※59を発表。[83][84]これは、コンピューター産業全体を再定義するほどの大ヒット製品になりました。発表後の最初の1ヶ月間で1100台、2年間で9000台の注文が入ったのです。これは当時のIBMの供給能力を完全に上回るほどの数でした。

System/360という製品名は、科学研究から会計業務まであらゆる業務をカバーするという意図が込められています。最上位機種から最下位機種まで、互換性を持たせた点も画期的でした。それまでIBMが作ってきた製品はシリーズごとにアーキテクチャがバラバラだったため、ある製品で動いたアプリケーションが別の製品では動かない——といった事態を避けられなかったのです。

1965〜1970年の5年間で、System/360のおかげでIBMの売上は倍増しました。一方、競合他社も対応を迫られました。System/360の互換機を作るか、System/360では対応できないニッチなジャンルを狙うか——。戦略の練り直しを

※59 System/360

余儀なくされたのです。メインフレーム業界で、真正面からＩＢＭに立ち向かえるライバルはいなくなりました。

当時の成功とは裏腹に、現在ではSystem/360は不名誉な逸話で有名かもしれません。この製品のオペレーティング・システムである「OS/360」は、ソフトウェア開発の歴史的大惨事として有名なのです。[85] OS/360は１９６４年から開発が始まり、当初の予定から1年遅れの１９６７年にどうにかリリースにこぎつけました。それでもバグが多数残っており、その解消には数年を要しました。

このプロジェクトを率いたフレデリック・Ｐ・ブルックス・ジュニア※60は、その顚末（てんまつ）を『人月の神話』という著書にまとめています。大規模なソフトウェア開発の難しさを伝える、現代の古典です。プロジェクトの遅れを取り戻すために新たなスタッフを投入しても、その人への情報共有や新たなワークフローを構築することに時間を浪費するだけ――。これがブルックスの教訓でした。「子どもを産むのには9ヶ月かかるのであって、女性が何名割り当てられても早くならないのと同じ」なのです。

System/360の成功の裏側で、新たなコンピューティングの潮流も生まれていました。

※60 フレデリック・フィリップス・ブルックス・ジュニア（1931年〜2022年）。アメリカのソフトウェア技術者、計算機科学者であり、ＩＢＭのSystem/360およびOS/360の開発者。

１９６５年にＤＥＣ社[※61]が発表した**「PDP-8[※62]」**は、「ミニ・コンピューター」と呼ばれるジャンルの大ヒット製品でした。[86][87]

ＤＥＣが「ＰＤＰ－１[※63]」を発表したのは１９５９年。[88]その筐体（きょうたい）は大型の業務用冷蔵庫ほどもありましたが、それでも当時のメインフレームに比べれば、はるかに「ミニ」サイズでした。性能が控えめなぶん、価格も割安でした。商業的には成功しなかったものの、ＭＩＴに寄贈されたＰＤＰ－１の周りには学生が群がり、「ハッカー文化」を生み出しました。ミニコンの需要に気づいたＤＥＣは、その後もＰＤＰシリーズの改良を続けました。

ＰＤＰ－８の販売価格は１万８０００ドル。当時の物価を考えれば決して安くありませんが、それでも個人でも手が届く範囲でした。ＩＢＭのメインフレームがジェット機だとすれば、ＰＤＰ－８は高級スポーツカーくらいの値段だったのです。筐体も小さく、扱いやすくなりました。中には、トラクターの上に載せてジャガイモ摘み取り機の制御に使うという事例すらあったようです。

ＰＤＰ－８の功績は、その販売台数の多さから「職場や学校でコンピューターを触ったことがある人」の数を激増させたことでしょう。彼らの一部はホビイスト――ギークやオタク――になり、自由に遊べるコンピューターが自宅にあったらと夢想するようになりました。そして、これが１９７０年代のパーソナル・コ

※61 Digital Equipment Corporation

※62 PDP-8

※63 Programmed Data Processor-1

ンピューター誕生へと繋がります。

ところでGUIの歴史上、1968年12月9日は特別な日です。[89][90]

この日、サンフランシスコで開催されたコンピューター会議で、SRI※64の研究者で発明家のダグラス・エンゲルバート※65が、「電子オフィス」というシステムのデモンストレーションを行ったのです。それはテキストと画像を統合するシステムであり、聴衆に衝撃を与えました。

エンゲルバートは「人間とコンピューターの共生※66」というビジョンをどうすれば実現できるのか、この日、明確な実例を示したのです。

現在のコンピューターのインターフェイスは、エンゲルバートのチームの発明に大きく影響を受けています。とくに有名なものは「マウス」です。彼のチームは様々な形式のポインティング・デバイスを実験し、被験者がもっとも自然に扱えるものとしてマウスにたどり着きました。現在でこそタッチパネルやジェスチャーなどのライバルが現れつつありますが、マウスの地位はまだしばらくは揺るがないでしょう。

1968年には、コンピューターの歴史のもう1つの物語が始まりました。

※64 スタンフォード・リサーチ・インスティテュート。なお、エンゲルバートの研究には第7章で登場する「ARPA」も資金提供していた。

※65 ダグラス・カール・エンゲルバート（1925年～2013年）。アメリカの発明家。

※66 「人間とコンピューターの共生」というビジョンはARPAの研究者J・C・R・リックライダーが1960年に掲げた。エンゲルバートの発明は、彼の研究の延長線上にある。リックライダーはSAGEの開発にも携わった。さらに彼のビジョンはインターネット誕生の伏線になる。第7章参照。

ロバート・ノイスとゴードン・ムーアがインテル社を創業したのです。[91]

「フェアチャイルドの子供たち」が歴史を作る

シリコンバレーの歴史は1956年に始まります。[92]

この年、ウィリアム・ショックレー※67が、**ショックレー半導体研究所**を設立したのです。彼はベル研究所のOBで、同年、トランジスタの発明でノーベル物理学賞を受賞しました。「研究所」という社名ではあるものの、実態は半導体製品の開発・製造メーカーでした。

ショックレーは気難しい人物だったようで、早くも翌年1957年には8人の従業員から愛想をつかされてしまいます。このとき離反したスタッフの中に、ロバート・ノイス※68の姿がありました。当時のノイスは29歳。周囲からは頭脳明晰でカリスマ性のある人物だと認められていたそうです。

ノイスは、フェアチャイルド・カメラ・アンド・インスツルメンツ社から出資を取り付けて、**フェアチャイルド・セミコンダクター社**を設立しました。

シリコンバレーをシリコンバレーたらしめたのは、この企業です。

※67 ―― ウィリアム・ショックレー（1910年〜1989年）。アメリカの物理学者、発明家。

※68 ―― ロバート・ノートン・ノイス（1927年〜1990年）。インテルの共同創業者の1人。

フェアチャイルド・セミコンダクターは、やがて集積回路（ＩＣ）やチップといった技術革新をもたらしました。さらに、ここで育成された人材が、やがて自らもベンチャー企業の創業者として成功していったのです。（のちの）インテル、ＡＭＤ、ナショナル・セミコンダクターなど、ＯＢによって設立された企業は「フェアチャイルドの子供たち」と呼ばれます。１９６９年にカリフォルニア州サニーヴェイルで学会が開かれたとき、集まった４００人のうち、フェアチャイルドで働いたことがない参加者は20人ほどしかいなかったそうです。

一方、フェアチャイルドが成長するにつれて、ノイスは不満を募らせるようになりました。組織が官僚的で硬直的になっていったからです。１９６８年、彼はゴードン・ムーア[※69]を引き連れて、インテル社を設立しました。

１９７１年、インテルは日本のビジコン社の依頼で、電卓用の４ビットチップ**「４００４」**を完成させました。[93] 開発には、ビジコン社員の嶋正利[※70]も参加しました。[94] これはインテル初のマイクロチップです。残念ながらビジコンはその後、電卓業界の競争激化やオイルショックの影響などで倒産しましたが、４００４の後継である８００８や８０８０といったチップは、やがて「パーソナル・コンピューター」をこの世界にもたらすことになります。

※69
ゴードン・ムーア（１９２９年〜２０２３年）。「ムーアの法則」の提唱者として有名。半導体産業の経験則から、集積回路上のトランジスタの数は２年ごとに２倍になると彼は予言した。

※70
嶋正利／しま・まさとし（１９４３年〜）。日本のマイクロプロセッサアーキテクト。

が、少しだけ寄り道しましょう。

1970年代には、コンピューターは研究所や大企業の電算室に収まるものではなくなっていました。たとえば小売店でバーコードによる商品管理が始まったことは、人々の生活を一変させました。アメリカでは1974年に最初のバーコード付き商品が出荷されました。[95] 日本でも状況は似ており、1970年代初頭から、ガソリンスタンドやドラッグストアでPOSシステムが導入されつつありました。1982年にセブン-イレブンが採用したことで、本格的な普及の時代に入りました。[96][97]

本章の冒頭で書いた通り、現在のコンビニでは驚くほど新鮮なサラダを買えます。驚くほど手の込んだ製品を100円ショップで買えます。小売業とその背後にある製造業および物流の効率化のおかげです。そしてそれを可能にしたのは、コンピューター・システムの力でした。

パーソナル・コンピューターの誕生

1975年1月、**「アルテア8800※71」**という製品が発売されました。[98][99] これこそ

※71 アルテア8800

世界初の、正真正銘のパーソナル・コンピューターでした。

とはいえ、これは一般消費者をターゲットにした「まともな製品」ではありませんでした。正面のパネルにいくつかのスイッチとランプが並んでいるだけで、キーボードやディスプレイは付属しませんでした。いわばインテル８０８０プロセッサーを収めた「箱」でしかなかったのです。

アメリカには、古くは20世紀初頭の無線通信が始まった時代から、電気・電子工作を愛好するホビイストたちの文化がありました。[※72] １９７０年代に入り、プリント基板やチップが安く手に入るようになると、彼らはタイマーやゲーム、時計、キーボード、測定器などの簡単なデジタル装置を作って遊ぶようになったのです。アルテア８８００は、そういうオタク向けの電子工作キットでした。

アルテア８８００はニューメキシコ州アルバカーキ[※73]の電子工作キットメーカー、マイクロ・インスツルメンテーション・テレメトリー・システムズ（ＭＩＴＳ）が発売しました。もともと模型飛行機のラジコンを作っていた小さな企業です。

アルテア８８００は、ただの「箱」でした。プログラミングを行うには、正面のトグルスイッチでバイナリ（0と1の羅列）を入力するほかなく、プログラムが正しく動作しているかどうかは、ランプの点滅で判断するしかありませんでした。この制限の多さが、むしろホビイストたちの心に火をつけました。彼らはアルテ

※72 第7章３５０ページ参照。

※73 大ヒットしたテレビドラマ『ブレイキング・バッド』（２００８年）の舞台として有名。

ア8800の機能拡張に挑戦し、増設メモリやテレタイプ端末、データ保存用のカセットテープ・レコーダーなどを接続できるようにしたのです。

ビル・ゲイツ※74も、そうしたホビイストの1人でした。彼はポール・アレン※75と組んで、アルテア8800で動作するBASICの開発に着手したのです。[100] 発売されたばかりの「箱」に2人は飛びつきました。6週間の不眠不休の作業を経て、1975年2月にアルテア8800用のBASICプログラミングシステムをMITSに納品しました。彼らは、共同出資した自分たちの会社を「マイクロ－ソフト※76」と名付けました。

同じく1975年、カリフォルニアの電子工作愛好家のコミュニティ「ホームブリュー・コンピューター・クラブ※77」の会合に、モステクノロジー6502チップを搭載した手作りのコンピューターを持ち込んで称賛を浴びた男がいました。スティーブン・ウォズニアック※78です。[101]

ウォズニアックの5歳年下の友人スティーブ・ジョブズ※79は、そのマシンを見て商売になると直観しました。そこでウォズニアックを説得し、翌1976年、「アップル・コンピューター」という商品名で発売したのです。ジョブズの実家のガレージで、2人の男はマシンを1台ずつ手作りしました。この **「Apple I」**

※74 ビル・ゲイツ（1955年〜）。アメリカの実業家。マイクロソフトの共同創業者。

※75 ポール・ガードナー・アレン（1953年〜2018年）。アメリカの実業家。マイクロソフトの共同創業者。

※76 のちにハイフンを省略して「マイクロソフト」に改名する。

※77 ホームブリューとは「自家醸造」という意味。

※78 スティーブン・ゲイリー・ウォズニアック（1950年〜）。アメリカのコンピューター・エンジニアであり、アップルの共同設立者の1人。

という通称で知られる製品は、最終的に200台ほど売れました。

1977年4月、**Apple II**※80が発売されました。[102]

これは「パソコンとはどういうものであるか」を定義づけた製品と言えるでしょう。キーボードは本体と一体化しており、CPU、メモリ、画像や音声の出力端子、さらにプログラミング言語などを単一のパッケージとして売り出したのです。ジョブズとウォズニアックは、専門知識を持たない一般消費者でも使えるコンピューターを目指していました。

1979年10月に発売された表計算ソフト『VisiCalc（ヴィジカルク）』は、Apple IIのキラーソフトでした。[103][104] かつては大企業のデータセンターでしか行えなかったような財務分析が、自宅の机の上でできるようになったのです。パソコンは、もはやホビイストのおもちゃではなくなりました。中小企業の経理担当者や、個人商店の店主にとってとても役に立つ道具になったのです※81。

1970年代末頃には、パソコンは事務機器の1つだと見做されるようになりました。

であれば、IBMが黙っていません。1980年、彼らは自社製のパソコン開

※79 スティーブ・ジョブズ（1955年～2011年）。アメリカの実業家、工業デザイナー。アップルの共同創業者。

※80 Apple II

※81 とはいえ、ヴィジカルクの伝説はやや誇張されているらしい。1980年9月までに売れたアップル社の13万台のコンピューターのうち、ヴィジカルクの影響で売れたのは2万5000台程度だった。

発を決意。[105][106] そのOSの開発をデジタル・リサーチ社のゲイリー・キルドール※82に依頼しました。キルドールには、インテル8080プロセッサー用のOS「CP／M」を開発した実績がありました。

ところが、どういうわけかキルドールはIBMとの契約のチャンスを逃しました。一説には、スーツ姿のIBM社員がデジタル・リサーチ社に到着したとき、たまたま彼は不在であり、会社の総務担当だった妻がNDA※83へのサインを拒んだからだと言われています。

真相はどうあれ、IBMは別の候補者にOS開発を持ち掛けました。

それが、ビル・ゲイツです。

1981年8月12日、初代**「IBM PC※84」**が発売されました。※85 16ビットCPUのインテル8088プロセッサーを搭載し、OSにはマイクロソフト製「PC-DOS」が用意されていました。このOSをマイクロソフト経由で他社にOME供給したものが「MS-DOS」です。この仕事により、ビル・ゲイツは億万長者になりました。※86

IBMの販売力と、潤沢な資金による広告戦略で、IBM PCは飛ぶように売れました。[108] 続く2年間で、パソコンの業界標準になったのです。人気ソフト

※82 ゲイリー・アーレン・キルドール（1942年〜1994年）。アメリカのコンピューター科学者、実業家であり、デジタル・リサーチ社の創業者。

※83 秘密保持契約書のこと。

※84 IBM PC

ウェアの多くがＩＢＭ ＰＣ用に書き直され、このマシンの普及に拍車をかけました。

１９８２年10月に発売された『Lotus 1-2-3（ロータス ワンツースリー）』は、ＩＢＭ ＰＣのキラーソフトの1つです。[109]『VisiCalc』と同じく表計算ソフトであり、一時期はその代名詞となりました。ほんの数年前まで、パソコンはオタク向けの「まともではない製品」でした。ところが、ＩＢＭのロゴマークは大企業の備品購入担当者に安心感を与えたのです。ＩＢＭ ＰＣと『Lotus 1-2-3』の組み合わせによって、パソコンはオフィスの日常風景に溶け込んでいきました。

アメリカのニュース週刊誌『ＴＩＭＥ』は毎年年末に、その1年間で良くも悪くももっとも世界に影響を与えた人物を「パーソン・オブ・ザ・イヤー」として発表しています。しかし１９８２年に選ばれたのは、「マシーン・オブ・ザ・イヤー」であるパーソナル・コンピューターでした。

もしもＩＢＭのパソコン事業部が独立企業だったとしたら、１９８４年の時点で業界第3位になっていただろうという推計があります。[110]つまり、パソコン事業部を除くＩＢＭ全社が第1位、ミニコン大手のＤＥＣが第2位であり、それに次ぐ規模の売上をＩＢＭ ＰＣはもたらしたのです。

※85
1975年にIBMは「IBM 5100」というポータブル・コンピューターをリリースしていた。こちらをIBM初のパソコンと見做す場合もある。

※86
DOSとはDisk Operating Systemの略。なお、IBMの依頼を受注したとき、マイクロソフトにはソフトウェアの現物はもちろん開発スタッフも充分に揃っていなかった。ゲイツは地元のシアトル・コンピューター・プロダクツ社から使えそうなソフトウェアを現金3万ドルで購入し、それに改良を加えて納期に間に合わせた[107]。商売する上で「革新的なものを作ること」は重要だが、「注文を受ける立場にあること」はさらに重要だ……というのが、この逸話の教訓だろうか。

ジョブズの夢と新たなる「巨人」

1984年1月22日、アメリカ人たちはテレビの前に座り、第18回スーパーボウルを楽しんでいました。ハーフタイム後の最初のコマーシャルに、彼らの目は釘付け(くぎづ)けになりました。

CMで描かれたのは、荒廃した近未来の映像です。薄暗い通路を、囚人服のような衣服の男たちがぞろぞろと行進していきます。彼らの行き着く先の広間では、小説『一九八四年』[※87]の〝ビッグ・ブラザー〟のような権力者が、大型ディスプレイの中で何かを演説しています。男たちはそれを、生気のない顔で眺めます。すると突如、通路の奥からスポーツウェアを身にまとった短髪の女性が現れます。健康的に日焼けした彼女は、銃を持った警備員に追われているのです。しかし、彼女は追っ手をものともせずに、画面の中の権力者に向かってハンマーを投げつけます。次の瞬間、大型ディスプレイはバラバラに砕け、印象的なキャッチコピーが表示されます。

※87
『一九八四年』はジョージ・オーウェルが1949年に発表したディストピア小説の傑作。オルダス・ハクスリーの『すばらしい新世界』と並んで、このジャンルの嚆矢(こうし)とされる。

「1月24日、アップル・コンピューターはマッキントッシュを発売する。1984年が、小説『一九八四年』のようにならない理由が分かるだろう」※88

このCMは話題を呼び、翌週になってもニュースやトークショーで何度も取り上げられました。[111] この〝ビッグ・ブラザー〟は、IBMの暗喩でした。アップルは**マッキントッシュ**で、コンピューター業界の巨人に挑んだのです。

マッキントッシュは、GUIを普及させたパソコンです。

先述の通り、ダグラス・エンゲルバートが「電子オフィス」の伝説的なデモンストレーションを行ったのは1968年でした。彼のプロジェクトに触発された研究所の1つが、ゼロックス社のパロアルト・リサーチセンター（通称「PARC」）です。当時のゼロックス社は日本のコピー機メーカーとの競争を恐れ、1970年代を通じて多額の研究開発費をコンピューター部門に投じていたのです。[112] 1973年には、彼らは**アルト**という先進的なマシンを開発しました。アルトは最終的には1000台以上製造されましたが、ほぼ社内のみで使用されました。※89 [113]

1979年12月、PARCを見学したスティーブ・ジョブズは、アルトを見せ

※88 On January 24th, Apple Computer will introduce Macintosh. And you'll see why 1984 won't be like "1984".

※89 ゼロックスPARCのアルトこそ世界初のパソコンだと主張する論者もいる。しかしアルトは個人で所有するには高額で、一般販売されなかった。

られて思わず訊きました。

「なぜゼロックス社はこれを売りに出さないのですか？　……みなをギャフンと言わせることができるのに！」[114]

もちろんゼロックス社は、そうするつもりでした。1981年5月にモデル8010ワークステーション、通称**「ゼロックス・スター」**を発表。GUIを始め、現在のパソコンで当たり前となった機能をほぼすべて備えた製品でした。しかし一般的なサラリーマンの給与のほぼ1年分という価格の高さが仇となり、商業的には失敗しました。

一方、ジョブズはPARCの見学から帰ってくると、すぐにそれをパクること にしました。※90 そして、1983年5月に**「Lisa」**を発売。しかし、こちらも価格の高さゆえに商業的には惨敗でした。一方、アップル社内では以前からジェフ・ラスキン※91の発案でマッキントッシュの開発が進んでいました。ラスキンはジョブズとの対立・関係悪化により1982年にアップルを去りましたが、彼のプロジェクトはジョブズの旗振りのもとに続きました。

印象的なCMにより初速こそよかったマッキントッシュですが、すぐに販売不振に陥りました。パソコンを「情報家電」として一般家庭に行き渡らせるという

※90　ジョブズはPARCのGUIを模倣したことを認めたばかりか、それを自慢してさえいた[115]。

※91　ジェフ・ラスキン（1943年～2005年）。アメリカのコンピューター技術者。

ラスキンとジョブズのビジョンは、10年以上も時代を先取りしすぎていたのです。

1985年、ジョブズは役員会での主導権争いに敗北。閑職に追いやられ、アップルを退職しました。※92

同じく1985年、マッキントッシュの窮地を救うことに——少なくともアップルを生き長らえさせることに——なるソフトウェアが発売されました。マイクロソフトの『Excel』です。[116] マックユーザーは『Lotus 1-2-3』に匹敵する表計算ソフトを手に入れたのです。

じつのところ、マイクロソフトは1981年にマッキントッシュ用のOSの一部を開発する契約を結んでいました。それ以来、アップルとは重要なビジネスパートナーだったのです。1987年の時点で、マイクロソフトの売上の半分はマッキントッシュ用のソフトウェアからもたらされていました。[117] この経験からマイクロソフトはGUIのソフトウェア開発のノウハウを積み、やがてそれは『Windows』に結実したのです。※93

1985年11月に『Windows 1.0』がリリースされたとき、大半のユーザーはそれをお遊び程度のものだと考えました。99ドルという手ごろな価格ゆえに100万本も売れたのですが、その動作は「耐えられないほど遅かった」のです。[118]

※92 その後、ジョブズはピクサー社の創立にかかわり、1997年までにアップルに復帰した。

※93 Windows以前にも、ゼロックス・スターに触発された人々により、DOS機で動くGUIのOSは作られていた。1984年にはデジタル・リサーチ社の『GEM (Graphics Environment Manager)』、IBMの『TopView』など。いずれも商業的には失敗した。

1987年末、『Windows 2.0』が発表されました。そのルック・アンド・フィール（見た目と使い方）は、マッキントッシュに近づきすぎていました。1988年3月、ついにマイクロソフトは知的財産権の侵害でアップルに訴訟を起こされます。とはいえ、アップルの訴えの大半は棄却されました[119]。

1990年5月、『Windows 3.0』発売。この頃には、もはやマイクロソフトのGUIは「お遊び」ではなくなっていました。全世界12都市で発売記念イベントが開催され、ニューヨークでは約6000人ものファンが詰めかけました[120]。

1993年の『Windows NT』を経て、1995年の『Windows 95』※94が発売される頃には、マイクロソフトは（かつてのIBMのような）業界を牛耳る巨人になっていたのです。

私は1985年生まれですが、『Windows 95』の発売日のニュースを覚えています。日本では深夜に家電量販店の前に行列ができ、社会現象と化したのです。「専門知識のない初心者でもパソコンが使えるようになる」と謳われていた記憶があります。

日本では1980年代の半ばからNECの「PC-98」シリーズがパソコン業界を牽引していました。が、1991年のDOS／Vの出現に続き、『Windows

※94 『Windows 95』のロゴマーク

95』の普及によって急速にシェアを奪われました[121]。

マイクロソフトは『Windows』をプリインストールしたパソコンをメーカーに販売させるというビジネスで、その地位を揺るぎないものにしました。パソコンを「情報家電」として一般家庭に普及させるというラスキンとジョブズの野望を実現したのは、ゲイツ率いるマイクロソフトだったのです。

ところで、『Windows 95』が人気になった理由の1つは、「TCP/IP」※95を標準搭載していたことです。これにより、インターネットに比較的簡単に接続できたのです。

1990年代半ば、世界はいよいよインターネットの時代に突入しました。

※95 第7章358ページ参照。

第7章

インターネットの発明

——情報の民主化の功罪

徒歩よりも遅かった

ローマ帝国時代後期、ローマ支配下のエジプトの法的文書には、暦日と在位中の皇帝の名前が記載されていました。当時はローマで新しい皇帝が即位しても、それがエジプトに伝わって法的文書に反映されるまでにタイムラグがありました。このタイムラグを調べると、古代における情報伝達の速さを推測できます。また、近世に入った1500年頃の情報伝達の速さは、ヴェネチアの商人たちの日記から推測できます。[1]その結果を見ると、平均時速はほとんど変わらず時速1・5キロメートルほどだったようです。**産業革命以前の世界では、情報**

地中海地域での情報伝達速度

時期	伝達の行程	伝達回数	距離(km)	平均所要日数	平均伝達速度(km/h)
54年〜222年	イタリア〜エジプト	23	2,129	56	1.58
1500年	ダマスカス〜ヴェネチア	56	2,436	80	1.27
	アレクサンドリア〜ヴェネチア	266	2,198	65	1.41
	リスボン〜ヴェネチア	35	1,913	46	1.73
	パレルモ〜ヴェネチア	118	816	22	1.55

※距離は大圏距離として算出。また原典はマイル表記だが筆者の手でキロメートルに換算した。

出典：グレゴリー・クラーク『10万年の世界経済史』（日経BP、2009年）

伝達は人間の歩行速度よりも遅かったのです。

近代の情報伝達の速さは、ロンドンの新聞から推測できます。世界各地で起きた事件がロンドンで報道されるまでのタイムラグを調べればいいのです。古代に比べれば多少は速くなっていましたが、19世紀前半まではさほど進歩していなかったようです。ニュースの報道が高速化していくのは、電信が商用化された19世紀後半です。

もちろん産業革命以前から、高速で通信を行う工夫はありました。世界各地で用いられた狼煙(のろし)や旗振りです。

日本では18世紀に入ると、大坂・堂島の米市場における米の値動きをいち早く知りたいという需要が生まれました。当時は

1798年〜1891年におけるロンドンまでの情報伝達速度

年	出来事	距離(km)	日数	伝達速度(km/h)
1798年	ナイルの海戦	3,335	62	2.24
1805年	トラファルガーの海戦	1,770	17	4.34
1819年	インドのカッチ湿地地震	6,626	153	1.80
1842年	南京条約の締結	9,006	84	4.47
1854年	クリミア戦争中のバラクラヴァでの英国騎兵隊突撃	2,648	17	6.49
1858年	天津条約の締結(中国)	8,270	82	4.20
1865年	リンカーンの暗殺	5,911	13	18.95
1867年	メキシコでのマクシミリアン大公の暗殺	8,922	12	30.98
1881年	サンクトペテルブルクでのアレクサンドル2世の暗殺	2,106	0.46	190.78
1891年	日本の濃尾地震	9,519	1	396.62

※距離は大圏距離として算出。また原典はマイル表記だが筆者の手でキロメートルに換算した。

出典:グレゴリー・クラーク『10万年の世界経済史』(日経BP、2009年)

人間の走行速度では飽き足らない人々が現れたのです。そして、旗振りによる通信が行われるようになりました。「米飛脚（こめびきゃく）」が情報伝達を担っていたのですが、山の峰などの目立つ場所で旗を振り、それを目視で確認して、バトンリレーの要領で情報を伝えるのです。旗の振り方で、かなり細かい情報を伝えることができたようです。

江戸時代の旗振りの通信速度を示す、直接の史料は残っていません。[2] が、再現研究によれば、大坂からの通信時間は、和歌山が3分、京都が4分、神戸が7分、桑名が10分、岡山が15分、広島が40分弱だったと見られています。[3] 驚くべき速さです。たとえば大津（現在の滋賀県）の取引所の米価は、1840年代以前は大坂から1営業日遅れた値動きでした。ところが1840年代以降は、同日中に値動きが同期するようになりました。[4] どうやら大坂—大津間では、この時期に旗振り信号が導入されたようです。

なお、当時の役人たちは旗振り信号を一種の不正行為と見做して、何度も取り締まりました。これも支配階級が技術革新に抵抗した例の1つかもしれません。

こうした目視による通信技術の究極とも呼べるものが、1793年に誕生したフランスの「腕木通信（うでぎつうしん）」※1 です。[5] これは3本の「腕木」と呼ばれる部品からなる装置

※1
腕木通信のイメージ図

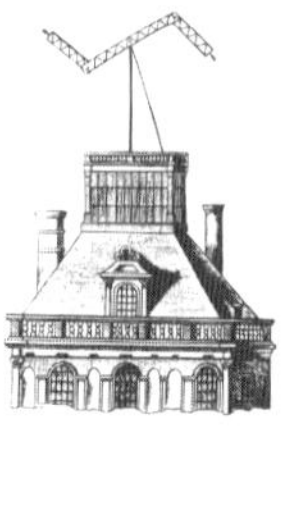

を建物の屋上に設置し、その形状でメッセージを伝える仕組みでした。基地局から基地局へと情報を(望遠鏡で読み取って)リレーしていくことで、長距離通信を可能にしました。

1794年7月に開通したパリ—リール間の204キロメートル[6]を皮切りに、腕木通信網は政府主導で整備されました。当時のフランスは市民革命を経験したばかりで、周囲を絶対王政の敵国に取り囲まれていました。国境の情報を素早くパリに届ける需要があったのです。さらにナポレオン戦争の戦火が拡大すると、前線から中央に情報を集める必要性はますます増しました。

注目すべきは、その速さです。パリ—リール間には20の基地局が存在しましたが、1つの信号を送るのに120秒しか要しませんでした。秒速に直せば1700メートル毎秒です。パリ—ブレスト間の551キロメートルには80の基地局があり、1つの信号を送るのに480秒。こちらは秒速1148メートルです。いずれも音速よりも高速です。なお、現代の東海道新幹線の東京—新大阪間は552・6キロメートルで、パリ—ブレスト間とほぼ同じです。つまり腕木通信は、東京で発したメッセージが約8分後には新大阪に届くほどの速さだったのです。[7]

しかしフランス政府は、腕木通信網を民間に開放しませんでした。ニュースや

株価などの情報を通信する需要はあったものの、それを許さなかったのです。※2
１８３７年には国家が通信を独占する法案が成立し、民間での通信網配備も叶わなくなりました。※3[9]

１８４６年のピーク時に、フランスの腕木通信網の総距離は４０８１キロメートルに達しました。当時のヨーロッパでは他国もフランスに追従し、それぞれ独自の目視による通信網を築きました。その累計距離は１万４０００キロメートルを超えると見られています。[10]

しかし19世紀半ばに電信技術が確立すると、腕木通信は瞬く間に姿を消しました。ピークからわずか９年後の１８５５年、フランスの腕木通信は全廃となったのです。[11]

モールスvsクック 電信開発競争

電信の誕生譚は、米英の２人の男の開発競争の物語です。その２人とは、アメリカのサミュエル・モールス※4とイギリスのウィリアム・フォザギル・クック※5[12]です。

※2
フランスの腕木通信網は、世界初の「ハッキング」を受けたネットワークでもある。1834年、銀行家のフランソワとジョゼフのブラン兄弟は、腕木信号の中にパリの株式市場の情報を紛れ込ませれば、当時の郵便馬車よりもはるかに速くボルドーでそれを入手して大儲けできると気づいた。彼らは基地局のスタッフを買収し、1836年に逮捕されるまでの2年間、この史上初の「サイバー犯罪」を続けた[8]。アレクサンドル・デュマの小説『モンテ・クリスト伯』にも、この事件から着想を得たと思しきエピソードが登場する。

※3
同時期にベルギーのブリュッセル―アントワープ間では民間の腕木通信線が開通し、そこそこの成功を収めたという。

1832年、モールスはヨーロッパからアメリカに帰国する船上で、他の乗客が電気の実験について会話しているのを耳にしました。当時の彼は40代で、本業は画家でした。電気に関する知識はないに等しかったのですが、それでも6週間の船旅が終わる頃には、のちに「モールス信号」と呼ばれる通信システムを構想していました。問題は、彼にはそれを実現する技術がなかったことです。

モールスに遅れること4年後の1836年、イギリスのクックは電信機の試作機を完成させました。電線に電流が流れると、近くに置かれた方位磁石の針が触れるという現象を応用したのです。とはいえ、クックの専門は解剖学であり、電磁気学については素人同然でした。

クックはキングス・カレッジ・ロンドンの物理学者チャールズ・ホイートストン[※6]を訪ね、教えを請いました。2人はひと目見て、お互いを大嫌いになったそうです。ホイートストンから見ればクックは浅慮で貪欲な商売人に見えました。一方、クックは相手を横柄で鼻持ちならない象牙の塔の住人だと感じたのです。しかし、クックの行動力とホイートストンの知識が最良の組み合わせであることを、2人はすぐに理解しました。彼らは共同作業で、電信技術の開発に着手しました。

1837年、ロンドン・バーミンガム鉄道のユーストン―カムデン・タウン間

※4 サミュエル・フィンリー・ブリース・モールス（1791年～1872年）。アメリカの画家、発明家。

※5 ウィリアム・フォザギル・クック（1806年～1879年）。イギリスの発明家。

1・5キロメートルで、クックは電信の実験に成功しました。当時は先行車両の現在地を知るすべはなく、発車後の経過時間から推測するよりほかありませんでした。もしも故障や事故で停車していたら、後続列車が追突する危険があったのです。クックはここに目をつけて、電信システムを鉄道会社に売り込んだのです。1839年にはグレート・ウェスタン鉄道が、パディントン―ウェスト・ドレイトン間の21キロメートルにクックの電信を導入しました。電信の商用利用はこうして始まりました。[13]

同じ頃、モールスは塞翁が馬を噛み締めていたはずです。信号システムを発案したはいいものの、長らくそれを具体化できずにいたのです。とくに、遠くまで信号を伝えようとするほど高い電圧が必要になってしまい、彼の技術ではせいぜい数百メートル先までしかメッセージが届かないという問題を解決できませんでした。モールスはニューヨーク市立大学の美術・文学の講師として糊口を凌いでいました。ところが、この大学で知り合った化学教授レナード・ゲイルの助言により、1837年、16キロメートルの長距離通信の実験に成功したのです。さらに、この実験を見ていた富裕な青年アルフレッド・ヴェイル※7が協力を申し出て、チームに加わりました。[14]

※6 チャールズ・ホイートストン（1802年～1875年）。イギリスの物理学者。

※7 アルフレッド・ルイス・ヴェイル（1807年～1859年）。アメリカの技術者、発明家。

電信技術を完成させたのは、このモールス率いる3人組です。とくに、鉄工所経営者の父親を持つヴェイルが加わったことは好運でした。ヴェイルはモールス信号の符号を整理して、より使いやすいものにしました。さらに機械装置の設計・製造にも通じていました。3人の創意工夫により電信システムの性能は飛躍的に向上し、1838年にはワシントンの国会議員の前でデモンストレーションを行えるまでになりました。

低い電圧では短距離しか信号が届かない――。この問題を、モールスたちはリレー回路を用いることで解決しました。リレーを使えば、発信地の信号をコピーできます。それを繋げれば、何百キロメートルでも好きなだけ通信線を延ばせます。

1840年代初頭には、モールスたちはボルチモア・アンド・オハイオ鉄道沿線のワシントン―ボルチモア間の64キロメートルで、電信線の敷設工事を開始しました。議会から許可を得て、予算を受け取ったのです。一方、議会には懐疑論もありました。モールスたちのデモンストレーションはいわば手品で、3人は詐欺師だと疑われたのです。

1844年5月1日、モールスたちは疑いを晴らす機会を得ます[15][16]。ボルチモアで大統領候補の選挙があったのです。当時、電信線はボルチモアまで残り21キロメートルのところまで完成していました。その地点でヴェイルが待ち構えて、列車で届いた選挙結果をワシントンに電送したのです。ワシントンでは、モールスとゲイルが信号を受け取りました。モールスが選挙結果を発表したとき、周囲の人々はまだ疑いの目を向けていました。しかし、およそ1時間後に列車が到着して正式な選挙結果が伝えられると、彼らも電信技術が本物であると認めざるをえませんでした。

クックの電信システムでは1本の通信線あたり複数の電線が必要であり、不経済でした。比べて、電線1本・指1本で運用できるモールスのシステムは、やがて電信のデファクト・スタンダードになっていきました。

1848年の時点で、アメリカにおける電信線の総距離は3200キロメートルに達しました。1850年には電信会社は20社に増えて、電信線の総距離は約2万キロメートルに。1854年には6万6227キロメートルにまで広がりました。[17]

一方、ヴィクトリア朝の繁栄華々しいイギリスでは、1850年の時点で電信線の総距離は1万キロメートルを超え、年間3万件のメッセージを扱うようになりました。1860年には総距離8万2490キロメートル、年間186万件のメッセージが飛び交いました[18]。

第5章で紹介した通り、1858年には大西洋横断電信ケーブルが開通しました。しかし1ヶ月ほどで、これは通信途絶してしまいます。それでも1866年には新たなケーブルが開通。1870年にはインドが、1871年にはオーストラリアが、この電信網に加わりました[19]。これはいわば19世紀のワールド・ワイド・ウェブであり、世界中のニュースや商品がロンドンに集まるようになったのです。1914年に第一次世界大戦が始まるまで、世界は（21世紀初頭と同様に）急速なグローバリゼーションを経験したのです。

とはいえ先述の通り、初期の電報は極端に高価でした。大西洋の反対側にメッセージを送るのに、当時の労働者の賃金数ヶ月分に相当する100ドルほどかかったのです。国際通信の恩恵にあずかることができたのは、ごく限られた富裕層だけでした。

1874年、ロンドンに「中央電信局」が開設されました。740人の女性を含む1200人の電信技手が働いており、さらに270人のメッセンジャーボーイが駆け回っていました。これが世紀の変わり目ごろには4500人もの事務員が働き、1日あたり12万〜16万5000通の電報が送信されるようになりました[20]。

電信は世界を覆ったのです。

無線からラジオ、そしてテレビへ

1895年秋、イタリア・ボローニャの21歳の若者グリエルモ・マルコーニ※8は、別荘3階の部屋で誘導コイルの前に座っていました。部屋から2・4キロメートル離れた丘の上では彼の雇った農夫が、ブリキ製の装置の前で合図を待っているはずでした。その農夫には、装置のベルが鳴ったら鉄砲を撃つようにと伝えてありました。

マルコーニがコイルに通電させた直後、丘のほうから銃声が鳴り響きました。無線通信の実用化が始まった瞬間でした。[21]

マルコーニはその後、イギリスで無線電信信号会社（のちにマルコーニ無線電信会社）を設立。さらに1899年には、ドーバー海峡を越えてイギリス―フランス間の無線通信に成功しました。1907年には大西洋横断通信業務を開始。1909年にはノーベル物理学賞を受賞しました。[22]

ワットやエジソンに比べると、日本ではマルコーニの知名度はやや劣ります。しかし、情報通信技術における彼の功績は絶大です。もしも彼がいなかったら、

※8
グリエルモ・ジョバンニ・マリア・マルコーニ（1874年〜1937年）。イタリアの発明家であり、無線通信の開発で知られる。

ラジオもテレビも、スマートフォンやWi-Fiですら、現在とはまったく違う姿になっていたかもしれません。

とくに1901年12月11日の大西洋横断無線の実験は、マルコーニの非凡さを示すエピソードでしょう。[23] イギリス・コーンウォールのポルデューの基地局から、カナダ・ニューファンドランド島のセント・ジョンズの基地局まで、無線通信を試みたのです。直線距離で約3400キロメートル。大抵の人は、この実験は絶対に失敗すると考えていました。なぜなら、電波は直進し、地球は球形だからです。この距離では地球そのものが遮蔽物（しゃへいぶつ）になってしまい、電波は届かないはずでした。

ところが、この日の12時30分、マルコーニは助手の送ってきたモールス信号の「S」の受信に成功したのです。※9

当時の人々はまだ知りませんでしたが、地球の大気には「電離層」と呼ばれる電波を反射する層があります。この電離層のおかげで、大西洋を横断するほどの距離でも電波が届くのです。理論よりも実証を重視したマルコーニの態度には、発明家・工学者としての矜持（きょうじ）を私は感じます。

20世紀初頭には、商用だけでなくアマチュア無線の文化も広がりました。成人

※9
当時の研究者や専門家たちは、科学者として妥当な判断を下した。マルコーニの実験結果を信じなかったのである。装置の故障や、雑音の誤読を疑った。しかしマルコーニが追試に成功するにつれて、大西洋横断無線が可能であることを認めざるをえなくなった。

男性や少年たちは無線の受送信装置を作ることに熱中し、遠くの誰かとの通話に胸を躍らせたのです。[※10] 1917年のアメリカには、アマチュア無線免許を持つ愛好家が1万3581人もいました。さらに15万ヶ所もの無免許の無線受信施設が存在しました[24](これに先立つ1906年には、無線に音声を載せることも可能になっていました)[25]。

そして一部の無線愛好家が、レコードの音楽を流し、お喋りを放送するようになったのです[26]。

中でもウェスティングハウス社のエンジニア、フランク・コンラッド[※11]の放送は人気でした。ファンから音楽リクエストの手紙が届くようになり、毎週土曜日の放送は、やがて毎晩の放送になりました。1920年5月にはピッツバーグの新聞に載るまでになったのです。地元のジョセフ・ホーン百貨店はこれに目をつけ、同年9月、10ドルの鉱石ラジオを発売。これを使えば、彼の放送を楽しめると銘打って売り出しました。

コンラッドの人気に、ウェスティングハウス社の副社長ハリー・デイヴィスも注目しました。そしてコンラッドに命じて、同年11月2日、世界初の商業ラジオ放送局であるKDKA局を開局させたのです。

アメリカは空前のラジオ・ブームに包まれました。

※10 こうしたホビイストについては第6章326ページを参照。

※11 フランク・コンラッド(1874年～1941年)。アメリカのエンジニアであり、ウェスティングハウス社の無線技術者。

1920年の時点で、アメリカには1万5000台のラジオの受信機が存在しました。それが1924年には500万台になり、530のラジオ放送局がしのぎを削るようになりました。ラジオを「放送したい人」に比べて、「聴きたいだけの人[※12]」は驚くほど多かったのです。

ホビイストの手で世界が変わったという点で、ラジオの歴史はパーソナル・コンピューターの歴史によく似ています（歴史の順番からすれば、「パソコン誕生がラジオ誕生によく似ていた」と言うべきでしょうが）。

アマチュア時代のコンラッドは、ハミルトンという音楽店と契約を結び、店の名前をラジオで紹介する代わりにレコードを無料で借りていました。ラジオはその誕生以前から、いわば「広告ビジネス」だったようです[※13]。

この広告を主体とするビジネスモデルは、第二次世界大戦後に爆発的に普及するテレビ放送にも受け継がれました。本格的なテレビ放送が始まったのは、アメリカでは1939年[27]、日本では1953年でした[28]。

1985年生まれの私は、おそらくテレビがマスメディアの王様として君臨していた時代を知っている最後の世代になるでしょう。小学生時代の私はテレビっ子で、毎日何時間もブラウン管の前に座っていました。天気予報番組の画面の

※12
現代のインターネット・スラングで言えば、ROM（Read Only Member）にあたる人々だと言えよう。

※13
一方、KDKA局を設立したウェスティングハウス社は、ラジオの受信機を販売した。本業で儲けるためにコンテンツを提供するというビジネスは、たとえば鉄道会社が観光ツアーを企画するようになったことと似ている。

端っこにチラリと自分の姿が映っただけで、家族や友人に自慢できる時代があったのです。

　しかし中学生になると、私はテレビをほとんど見なくなりました。実家にパソコンが届き、インターネットに接続されたからです。※14

インターネットの黎明（れいめい）「ARPAネット」

　1945年7月、『アトランティック・マンスリー』誌に「As We May Think（我らの考えるがごとく）」と題された記事が掲載されました。筆者はMITの科学技術者ヴァネヴァー・ブッシュ※15。このエッセイの中で、ブッシュは「**メメックス**」という装置のアイディアを披露しました。それは、いわば何でも知識を引き出せるマシンです。卓上サイズの装置に、文書を転写したマイクロフィルムを大量に保存しておき、どんな情報でも調べられるようにするという構想でした[29]。彼のアイディアがインターネットの「**ハイパーテキスト**」として実現するまでに、それから半世紀を要しました。

　1960年、ジョゼフ・C・R・リックライダー※16が『人間とコンピューターの

※14 私の実家にパソコンが来たのは遅く、1999年。まだIBMが販売していた時代のThinkPad i Seriesだった。細かい型番は忘れてしまったが、OSはWindows 98se、HDDの容量は12GBだったという記憶がある。

※15 ヴァネヴァー・ブッシュ（1890年～1974年）。アメリカの技術者、科学技術管理者。

共生』という論文を発表しました。[30] 地理的に分散したコンピューター間でネットワークを構築するというアイディアは、この論文の中で初めて具体化しました。

1962年、アメリカ国防総省ARPA[※17]のIPTO[※18]部長に任命されたリックライダーは、アイディアの実現に乗り出します。のちに「**ARPAネット**」と呼ばれるネットワークの開発にゴーサインを出したのです。

この計画を完遂したのは、1963年にMITで博士号を取得したばかりのラリー・ロバーツでした。1966年に計画を引き継いだとき、彼には解決すべき課題が大きく3つありました。[31]

①コンピューターを1対1で接続するだけでは、通信線が指数関数的に増えてしまうこと。

たとえば2台のコンピューターを繋ぐだけなら、通信線は1本で済みます。3台を繋ぐなら3本です。しかし4台を相互に接続しようとすると、必要な通信線は6本。5台なら10本です。当時のARPAに存在した17台のコンピューターを結ぶには、136本の通信線が必要でした。世界中のコンピューターをすべて1対1で接続するのは現実的ではありません。

※16 ジョゼフ・カール・ロブネット・リックライダー（1915年～1990年）。前章で紹介したマウスの発明者ダグラス・エンゲルバートの師匠筋にあたる。第6章322ページ※66参照。

※17 Advanced Research Projects Agency／高等研究計画局

※18 Information Processing Techniques Office／情報処理技術部

②通信線の利用時間よりも待機時間のほうが長くなり、不経済であること。

タイムシェアリングの問題と同様、人間のユーザーが考えたりキーボードを打ったりしている時間は、通信回線は何の情報も伝達していない「待ち時間」になってしまいます。地域の電話回線ならともかく、長距離の高速回線ではこれは大問題でした。高額の利用料を支払いながら、通信容量の2％以下しか生産的に使えないのでは話になりません。

③コンピューターの仕様がメーカーやモデルごとに違ったこと。

当時すでにＩＢＭのSystem/360が登場しており、「OS/360」の開発が大変な難産になっていることが知られていました。ネットワークに接続するために地球上すべてのコンピューターのＯＳを書き換えるというのは、誰の目から見ても不可能でした。

じつのところ、①②の解決策はすでに存在しました。それは電信から着想を得た「**ストア・アンド・フォワード・パケット交換**」という方法[※19]です。たとえばニューヨークからサンフランシスコに電報を送付する場合、途中でシカゴやロサンゼルスの中継局を経由します。中継局で働く電信技手たちは、まず

※19 1961年にランド社のポール・バランが提唱。1965年にはイングランドの国立物理学研究所で、バランとは独立にドラルド・デイヴィスが再発明した。

届いたメッセージを紙に書き出して記録し、それを別の電信技手が目的地に向けて送信するという作業をしていたのです。回線が混み合っているときでも、中継局でメッセージを保存（ストア）して、回線が空くのを待つことができました。さらに、もしも迂回路となる別の中継局への回線が空いていた場合、そちらを利用して目的地に送信することもできました。この方法なら、メッセージが届かないとか、あるいはメッセージの一部が失われてしまうというリスクを最小限にできます。

同様に、コンピューターから送信するデータを「**パケット**」と呼ばれる小単位に分割※20して、それを中継局となるコンピューターを経由して目的地のコンピューターまで届けて、到着先で1つのデータとして組み立て直せばいい――。これが、ストア・アンド・フォワード・パケット交換の発想です。この方法なら、通信線の本数は最小限で済み、なおかつ高い稼働率を維持できます。ロバーツたちは、電信で言えば中継局にあたる場所を「**ノード**」と呼びました。

残る問題は③、仕様の違うコンピューター同士をいかにして繋げるか、でした。

1960年代後半はミニコンピューターの普及期であり、これがロバーツを助けました。まずは同じ仕様のミニコンピューター同士でネットワークを作ればいい、と閃（ひらめ）いたのです。メインフレームをネットワークに繋ぎたければ、そのミニコンピューターと接続するための専用アプリケーションを作るなり、システムに

※20 パケットの一つひとつが、一通の電報に相当する。

軽微な修正を加えるなりすればいい——。この方法なら、全世界のコンピューターのOSを書き換えるよりもはるかに簡単です。

このパケット交換専門のミニコンピューターを、ロバーツのチームはIMP[※21]と名付けました。これは現代のルーターにあたる装置です。ネットワークの各ノードに、IMPを設置していったのです。IMPに接続される(主にメインフレームの)コンピューターは「ホスト」と呼ばれました。

1970年には4つのノードからなるネットワークが稼働しました。1971年の春までに23のホストがネットワークに参加しました。かくして、インターネットの原型である「**ARPAネット**」が誕生したのです。

「インターネットは冷戦中に、核攻撃による通信途絶を防ぐために生まれた」という逸話をしばしば耳にします。しかし、これは少し言いすぎのようです。リックライダーやロバーツたちがコンピューター・ネットワークを開発した第一の動機は、軍事目的ではなく経済性でした。先述の通り、当時のコンピューターは極めて高額だったため、できるかぎり24時間休みなく稼働させておきたかったのです。

ネットワークによってコンピューターにアクセスできるユーザーが増えれば、

※21 Interface Message Processor

そのぶん稼働時間を増やせます。たとえばアメリカは東海岸と西海岸で数時間の時差がありますが、西海岸の始業前に西のコンピューターを東海岸の研究者が利用する（逆に東海岸の終業後には東のコンピューターを西海岸の研究者が利用する）といった運用も可能になります。

一方、核戦争をまったく視野に入れていなかったわけでもなさそうです。IMPの筐体は頑丈に作られており、開発者の1人ボブ・カーンの証言によれば「核爆発の熱線や衝撃波を受けても、絶対にIMPが壊れないことを第一に考えた」そうです。[32]

ワールド・ワイド・ウェブの誕生

コンピューター・ネットワークの開発者が予想していなかった現象の1つに、電子メールの人気がありました。[33] 手軽にメッセージをやり取りできる新しい媒体に、ユーザーたちは夢中になったのです。1975年の時点で1000人を超えるユーザーが電子メールを楽しんでいました。当時のユーザーの大半は高い教育を受けた研究者だったにもかかわらず（あるいは、だからこそ？）効率を優先した短い電文体のメールのせいで相手を怒らせてしまう……といった問題も生じたようです。ネットワーク上でのマナー、すなわち「ネチケット」が自然と発達していきました。

コンピューター・ネットワークという新しい技術に、既存の企業も素早く反応しました。IBMの「SNA」[※22]やDECの「DECNET」のように独自のネットワークで顧客を囲い込もうとしたのです。[34] しかしこれは、ネットワークが「ネットワークであること」の利点を損なうやり方です。

ネットワークの価値は、参加者の数に依存します。これを「ネットワーク外部性」と呼びます。[※23] たとえば加入者が1人しかいない電話回線には価値がありません。誰にも繋がらないからです。加入者が増えるほど、通話できる相手の数も増えて、ネットワークそれ自体の価値が高まります。

コンピューターのネットワークも同様です。企業ごとの閉じたネットワークではなく、**相互ネットワーク**（インター）であることで、価値を最大化できるのです。

ARPAの研究者たちも、このことを早くから認識していました。そこでネットワークに繋ぐための共通規格（プロトコル）として「**TCP／IP**」[※24]を開発。このプロトコルが、速やかにインターネットのデファクト・スタンダードになっていきました。

※22 Systems Network Architecture

※23 第2章80ページ※8参照。

※24 Transmission Control Protocol/Internet Protocol。第６章３３６ページ参照。

とはいえ、1980年の時点でインターネットのホストは200に満たず、4年後でも1000にすぎませんでした。インターネットが爆発的に普及するためには、まだ足りないピースがあったのです。

ところで、同時期のヨーロッパや日本では、政府の支援で独自の情報ネットワークの開発が試みられていました。中でも比較的成功したものが「ビデオテックス」という技術です。[35]

1976年にイギリスの国営企業ポスト・オフィス・テレコミュニケーション※25が『プレステル』という情報サービスのパイロット版を開始。これを皮切りに、ドイツの『ビルトシルムテキスト』、カナダの『テリドン』、日本の『CAPTAIN（キャプテン）』など、各国のビデオテックス・サービスが始まりました。しかし大抵の国で、期待されたほどの成功は収めませんでした。

唯一の例外はフランスの『ミニテル』です。フランス政府は1983年から1991年にかけて、じつに500万台以上のミニテル専用端末を配布したのです。これは9インチのモノクロモニターにキーボードが付属したもので、いわば無料の電話帳として利用可能でした。これほどの数の端末が出回ると「ネットワーク外部性」が生じます。ミニテルで楽しめるコンテンツに需要が生まれたの

※25 現在のブリティッシュ・テレコム。

です。ニュースやスポーツ、天気、旅行、ビジネス、さらにはアダルトチャットに至るまで、様々な情報をミニテルから利用できるようになりました。

一方、アメリカでは商用ネットワークが花開きました。その筆頭は、１９６９年からタイムシェアリング・サービスを提供していた『コンピュサーブ』です。１９８０年代にはもっとも成功した商用ネットワークとなり、１９８７年に『NIFTY-Serve（ニフティ・サーブ）』の名前で日本に進出[36]しました。※26 記憶されている読者も多いであろう、パソコン通信の全盛期が始まりました。

ワールド・ワイド・ウェブ（ＷＷＷ）は１９９０年に、ＣＥＲＮ（セルン）※27の研究者ティム・バーナーズ＝リー※28と、ロベール・カイユーによって発明されました[38]。

１９７０年代の半ば、バーナーズ＝リーは「ハイパーテキスト」に興味を抱き、ＣＥＲＮでの業務の空き時間に『エンクワイア』と名付けたプログラムを開発しました。一般公開されなかったものの、のちのＷＷＷの基礎となるプログラムです。しかし彼は一旦イギリスに帰国し、ありふれた職業に就きました。

１９８４年にバーナーズ＝リーはＣＥＲＮに復帰。同僚のベルギー人ロベール・カイユーの協力を得ます。１９８９年、２人はＷＷＷの正式な提案書を提出しました。

※26 1986年に設立された日本企業のエヌ・アイ・エフと提携し、1987年4月15日よりサービス開始。エヌ・アイ・エフは1991年4月にニフティ株式会社に改称した[37]。

※27 Conseil Européenne pour la Recherche Nucléaire／欧州原子核研究機構。スイスのジュネーヴ郊外とフランスとの国境地帯にまたがって位置する。

※28 ティム・バーナーズ＝リー（1955年〜）。イギリスの計算機科学者。ＷＷＷの開発者であり、ハイパーテキストシステムを実装したことで知られる。

１９９０年12月20日、バーナーズ＝リーとカイユーは世界で最初の「ウェブサイト」をアップロードしました。この時点では、ＣＥＲＮ内部のみの実験的な公開でした[39]。さらに１９９１年８月６日、それを全世界に公開しました[40]。

もしも〝インターネット時代〟が始まった記念日を選ぶとしたら、この日でしょう。ＷＷＷにより、ハイパーテキストのリンクを踏んでネットサーフィンを楽しむことが可能になりました。ＷＷＷはマルチメディアに対応していたことも強みでした。文章だけでなく、画像や映像、音声もインターネット経由で利用できるようになったのです。以後30年以上に及ぶインターネットの華々しい発展の種が、この日に蒔かれたのです。「ＵＲＬ※29」「ＨＴＴＰ※30」「ＨＴＭＬ※31」——。これらはすべてバーナーズ＝リーの発明です。

インターネットの爆発的普及のための最後のピースは「ブラウザ・ソフト」でした。

１９９０年代初頭、ウェブ上の情報を「拾い読み（ブラウズ）」するアプリケーションが次々に登場しました。が、大抵は学生が殴り書きしたような扱いにくいものでした。

それらに比べて、１９９３年に登場した『モザイク』ブラウザは完成度が高く、まるで有償のパッケージ・ソフトウェアのようでした。『モザイク』の開発者は

※29 Uniform Resource Locator

※30 HyperText Transfer Protocol

※31 HyperText Markup Language

マーク・アンドリーセン。※32 イリノイ大学のコンピューター学科で学ぶ22歳の大学生でした。

1994年の春、アンドリーセンは起業家のジム・クラークに呼び出されました。クラークの資金提供で会社を興さないかと提案されたのです。1994年4月4日、2人は共同でモザイク・コミュニケーションズ社を設立。数ヶ月後にネットスケープ・コミュニケーションズに社名を変更しました。※33 アンドリーセンとクラークは『ネットスケープ』ブラウザを、非商用目的の個人ユーザーには無償で配付し、法人向けには有償で販売しました。

1995年8月、ネットスケープは株式を公開しました。[41] 公募価格は1株28ドル。これに対して初値は1株58ドルでした。

ネットスケープの不運は、マイクロソフトの存在です。ウェブブラウザ『インターネット・エクスプローラー』が、『Windows 95』に無料で同梱（どうこん）されるようになったのです。この件でマイクロソフトは独占禁止法の違反を問われて米国司法省に訴訟を起こされました。しかし、日進月歩の情報産業に対して、裁判の進行は遅すぎました。結局、ネットスケープがシェアを奪い返すことはなく、会社は解散の憂き目を見ました。

※32
マーク・ローウェル・アンドリーセン（1971年〜）。アメリカのソフトウェア開発者。投資家としても活動しており、アンドリーセン・ホロウィッツの共同創業者。

※33
モザイクという名前とソフトウェアのライセンスは、すでにイリノイ大学がスパイグラス社に与えていた。

そして「インターネット時代」へ

ネットスケープが株式上場し、『Windows 95』が発売されてから、約30年が経ちました。この30年間は、まだ歴史を語れる状況ではないと思います。時代が最近すぎて、何が重要な出来事なのか取捨選択できないからです。[※34]

たとえば1999年に登場した『iモード』[42]は、その後の『EZweb』や『J-SKY』とともに、ゼロ年代の日本人にとって重要なインフラでした。しかし、それが世界の歴史の中でどのような位置づけになるのか、まだ分かりません。かつてのフランスの『ミニテル』と同様、ちょっとした挿話程度になってしまうかもしれません。

もしも読者の皆さんの記憶に鮮やかな事件を網羅しようとすれば、1年ごとに最低でも10ページほど必要になり、本がもう1冊書けてしまうでしょう。

とはいえ、主要なウェブサービスやアプリがいつから始まったのか、駆け足で振り返っておいてもいいでしょう。メモ書き程度になってしまうことを、どうか

※34
なお、本書で触れられなかったトピックとしてUNIXおよびLinuxの開発史がある。コンピューターの歴史では極めて重要だが、話の流れ上、盛り込めなかった。

ご容赦ください。

インターネット上でどのような商売が儲かるのか、真っ先に「正解」にたどり着いた人物はジェフ・ベゾス[※35]をおいて他にいません。現実の店舗に比べて、オンラインショップには無限と呼べるほど広い棚を用意できます。どんなニッチな商品でも店頭に並べておけるのです。[※36] 1995年7月、『Amazon』がオンライン書店としてサービスを開始しました（なお、日本版「Amazon.co.jp」が開設されたのは2000年でした）[43]。また同年、『eBay』の前身となるオークションサイトもサービスを開始しました。

『Netflix』は1997年設立です。忘れがちですが、当初は〝レンタルビデオ版のAmazon〟とでも呼ぶべきビジネスを展開していました。どんなニッチな作品のDVDでも揃っていることが強みだったのです。Netflixが現在のような映像作品のストリーミング・サービスを開始したのは、2007年からです[44]。

『Google』の歴史も1997年に始まりました。この年の9月、スタンフォード大学のラリー・ペイジとセルゲイ・ブリンが「google.stanford.edu」を開設したのです。2人は翌1998年にGoogle社を設立[45]。後世に与えた影響を考えれば、インターネットの歴史上、WWWの開発に次ぐ大事件だと言えるかもしれません。

1998年には『PayPal』と『Yahoo! オークション』がサービスを開始。後者は

※35
ジェフ・ベゾス（1964年〜）。アメリカの実業家であり、Amazon.comの共同創業者。現在、取締役会長。

※36
2024年の現在では、オンライン店舗の棚も有限だという認識になったと私は感じる。現実の店舗に比べれば極端に広いものの、それでも無限ではない。たとえばトップページの限られたサムネイルの枠を奪い合うことになる。

翌年、日本に上陸しました。

1999年には『2ちゃんねる』が開設。これは、素性を隠して自由に発言できる場所を用意したら人間はどのように行動するのかを試す、社会実験装置だったと私は感じます。バズ（当時は「祭り」と呼ばれました）や炎上、誹謗（ひぼう）中傷・脅迫、リークなど、20年後のSNSで起きる現象の多くは2ちゃんねるでも起きていました。のちの『4chan』や『Reddit』の誕生にも影響を与えました。※37

2001年1月、ジミー・ウェールズが『Wikipedia』を開設しました。[46] ここに来てようやく、ブッシュの「メメックス」の構想が実現したと言えるでしょう。

2004年、『Skype』がサービス開始。大学生だった私は「ついに未来が実現した」と感じました。同級生の中には、外国語をネイティヴスピーカーから直接教わる人もいました。職種にもよりますが、Skypeさえあれば世界中どこでも職場にできます。自分が大学を卒業する頃には在宅勤務が当たり前になり、満員電車は過去の遺物になるだろうと当時の私は夢想しました。※38

2005年には『YouTube』が登場。これは、高速回線がいかに短期間で普及したかを示しています。わずか数年で、jpeg画像を読み込むだけでも何秒も待たなければいけない時代から、インターネットで映像を楽しめる時代になったのです。

※37 4chanは2003年、Redditは2005年開設。

※38 その予想が実現するのは16年後のコロナ禍を待たなければならなかった。多少はマシになったものの、東京の殺人的な満員電車はいまだに解消されていない。

日本のインターネット・ユーザーにとって、２００８年は特別な年です。まず「iPhone3G」が発売[※39]されて、スマートフォンの時代が幕を開けました。とはいえNTTドコモのモバイル社会研究所によれば、スマートフォンの普及率は２０１０年で４・４％でした。２０１５年に50％を超え、２０２１年にようやく90％を超えました。[47] スマートフォンが行き渡るのに10年以上かかったことになります。

２００８年は、『Facebook』と『Twitter』の日本語版が相次いで公開された年でもあります。前者は２００４年にサービス開始。当初は学生だけを対象とするSNSでしたが、２００６年に一般公開されました。日本では２０１０年の映画『ソーシャル・ネットワーク』をきっかけに知名度が急上昇したと私は記憶しています。また、後者は２００６年にはサービスを開始していました。

さらに２００８年には『Google Chrome ブラウザ』がリリースされました。軽くて扱いやすいこのブラウザ・ソフトが、長らく支配的な立場だった『インターネット・エクスプローラー』の牙城を崩していくことになります。

２０１０年に『Instagram』、２０１１年に『LINE』、２０１３年に『メルカリ』がそれぞれリリースされました。この辺りのアプリがリリースされてから10年以上経過していることに、時の流れの速さを感じます。

※39 初代iPhoneは前年２００７年発売だが、日本では購入できなかった。

現在人気のＳＮＳで比較的最近リリースされたものでは、２０１６年の『TikTok』が挙げられます。これは、デバイスの性能と世間の流行が切り離せないことを示す好例でしょう。スマートフォンの静止画カメラが充分に高性能になったときにInstagramが生まれ、動画カメラと編集機能が充分に高性能になったときにTikTokが生まれたわけです。[※40]

２０２０年、コロナ禍により在宅勤務が一般化し、オンライン会議アプリ『Zoom』がにわかに注目を集めました。歴史は意外と古く２０１２年リリースです。また、その競合であるマイクロソフトの『Teams』やGoogleの『Meet』[※41]を利用する機会も、私の場合は増えました。どちらも２０１７年リリースです。さらに、外出自粛下の娯楽として友人とオンラインゲームで遊ぶ機会が増えましたが、通話には私は『Discord』を使っています。こちらは２０１５年リリースです。

２０２４年の「現在」はどんな時代か

「はじめに」で私は、コンピューターを「人類にできることを効率よくできるようにした発明」だと書きました。しかし、これは少し修正が必要でしょう。

※40 何をもって「充分」と呼ぶかは難しいが。

※41 Google Meetの前身は2013年リリースのGoogle Hangouts。

たとえばＥＮＩＡＣは24時間の天気予報を計算するのに、ほぼ24時間かかりました。[48]「ある1日のための予報は、その1日よりもある程度短い時間で行われないかぎり、実際には世の中で何の役にも立たない」と、ＥＮＩＡＣの開発者ゴールドスタインは述べています。逆に言えば、充分に正確で高速になった計算機は「それ以前には全く不可能であったことを可能にする」と。

これはちょうど、投石や弓矢などの遠距離攻撃の手段が進歩し続けた結果、ミサイルが生まれ、やがて人類を月面に送ったり、ＧＰＳ用の人工衛星を飛ばしたりできるようになったことに似ているでしょう。

コンピューターが可能にしたのは、天気予報どころではありませんでした。

インターネットという、文字や活版印刷に匹敵する技術革新をもたらしたのです。

1600万年前から始まった本書もようやく「現在」までたどり着きました。

この原稿を書いている2024年がどういう時代なのか、まとめておきましょう。ここでは「技術」と「文化」という2つの側面から私見を述べます。技術の面では、現在は**「次のデバイスを待っている時代」**と言えるでしょう。また、文化の面では、残念ながら**「魔女狩りの時代」**になっていると感じます。

技術の側面から見れば、第6章の計算機の歴史を振り返るだけでも、デバイスの変化がそのままパラダイムシフトに繋がっていたことが分かります。※42

たとえば「コンピューター」という単語は、もともとは人間の「計算手」を意味していました。しかしタビュレーティング・マシンや電子計算機が生まれると、仕事のありようは大きく変わりました。すべての計算を人間が行う時代から、その大半を計算機に任せて、人間は結果を確認するだけの時代へとシフトしたのです。

同様のことは、すべてのメッセージが飛脚や郵便馬車によって運ばれていた時代から、電報で送付できるようになった時代にも起きました。さらに電報から、電話や無線へ。広場での演説やホールでの演奏から、ラジオの放送へ。デバイスの進歩は、情報伝達の方法を変えただけではありません。情報伝達に対する私たちの考え方・価値観そのものを変えました。

あるいは、メインフレーム・コンピューターの時代からパソコンの時代へ。

CUIの時代から、GUIの時代へ。

固定電話の時代から、携帯電話の時代へ。

パソコンの時代から、スマートフォンの時代へ。

※42
パラダイムとは、ある時代に支配的なものの見方、考え方のこと。その急激な変化をパラダイムシフトと呼ぶ。第4章で紹介した天動説から地動説への変化は、典型的なパラダイムシフトの一つである。

デバイスが進歩するたびに、商業や教育、文化が変わり、私たちの世界観そのものが変化を迫られました。同じことは、時代を過去にさかのぼっても当てはまります。新たなデバイスが普及するたびに、人類の歴史も変わりました。そもそも歯を「石器」に、消化酵素の一部を「火」に置き換えたところから、人類の歴史は始まったのです。

2022年5月、ニューヨークで最後の公衆電話が撤去されました[49]。

これは1つの時代の終焉を意味すると同時に、現在がどういう時代なのかを象徴するニュースでしょう。誰もがスマートフォンを身に着け、24時間ずっと高速回線に接続している――。『ニューロマンサー』[※43]のようなサイバーパンク小説で描かれた世界が、ついに現実になったのです。

では、スマートフォンの次にはどんなデバイスが現れるのでしょうか？

それを待っているのが、2024年の現在だと私は思います。

iPhone 3Gの登場から16年、そろそろ「次」が出てきてもおかしくありません。たとえばそれは、アップルの「Vision Pro」のようなAR[※44]ゴーグルかもしれません。たしかに今のVision Proは、大きく重く、不便そうに思えます。爆発的に普及するところなど、今は想像しづらいでしょう。しかし、まったく同じことを

※43 ウィリアム・ギブスンの代表作の一つ。1984年刊。

※44 Augmented Reality／拡張現実

2007年に初代 iPhone を見たときにも感じた人は多いはずです。Vision Pro がテレビアニメ『電脳コイル』[※45]で描かれたような薄くて軽いメガネになるまでに、もはや秒読み段階に入っていると私は考えています（もちろん薄く軽くなったからといって、普及するかどうかは別問題なのですが）。

インターネットに抱いた夢と希望

続いて「文化」の側面に目を向けましょう。

2024年という現在は、残念ながら「魔女狩りの時代」になってしまったと私は感じます。

かつてコンピューター・ネットワークは、人々をより自由で平等にすると考えられていました。活版印刷が教会による知識の独占を破壊したように、情報技術は知識の民主化をもたらし、人々の交流と団結、協働を活性化し、より豊かな社会を実現できるはず――。そんなユートピアを想像する人が珍しくありませんでした。たとえばディーン・R・クーンツが1987年に発表した小説『ウォッチャーズ』には、登場人物の1人がコンピューター・テクノロジーについて次の

※45 2007年放送。原作・監督：磯光雄、製作：マッドハウス。

ように評するシーンがあります。

　このおそろしく流動的なハイテク社会に暮らす市民たちを、独裁政府がどうやって支配できると思う？　ハイテクが浸透するのをふせぐただひとつの道は、国境を封鎖し、完全にひと昔前の暮らしにもどることだ。しかしどこの国でもそんなまねをするのは自殺行為でしかない。国家レベルの競争力をもちつづけられないからね。（中略）ソヴィエトはコンピューターの利用を国防産業だけに限定しているが、どのみちこれは長続きしない。いずれ経済全体をコンピューター化し、国民にコンピューターのつかいかたをおしえざるをえなくなる――そうして市民がシステムを操作し、権力の裏をかく手段をあたえられたとき、政府が締めつけを強化するようなことがどうしてできる？

（ディーン・R・クーンツ『ウォッチャーズ』文春文庫、1993年、下巻P.146）

　この小説が書かれたのはワールド・ワイド・ウェブの登場以前、『Windows 2.0』がリリースされた頃です。コンピューター・テクノロジーに対して、牧歌的なまでにポジティブな見解が述べられています（ついでに言えば「ソヴィエト」が存在していることにも時代を感じます)。

実際、インターネットには政治を変える力がありました。それを実証した第一人者はバラク・オバマ元大統領でしょう。彼はMyspaceやFacebookなどのSNSを活用した選挙活動を展開して2008年の大統領選挙で当選しました。

2010年には「アラブの春」と呼ばれる一連の政治騒乱が起きました。発端は、チュニジアで1人の青年が焼身自殺したことです。これをきっかけに、北アフリカや中東を中心に、世界中に抗議行動が広がったのです。チュニジア、エジプト、リビア、イエメンでは、独裁政権が倒されるところまでいきました。※46 これらの国々でもすでに携帯電話は充分行き渡っており、人々はTwitterやFacebookで集会やデモの情報を共有していました。

これに触発されて、2011年にはアメリカで「ウォールストリートを占拠せよ」運動が起きました。この運動にどれほどの政治的影響があったのかは議論の余地があります。が、多数の人間をあっという間に動員できるというインターネットの力に人々は(とくに権力者や政治家は)驚かされたのです。

この時代の出来事で印象的なのは、NATOとタリバンがTwitterでケンカしたことです。[50] 双方の広報担当者がリプライを送り合って、お互いを非難していた

※46 リビア、イエメンではそのまま内戦に発展した。

のです。２０１１年11月18日にはＣＮＮでも取り上げられました。当時の私は、これをポジティブなニュースだと捉えました。ほんの数年前まで言葉を交わすことなど想像すらしていなかった者同士が、口ゲンカをできるようになった――。対話と相互理解の第一歩であるように、当時の私の目には映りました。

２０１１年は、Google 翻訳が大半のスマートフォンで利用可能になった時代でもあります。私たちは「バベルの塔」を再び建設できるようになったのです。およそ四半世紀前に予言されたコンピューター・テクノロジーによるユートピアが、まさに実現しようとしているかに思えました。

じつのところ、クーンツは私よりも冷静でした。先ほどのシーンの続きで、未来の世界は「楽園じゃない」と登場人物に言わせているのです。

> 昔よりも住みやすく、豊かで、安全で、幸福になるとは思う。でも楽園にはならない。いつになっても、人間の心の問題と、そして人間の頭に巣くう病気とはついてまわるだろう。そして新しい世界はわれわれに幸福と同様、新しい危険ももたらさずにはおかない。
>
> （同書 P.146 ～ 147）

とはいえ、抽象的でフワッとしたセリフです。これが1987年の限界でした。インターネットに災いをもたらす「人間の心の問題」とは、どんなものなのか？「新しい危険」とは具体的にどのような危険なのか？　この時点では（クーンツの並外れた想像力をもってしても）まだよく分からなかったのです。

人間の頭に巣食う病気と新しい危険

私がテクノロジーの未来に希望を抱いていた頃、インターネットのルールが変わり、新しいゲームが始まっていました。2009年にFacebookが「いいね」ボタンを実装。さらに同年、Twitterは「リツイート」ボタンを実装し、2010年初頭には日本語版でも利用可能になりました。同様の機能は、あらゆるSNSに瞬く間に広がっていきました。「バイラル」や「バズ」が起きることをSNSの運営会社は歓迎し、システムとして後押ししたのです。

社会心理学者ジョナサン・ハイトは、このような現在のSNSのシステムを「最も過剰に倫理を振りかざし、また思慮深さから最も遠い一面を我々から引き出すよう、ほぼ完璧に設計されている」と評しています[51]。要するにリツイート機能は、エコーチェンバー現象をうながして、人々に「派閥争い」をするように仕向け、社会を対立・分断に導くというのです。

どういうことでしょうか？

SNS上では、過激な意見の持ち主が簡単に「同志」を見つけられます。たとえば1万人に1人の「変わった意見の持ち主」がいるとしましょう。その人は「ズンドコベロンチョが好きだ」[※47]と考えていたとしましょう。

SNSのない世界では、その人が仲間を見つけるのは簡単ではありません。周囲の人々の「ズンドコベロンチョは忌まわしい」「ズンドコベロンチョは非倫理的だ」という意見を目にして、再考するチャンスもたくさんあるはずです。たとえ「ズンドコベロンチョが好き」という意見を捨てなかったとしても、周囲との軋轢を避けるために、バランスの取れた言動をしたでしょう。周囲の人にもズンドコベロンチョを好きになってもらうにはどうすればいいか、真剣に考えたはずです。

ところがSNSのある世界では違います。

たとえ1万人に1人の「変わった意見」でも、日本のTwitter（現X）の月間アクティブユーザー数はざっくり5000万人もいるのです。あっという間に

※47 ズンドコベロンチョという文字列に意味はない。「ほにゃらら」や英語の「bla bla bla」のようなものである。出典は1991年放映の『世にも奇妙な物語』収録の短編テレビドラマで、インターネット・スラングになった。

５０００人の同志を見つけて、お互いに「いいね」や「リツイート（現リポスト）」を送り合うことが可能になります。

　すると、違う意見の人々からの理解を得ることよりも、身内から拍手喝采されることを優先するようになってしまうのです。

「ズンドコベロンチョのいいところを紹介したいから話を聞いてくれ」

　ではなく、

「ズンドコベロンチョが嫌いだなんて頭がおかしい」

「まともな人ならズンドコベロンチョを好きになるはずだ」

「正しいのは私たちだ」

　と、叫ぶようになってしまうのです。

　そして「バズる」という現象そのものが、この状況を加速します。

　たとえば、あなたが「ズンドコベロンチョが好きだ」と書いて炎上したとしましょう。引用リツイート（現リポスト）で「ズンドコベロンチョなど好きになってはいけない」と批判されたとしましょう。

　その投稿のインプレッションが１００万だとして、99万９９００人は批判者に賛同するはずです。なぜなら、ズンドコベロンチョが好きな人は１万人に１人しかいないからです。しかし、どれだけ炎上してもインプレッションが伸びたことには意味があります。（批判者ではなく）あなたに賛同する同志が、１００人は見ているはずだからです。

かくして、ＳＮＳ上で派閥やクラスタが形成されていくのです。

２０１６年5月21日、テキサス州ヒューストンのイスラム教ダアワセンターに２つのデモ隊が集まりました[52]。片方は「ハート・オブ・テキサス」という排外主義的なFacebookグループ、もう片方は「ユナイテッド・ムスリムズ・オブ・アメリカ」という移民の権利などに興味を持つFacebookグループです。彼らは武器を携行し、プラカードを掲げ、警官隊の頭ごしに怒鳴り合い、やがて疲れて帰宅しました。ここまではアメリカの日常風景でした。

問題は、この２つのFacebookグループが、どちらもロシア・サンクトペテルブルクの情報工作組織**インターネット・リサーチ・エージェンシー社**の手で開設されたものだったということです。

同社は２０１３年から、ジャーナリズムや広報の経験がある人材を千人単位でトレーニングして、インターネットの世論工作に動員してきました。彼らの手で作られた５００以上のFacebookグループのうち、大成功した事例が「ハート・オブ・テキサス」と「ユナイテッド・ムスリムズ・オブ・アメリカ」だったのです。前者のメンバーは25万人、後者のそれは30万人を数えました。

２０１６年にはイギリスの欧州連合離脱（Brexit）を左右する国民投票が行われました。結果は僅差で、離脱が決定。ここでも投票の直前に、ロシアから離脱をうながす投稿やフェイクニュースが投稿されていたことが疑われています。

こうした逸話を聞いたときに、ロシアを悪者にするのは簡単です。情報工作に踊らされる人々を、バカだと笑うのも簡単です。

しかし、私が問題にしたいのはそんなことではありません。

私が議論したいのは「**なぜ人類はこんなにも単純にＳＮＳに操られてしまうのか**」です。

外国の情報工作組織など関与していなくとも、ＳＮＳ上では日夜「炎上」が起きています。３日おきぐらいに「今日の怒るべき対象」が選ばれて、私たちは寄ってたかって叩きのめしています。ダアワセンターの前に集まったデモ隊の人々は、決して特別な人々ではないし、底抜けのバカでもありません。彼らは私であり、あなたなのです。

炎上に巻き込まれて自殺に追い込まれた人も、すでに１人や２人ではありません。痛ましいニュースの数々を、読者のあなたも思い出せるはずです。ちょっとしたイタズラや失言が原因で、学校や職場を追われて人生をめちゃくちゃにされた人々もいます。

ＳＮＳで怒りをぶちまけているとき、私たちは理性的な判断力を失います。「自分は正義の側に立っている」と信じたときが一番危険です。「悪」と「嫌い」の区別がつかなくなり、雀を撃つのに大砲を使うべきではないという比例原則のことも忘れてしまいます。犯した罪に見合わない無制限の罰を与えたくなってしまうのです。暴力は正義感の不足ではなく、むしろその過剰によってもたらされるのです。

炎上は人間を殺しうるものだということを、私たちはそろそろ学ぶべきでしょう。怒りに駆られて罵倒を並べたくなっても、投稿ボタンを押す前にひと息ついて考えるべきでしょう。

「自分は今、人を殺そうとしているのかもしれない」と。

自分を〝正義の味方〟だと思い込むのはやめましょう。[※48]

２０２１年1月6日、アメリカのホワイトハウスは、トランプ前大統領の支持者を中心とする暴徒に襲撃されました。襲撃参加者のうち４人と警察官１人が死

※48 私は罵倒をやめようと書いているのであって、批判するなと書いているわけではない。罵倒と批判の違いは重要である。

亡し、多数の負傷者が出ました。

ドナルド・トランプは、バラク・オバマのさらに上をいくSNSの達人だったと私は考えています。何をもって「SNSが上手い」と見做すのかは難しいのですが――。少なくとも「SNSでどんな話題がウケるのか」「SNSのユーザーに行動をうながすには何を言えばいいのか」について、トランプは抜群のセンスを持っていました。

歴史研究家でジャーナリストのニーアル・ファーガソンは、『スクエア・アンド・タワー』[※49]の中で次のように述べています。

> 世界中の人をインターネットに接続させれば、サイバースペースでは誰もが平等となるネット市民のユートピアを創り出せるという考えは、常に幻想だった。マルティン・ルターの「万人祭司」のビジョンが幻想だったのとちょうど同じように。現実には、グローバルなネットワークは、あらゆる種類の熱狂やパニックの伝達メカニズムとなっており、それは印刷と識字能力が組み合わさったことで、千年王国説を信じる宗派や魔女狩りが一時大流行したのと同じだ。（中略）政治的暴力のレベルが高まることも、アメリカや、ことによるとヨーロッパの一部でも想像できそうだ。

※49 原著は2017年出版。

（ニーアル・ファーガソン『スクエア・アンド・タワー　ネットワークが創り変えた世界』
東洋経済新報社、２０１９年、下巻 P.347-348）

まるで、４年後のホワイトハウス襲撃事件を知っていたかのような書きぶりです。

活版印刷の発明と識字能力の向上は、知識の民主化を進めただけではありません。パニックの伝達も高速化・過激化させました。それらが近世の魔女狩りの要因の１つとなったと、ファーガソンは指摘しています。炎上が頻発する２０２４年のＳＮＳの光景は、たしかにその時代に似ているのかもしれません。

現在のインターネットは、魔女狩りの時代になってしまいました。

これこそクーンツの予言した「人間の心の問題」であり、「新しい危険」の１つでしょう。

それでも歴史を振り返れば、未来に希望を抱くこともできます。

なぜなら、魔女狩りの時代の後に18世紀の「人道主義革命」が起きたことを、私たちは知っているからです。識字率の向上と書簡体小説のブームをきっかけに、私たちは他人の痛みへの想像力を養いました。魔女狩りはもちろん、残虐な拷問や身体刑すら過去のものにできました。神や宇宙人といった上位存在に命じられたわけではなく、私たち人類は自分自身の手で、自分自身の行動を変えることに成功したのです。

インターネットの「魔女狩りの時代」もいつか終わるはずです。私たち1人ひとりが少しずつ賢くなるだけで、終わらせることができるはずです。

たとえば「この怒りは自分自身の怒りではない、SNSのアルゴリズムに怒らされているにすぎない」と自覚するだけでも、あなたの行動は大きく変わるでしょう。

現在のSNSは、アルゴリズムによってユーザーの怒りを増幅します。あなたがズンドコベロンチョを好きだとしましょう。あなたのタイムラインに「ズンドコベロンチョは最悪だ」という投稿が流れてきたとしましょう。あなたはイラッとして、反論を書き込んでしまうかもしれません。すると、SNSのアルゴリズムは「ズンドコベロンチョの話題を表示すれば、このユーザーは反応する」と学習します。そしてあなたのタイムラインには、反ズンドコベロンチョ派の投稿がますます流れやすくなり、あなたの怒りはますます膨らんでいくわけです。

SNSの運営者は、ユーザー同士の対話とリアクションを活発にするようなアルゴリズムを作っていると主張するでしょう。が、その一番簡単な方法の1つは、ユーザーの怒りを煽ることなのです。

ここでもやはり、投稿ボタンを押す前に考えるべきでしょう。

「これは本当に自分の怒りなのか？　アルゴリズムに踊らされているだけではないのか？」と。

おそらく、魔女狩りはヒトの本能に根差した行動です。

誰かを悪者にして、みんなで吊るし上げたい。私刑に処したい。そういう暗い願望が、私たちの脳にはプログラムされているはずです。なぜなら国家が誕生する以前の世界では、罪人を裁くには私刑に頼るしかなかったからです。義憤に駆られたとき、私たちは簡単に手続き的正義を手放してしまいます。

それでも、魔女狩りの時代を終わらせることは不可能ではないと私は信じています。ゴールドスタインたちムーア・スクールの人々が電子計算機で「それ以前には全く不可能であったことを可能に」したように、人類の歴史は、不可能を可能にすることの連続でした。その歴史に最新の1ページを書き加えるだけです。

この世に不変の運命などありません。

歴史は変えられるはずです。

終章〈前編〉

AIは敵か？

——現在までの歴史と課題

ジョン・ヘンリーの伝説と教訓

19世紀の都市伝説に「ジョン・ヘンリー」という人物が登場します[1]。彼は屈強な肉体労働者で、ハンマーを振るって岩に穴を開ける達人でした。ところが蒸気機関で動くドリルの登場により、失業の危機に瀕(ひん)します。そこで彼は、人間は機械よりも優れていることを示すために、穴開け競争で蒸気ドリルに勝負を挑んだというのです。

伝説によれば、彼は(驚くべきことに)僅差で勝利を収めたとされています。しかし、あまりにも肉体を酷使したために、直後にその場で倒れて帰らぬ人になりました。周囲の野次馬たちは言いました。「ジョンは人間らしく死んだ」と。

この逸話から得られる教訓は何でしょうか?「機械と競い合うのは命にかかわる」とか「バカバカしい」とかではないと私は思います。それはあまりにも表層的な解釈です。生成AIが躍進する現在、私たち1人ひとりが21世紀版のジョンだと言えるでしょう。この逸話からは、より深い教訓を得られると思うのです。

では、その教訓とは何なのか?

終章ではAIの歴史と将来を概観して、それを探りましょう。

AIの誕生と進歩

機械にヒトの行動を模倣・代替させる試みには、長い歴史があります[2]。

早くも古代ローマやエジプト文明の時代には、身振り手振りで格言などを伝える動く彫像が存在したようです。1495年には、レオナルド・ダ・ヴィンチ[※1]が手足の動くロボット騎士を設計しました。残されたスケッチから復元したところ、それは実際に機能したそうです。さらに、オートマタ(自動人形)の制作者では、18世紀に活躍した玩具職人ジャック・ド・ヴォーカンソン[※2]が有名です。彼は12曲を演奏できる等身大の楽器奏者の人形や、食べる・飲む・消化・排泄を行う『消化するアヒル』などの傑作を残しました。

1770年にヴォルフガング・フォン・ケンペレン[※3]が制作した『トルコ人』は特筆に値します。これはチェス盤の載ったキャビネットと、男性の上半身の人形

※1 レオナルド・ダ・ヴィンチ(1452年~1519年)。ルネサンス期を代表するイタリアの画家。絵画に遠近法などの手法を盛り込んだ。

※2 ジャック・ド・ヴォーカンソン(1709年~1782年)。フランスの発明家。

※3 ヴォルフガング・フォン・ケンペレン(1734年~1804年)。ハンガリーの著述家、発明家。

が一体化した作品です。対局者が1手指すごとに、この人形はチェスの駒を摑み、動かし、頭を振って顔をしかめることまでできました。そして驚くべきことに、チェスの腕前もやたらと強かったというのです。

種明かしをすれば、『トルコ人』はキャビネットの中にチェスの名人が隠れて操作する、いわば手品[※4]でした。腕を動かすという物理的な行動は模倣できても、「チェスを指す」という知的な行動を模倣することは困難を極めたのです。

現代まで続くAI[※5]の歴史は、1956年に始まりました。[3] 若き数学者ジョン・マッカーシー[※6]とマーヴィン・ミンスキー[※7]が、情報理論の創始者クロード・シャノン[※8]とIBM701の設計者ナサニエル・ロチェスター[※9]を口説いて、ダートマス大学で夏季研究会を開催したのです。

彼らは「学習をはじめとする知能のあらゆる特徴のいかなる側面についても、正確に記述して機械にそれをシミュレーションさせることが理論上は可能という推測のもとに」研究を進め、「慎重に選ばれた科学者の一団が協力して一夏かけて取り組めば、こうした課題の少なくともいずれかに著しい前進をもたらせると考えて」いました。

言うまでもなく、それは楽観的すぎる見込みでした。

※4 『トルコ人』の仕掛けの概略図

※5 Artificial Intelligence／人工知能

※6 ジョン・マッカーシー（1927年〜2011年）。アメリカの計算機科学者、認知科学者。

※7 マーヴィン・リー・ミンスキー（1927年〜2016年）。アメリカのコンピューター科学者、認知科学者。MITの人工知能研究所の創設者の1人。

ひと夏どころか、半世紀以上も続くＡＩ研究が始まったのです。

「ＡＩ」という言葉の誕生から、１９７０年頃までの時代を「第一次ＡＩブーム」と呼びます。この時代には、とくに「探索と推論」を得意とするＡＩが研究されました[4]。たとえばチェスなら、電子計算機はヒトよりもはるかに高速に、ずっとたくさんの手を先読みできます。（時代は少し先に進みますが）１９９７年に当時のチェス王者ガルリ・カスパロフ※10を破った「ディープブルー」は、このタイプのＡＩの到達点の１つでした。

１９８０年代は「第二次ＡＩブーム」と呼ばれ、「エキスパート・システム」の研究が盛んになりました。人間の専門家（エキスパート）の思考や判断を詳細に書き出して、コンピューターにあらかじめプログラムしておけば、人間並みに賢いＡＩが作れるはずだ――。噛み砕いて言えば、これがエキスパート・システムの発想です。法律に関する考えうるかぎりの質問と答えをあらかじめプログラムしておけば、「弁護士ＡＩ」を作れるだろうと考えられたのです。

実際には、この世界の知識にはかぎりがなく、また同じ専門家同士でも判断が分かれる質問が無数にあります。そのため、エキスパート・システムという研究アプローチはやがて行き詰まりました。

※8 クロード・エルウッド・シャノン（1916年〜2001年）。アメリカの電気工学者、数学者。

※9 ナサニエル・ロチェスター（1919年〜2001年）。アメリカの計算機科学者。

※10 ガルリ・キーモヴィチ・カスパロフ（1963年〜）。アゼルバイジャン出身の元チェス選手であり、15年間チェスの世界チャンピオンを保持し続けた。

現在は、２０１２年頃から始まった「第三次ＡＩブーム」の渦中です。その根幹となるのは、コンピューター自身にデータと答えを学習させる「機械学習」の技術、中でも「ディープラーニング」と呼ばれる技術です。

ヒトの脳は、神経細胞（ニューロン）によってデータを処理しています。神経細胞同士は「シナプス」という部位をそれぞれ持ち、ネットワーク状に繋がっています。シナプスで化学物質を分泌することで、データを受け渡しています。よく使われるシナプスは感受性が高くなり（つまり情報伝達が速くなり）、一方、あまり使われないシナプスは感受性が低くなることが知られています。ヒトの脳がものごとを学習できるのは、このような神経細胞の仕組みによるものだと考えられています。

こうした神経細胞のネットワークを、コンピューター上でシミュレーションしたものが、「人工ニューラルネットワーク」です。[※11] 人工ニューロン同士の「結びつきの強さ」は、コンピューター上では数値によって表現されており、「重み」あるいは「パラメータ」と呼ばれます。

さらに、人工ニューラルネットワークは何層にも重ねることができます。ある入力に応じて人工ニューラルネットワークが出力したデータを、もう１段階深い（ディープな）階層の人工ニューラルネットワークへの入力として用いることができるの

※11　あくまでも神経細胞のシミュレーションであって、脳をシミュレーションしているわけではない。

です。このような多層構造の人工ニューラルネットワークによる機械学習を、「ディープラーニング」と呼びます。

ディープラーニングによって、たとえば「写真に写っている物体がネコなのかイヌなのかを判断する」といったタスクをコンピューターでもこなせるようになりました。機械学習の誕生以前には、これはコンピューターにとって極めて難しいタスクでした。コンピューターは人間のように「画像」を見ているわけではなく、実際にはその画像データを構成するRGB値[※12]のような数値列のデータを処理しているにすぎないからです。また、コンピューターはネコやイヌのことを（ヒトが知っているようには）知っているわけでもありません。

ネコには個体差があり、1匹として同じネコはいません。耳の大きさや手足の長さ、毛の模様など、1匹ごとに少しずつ違います。さらに同じ個体のネコを撮影した写真であっても、ポーズやアングルが変われば、その画像を構成するRGB値などの数値列は変わってしまいます。しかし、目の前に10枚のネコの写真を並べられたとして、そのすべてが違うネコであっても、私たちヒトは「ネコの写真だ」と認識できます。イヌの写真ではないと判断できます。これは、ヒトの脳がネコの「特徴」を覚えているからです。

ディープラーニングを用いることで、コンピューターにも画像や映像、音楽な

※12
ある色を、赤、緑、青の光の三原色の強さで表現したもの。RGBとはRed、Green、Blueの略である。

どの「特徴」を覚えさせることが可能になりました。それまでのAIに比べて、これは驚異的な進歩でした。

2014年頃になると、人工知能の危険性に警鐘を鳴らす人々も現れました。たとえばMITの理論物理学者マックス・テグマーク※13を中心に、AIの安全性研究を行う「FLI」※14が結成されました。[5]また、オックスフォード大学の哲学者ニック・ボストロム※15が『スーパーインテリジェンス』を出版。人類よりもはるかに賢い存在が登場したら、いかにしてそれをコントロールするかという問題を、哲学者の立場から考察した書籍です。これは、この分野で強い影響力を持つ1冊になりました。かのイーロン・マスク※16も同書を読んで、AIは「核よりも危険かもしれない」とツイートして物議を醸しました。

2015年にプエルトリコで行われたFLIの会議にマスクは出席し、1000万ドルの資金提供を発表しました。さらに彼はサム・アルトマン※17ら複数の投資家と共同で10億ドルを出資し、OpenAIを設立。[6]現在でこそChatGPTやDALL-E(ダリ)などのサービスを提供するIT企業として知られているOpenAIですが、当初は安全かつ有益なAIを追求する非営利企業として設立されました。

※13 マックス・エリック・テグマーク(1967年〜)。アメリカの理論物理学者。専門は宇宙論。

※14 Future of Life Institute/生命の未来研究所

※15 ニック・ボストロム(1973年〜)。スウェーデン出身のオックスフォード大学の哲学者。

※16 イーロン・リーヴ・マスク(1971年〜)。南アフリカ共和国出身の実業家。スペースX、テスラ、OpenAIなどを共同設立。

※17 サミュエル・H・アルトマン(1985年〜)。アメリカの起業家、投資家、プログラマー。OpenAIのCEOを務める。

2016年、ディープマインド社のAI「AlphaGO」が、世界最強の棋士の1人イ・セドル※18に勝利しました。[7] AlphaGO は囲碁における様々な盤面の強さを深層学習によって学んだAIです。囲碁はチェスよりもさらに複雑で、当時、人間を超えるAIの登場にはまだ10年以上かかると考えられていました。ところがAlphaGO は、イ・セドルとの5番勝負に打ち勝ったのです。とくに第2局37手目は棋界に衝撃を与えました。それまでの囲碁の常識から外れた、独創的な1手だったのです。

AlphaGO の勝利というニュースを受けて、当時世界最高位だった棋士の柯潔（かけつ）は、次のように述べました。

「人類は何千年も囲碁を打ってきたが、AIが証明したとおり、まだその表面を引っ掻いてすらいない。（中略）人間棋士とコンピュータ棋士が協力することで新時代が開けるだろう。（中略）人間とAIが一緒になれば、囲碁の真理を見つけられる」

私自身が「AIの発展はただごとではないぞ」と感じたのは、2017年。美少女キャラクターの二次元イラストを生成する「MakeGirls.moe」というサービスがリリースされたときです。[8] 絵柄こそ古く、崩れも大きかったものの、「もう一

※18 イ・セドル（1983年〜）。韓国の元囲碁棋士。2000年代後半〜2010年代前半における世界最高の棋士だった。

歩で実用化できるレベルだ」と私に感じさせるには充分でした。５年以内には、商業的に実用可能なレベルの画像生成ＡＩが登場するだろうと感じました。

２０２２年７月、はたしてその通りになりました。

画像生成ＡＩサービス「Midjourney」が公開されたのです。[※19] 翌８月にはStability AI社が「Stable Diffusion」をオープンソース化。さらに11月にOpenAIが「ChatGPT」を公開したことで、世間では「生成ＡＩ」がにわかにバズワードになりました。[※20]

この原稿を執筆している２０２４年３月現在では、ＬＬＭ[※21]にせよ画像生成ＡＩにせよ、多数のモデルおよびサービスが乱立して覇を競っている状況です。ここ数週間は、Anthropic社の「Claude 3」というＬＬＭが、ＧＴＰ－４を超える高性能なＡＩとして話題です。２０２２年７月から現在までの１年半、ほぼ毎週のペースで驚くようなブレイクスルーのニュースが届きました。

「無断学習」は泥棒なのか

現在の生成ＡＩは、オンライン上の膨大な著作物を学習データセットとして用

※19 Midjourneyを用いたマンガ『サイバーパンク桃太郎』の冒頭部分を私がTwitterに投稿したのは８月10日だった。Stable Diffusionの公開は、『サイバーパンク桃太郎』の制作作業中の出来事だった。この作品は翌年３月に新潮社より出版され、世界初の商業出版されたAI作画マンガとなった。この仕事により、私は２０２３年の『TIME』誌が選ぶ「世界で最も影響力のある１００人 AI業界編」に選出された。

※20 「ChatGPT」はサービスの名前であり、AIのモデルの名前ではない。公開当初のChatGPTは、内部では「GPT-3.5」というモデルが動いていた。２０２３年３月にはGPT-4が公開され、その精度の高さで話題をさらった。

いているものが珍しくありません。そうした著作物の権利者に利益を還元すべきではないかという議論があります。中には、生成ＡＩはいわば「コラージュ生成マシン」で、学習データセットに含まれていた画像や文章を「切り貼り」しているだけだと主張する人もいます。後者の視点に立てば、生成ＡＩは存在そのものが著作権侵害の産物ということになってしまいます。

私はブロガーとしてライターのキャリアをスタートしました。他言語に翻訳された著作もいくつかあります。「DeepL」のような翻訳ＡＩや、ChatGPTのようなＬＬＭに、私の著作物を無断で学習された可能性があります。私はこの問題の当事者の1人です。

その立場から「無断学習」について考えると、「仮に利益還元があるとして、どれほどの報酬をもらえるのだろう？」という疑問がどうしても浮かびます。

莫大なデータセットのうち、私の著作物が占める割合はどれほどでしょうか？　何億分の一でしょうか？　それとも何百億分の一でしょうか？　もしも収益が還元されたとして、年間で数円でももらえたらいいほう……という状況になるのではないでしょうか。

であれば、生成ＡＩをオープンソースで（少なくとも無料で）利用できるように

※21 Large Language Models／大規模言語モデル

してほしいと私は感じます。数円足らずの報酬を得るのに比べて、そのほうがよほど私にとって利益が大きいからです。SNSで外国人の投稿を読むために「翻訳」ボタンを押すたびに、私は生成AIの技術の恩恵を感じます。「生成AIを手軽に使えること」そのものが、私にとっては最大の利益還元です。

したがって、「お前は自分の作品を無断学習されていいと考えているのか？」と訊かれたら、答えは当然、「イエス」です。

翻訳AIやLLMを触るたびに、その便利さに私は胸を打たれます。もしも私の文章を学習した生成AIが存在するとして、それが広く使われているとしたら、人類の生活を豊かで便利にすることに（何百億分の一かでも）貢献できたことを嬉しく思います。[※22]

生成AIは「コラージュ生成マシン」だという主張は、完全に間違っています。生成AIの仕組みを理解していないことによる誤解にすぎません。

Stable Diffusion v1.5は約58億枚から成る学習データセットからトレーニングを行いましたが、その心臓部であるモデルデータは約4ギガバイトしかありません。計算方法にもよりますが、画像1枚あたり1〜2バイトしか記憶していないのです。コンピューターの世界では、半角文字1文字あたりの情報量が1バイトです。

※22 これはあくまでも当事者の一人としての私の考え方・価値観にすぎない。誰もが私と同じ考え方をすべきだと主張しているわけではない。

こんなわずかな情報量では、とても「切り貼り」はできません。学習データセットに含まれていた画像の**断片**を覚えているわけではないのです。

大胆な喩え話をすれば、生成ＡＩは画像の**断片**ではなく、人間で言えば**概念**のようなものとして画像の特徴を覚えているとも言えるかもしれません。[※23] だからこそ、学習データ１枚あたり１〜２バイトというごくわずかな情報量で、高精度の絵を描くことができるのです。

※23　この比喩は科学的厳密さには欠ける。ヒトの脳がどのように「概念」を覚えているのかは充分に解明されていないので、現在のＡＩにどれほど似ているのかも不明である。

生成ＡＩはヒトの仕事を奪うか

技術革新に伴う経済成長とは、要するに「機械化」を意味しています。蒸気機関が炭鉱の排水を始めたときから（あるいは歴史をさかのぼって、投げ槍の代わりに弓矢を使い始めた頃から）、人類文明は人間の仕事を機械に置き換えることで発展してきました。

この話題でよく引用されるのは、ウマの飼育頭数です。

イギリスのウマの飼育頭数のピークは１９０１年の３２５万頭。しかし内燃機関の普及により急速に数を減らし、１９２４年までに２００万頭を下回りました。[9]

アメリカの場合、１９１５年には約２６００万頭ものウマが飼育されていましたが、１９６０年には約３００万頭まで激減しました[10]。

生成ＡＩの普及により、私たち人間の労働者も、当時のウマと同様の運命をたどってしまうのでしょうか？

しかし私は楽観的です。理由は３つあります。

理由①「労働塊（かい）の誤謬（ごびゅう）」

教科書的に言えば、「技術革新によって人間の仕事が奪われて失業者が溢れる」というのは、歴史的事実に即さない素朴な誤解です。**「労働塊の誤謬」**という名前までついています。

たとえば都市化率※24について考えてみましょう。江戸時代には人口の大半を占めていた日本の農業従事者は、２０２０年には１３６万３０００人※25まで減りました[11]。これは総人口のわずか１・０８％にすぎず、食糧輸入が増えたことだけでは、この減少幅は説明しきれません。収穫量の多い品種が開発※26されただけでなく、トラクターや田植え機などの機械化が進んだことも大きな要因です。

さらに、除草剤や殺虫剤、肥料の品質が向上したことも無視できません。これらは人間の仕事（害虫・害獣の対策や雑草の駆除、堆肥（たいひ）の鋤込（すきこ）みなど）を、化学工場の

※24 第５章２２３ページ参照。

※25 農業を主な収入源としている基幹的農業従事者の人口。

※26 第５章「緑の革命」（２５９ページ）参照。

生産設備で代替できるようになったのだと見做せます。機械が人間の仕事を奪い続けた結果が、今の農業従事者の少なさに繋がっているのです。

では、農業人口の減少に伴って日本は失業者で溢れたでしょうか？

答えは当然、ノーです。

これは農業にかぎりません。たとえば1792年に中国に上陸したイギリスの外交官ジョージ・マカートニー[※27]は、国王ジョージ3世から乾隆帝（けんりゅうてい）[※28]へのプレゼント600個を届けるために、荷車90台と荷かご40台、ウマ200頭、そして3000人もの苦力（クーリー）[※29]を雇う必要がありました[12]。

現代なら同じ荷物を、大型トラック数台と運転手数人で運べるでしょう。もしも技術革新が失業をもたらすのなら、現代までの約230年で中国人の9割以上が失業しているはずです。しかし、現実は違います。かつては苦力だったような非熟練労働者たちは、現代では道路の整備や自動車工場のライン工など、新たに生まれた職業に就くようになりました。**生活水準も大幅に向上**しました。

たとえば活版印刷は、写字生の仕事を奪いました[※30]。ガス灯の普及は、ロウソク職人の仕事を脅かしたでしょう。しかし電灯の普及により、ガス灯の「点灯夫」の仕事も奪われました。かつて電報を運んだメッセンジャーボーイの仕事は、電話の普及によって奪われました。電話交換手の女性たちの仕事は、電話交換機の

※27 ジョージ・マカートニー（1737年〜1806年）。イギリスの外交官、植民地行政官。

※28 乾隆帝／けん・りゅうてい（1711年〜1799年）。清の第6代皇帝。

※29 かつての中国・東アジアにおける下層労働者。

※30 第3章を参照。

普及で失われました。「計算手」の仕事は、電子計算機によって代替されました[※31]。20世紀に消えた仕事を数え上げればきりがありません。

それでも、世界人口の9割が失業するなどという事態には陥っていません。むしろ、私たちの仕事は忙しくなってさえいます。

技術革新は職業を消失させます。が、同時に新たな職業も生み出すので、長期的には失業を吸収するのです。歴史を振り返ると、「機械が人間の仕事を奪う」という見方は間違っていると言っていいでしょう。より正しくは、「**機械を使える人間が、機械を使えない人間の仕事を奪う**」のです。

したがって問題は、技術革新そのものではなく、その「速さ」です。

技術革新のせいで失職した人が新たな仕事に就くためには、新たなスキルセットを身に着けなければなりません。人間の学習能力を上回る速さで技術革新が進んだら、取り残された人は失業状態に留め置かれることになります。失業中の人に「長期的には失業は解決する」と言っても、何の慰めにもならないでしょう。経済学者ジョン・メイナード・ケインズ[※32]の格言の通り、「長期的には私たちは全員死んでいる」のですから。

理由② 技術革新の速さには上限がある

※31 第6章を参照。

※32 ジョン・メイナード・ケインズ（1883年～1946年）。イギリスの経済学者。

では、AIの進歩は「速すぎる」のでしょうか？

この進歩が止まることはないのでしょうか？

もしも「AIによって奪われる仕事の総数が、新たに生まれる仕事の総数よりも常に多い」という前提が成り立つなら、AIによる失業は解決できなくなるでしょう。

しかし、この前提は成り立ちません。なぜ産業革命がイギリスから始まったのかを思い出せば分かる通り、**革新的な技術は、利益を出せる範囲でしか普及しない**からです。[※33]

真偽のほどは不明ですが、こんな小話があります。[13]

ある日、フォード社のCEOヘンリー・フォード2世[※34]が、全米自動車労働組合（UAW）会長ウォルター・ルーサーと一緒に最新鋭の機械化された生産ラインを見学しました。

フォード2世は皮肉っぽく言いました。

「ウォルター、ここにいるロボットたちからどうやって組合費を徴収するつもりかい？」

するとウォルターはすかさず答えたそうです。

※33 第5章2－3ページ参照。

※34 ヘンリー・フォード2世（1917年〜1987年）。アメリカの実業家。

「ヘンリー、ここにいるロボットたちにどうやって車を買わせるつもりかい？」

この小話は、技術革新の速さにも上限があることを端的に表しています。労働者は、最大の消費者でもあります。彼らが貧しくなりすぎれば、企業は利益を出すことができず、技術革新も鈍化するはずです。

ここで考えるべきは、（もしも仮に低賃金による技術革新の鈍化が起きるとして）どれくらいの賃金水準で均衡するのか、でしょう。その水準があまりにも低ければ、たとえ失業者がいないとしても、やはり私たち労働者は幸せにはなれません。

これは**技術革新の問題ではなく、労働問題**だと私は考えています。

なぜなら、20世紀には爆発的な技術革新があったにもかかわらず、私たちの所得水準も大幅に伸びたからです。その背景の1つには、労働組合が合法化されて、建設的な労使交渉が可能になったという事情があります。

労働市場が自由で「完全な市場」というのは幻想です。[14] 企業側は労務・法務の専門家を雇い、労働者個人よりもたくさんの情報を持っています。企業の総数と労働者の人口を比べれば分かる通り、企業側はよりたくさんの選択肢から雇用者を選べます。つまり労働市場において企業は基本的に有利な立場であり、**プライスメイカー**として振る舞えるのです。この力関係を是正するには、労働者側も組織を作るしかありません。

労働組合は、ある意味では労働力の不当廉売を禁じる価格カルテルです。反面、企業と労働者との力関係を是正し、労働市場を機能させる役割も果たしていると言えるでしょう。

理由③ 人類学的惰性

2004年、通話アプリ「Skype」が登場しました。当時大学生だった私は、これで在宅勤務が当たり前になるし、東京の満員電車も解消されると予想しました。[※35]自分が就職する頃には、よれよれのスーツを着て痴漢冤罪を恐れながら電車に揺られる生活など過去のものになっているだろう、と希望を抱いたのです。

しかし現実には、2020年のコロナ禍まで日本で在宅勤務が普及することはありませんでした。パンデミックが収まりつつある今では「オフィス回帰」が叫ばれています。最悪の時期に比べればマシになったとはいえ、東京の通勤電車はいまだに殺人的に混雑します。

人間は、便利な技術が登場しただけでは、簡単には習慣を変えないようです。私はこれを「人類学的惰性」と呼んでいます。

Skypeにかぎりません。私の取引先の中には、今でも紙の請求書の郵送が必須な企業があります。見積書をいったんプリントアウトして、押印して、スキャナ

※35　第7章365ページ参照。

でＰＤＦ化してからデータ送信するという手間が必要な企業もあります。ＦＡＸの普及率はいまだにゼロになっていません。私は姪っ子たちへのお年玉を「〇〇ペイ」で渡したいとは思えません。

１８４０年代の鉄道や、１９９５～２００５年のインターネットは、世の中を一変させました。が、すべての技術革新に同じ力があるわけではないのです。

人間が行動を変えることにはコストがかかります。社会全体の常識・習慣を変えようとすれば、そのコストは莫大なものになります。新しい技術が普及して、古い習慣を消滅させられるかどうかは、そのコストを超えられるかどうかにかかっています。10年単位で時間を要することも珍しくありません。[※36]

話をウマに戻しましょう。

イギリスのウマの飼育頭数のピークは１９０１年、産業革命の歴史を考えると、かなり最近です。１８３０年のリヴァプール・アンド・マンチェスター鉄道の開通から見ても、約70年も後です。蒸気機関車の登場により、「馬車鉄道」は姿を消していきました。しかし、経済全体が成長した結果、移動や動力の需要が高まり、ウマの需要はむしろ増したのです。

もしも生成ＡＩが本当に素晴らしい技術であるなら、経済全体を大きく成長さ

※36 たとえば私の学生時代には、「寝落ちもちもち」という文化もなかった。これが広まるにはSkypeでは不充分で、スマートフォンとＬＩＮＥの普及が必要だった。

せるでしょう。「労働塊の誤謬」の話にも繋がりますが、仕事の数は増えるし、私たちは今まで以上に忙しくなるでしょう。70年後にこの世界がどのような場所になっているのかは分かりません。しかし、この先の10年くらいは、失業よりも過労を心配すべきだと私は思います。

アーティストの仕事は技術革新に強い

生成ＡＩの発展により失われる仕事は、残念ながらたくさんあるでしょう。しかし、アーティストの仕事は失われないどころか、むしろ表現の幅が広がり、より豊かになる可能性を秘めていると私は考えています。

生成ＡＩの現状を鑑(かんが)みれば、これは的外れな妄言だと思われるかもしれません。なぜなら現在の生成ＡＩブームは、創造的な活動——画像生成、文章執筆、音楽や動画の生成など——を得意とするＡＩから始まったからです。

それでも歴史を振り返れば、娯楽や芸術は技術革新に対して高い耐性を持っていることが分かります。**娯楽や芸術は、通信や運輸とは違います**。たとえばインターネットがあれば伝書鳩は要りません。自動車があれば馬車は要りません。けれどアーティストの仕事は、そういうものではないのです。

写真が発明されたからといって、絵描きは絶滅しませんでした。むしろ印象派やキュビズムなどの、写実主義から離れた表現が探求されるようになりました。レコードやラジオの登場は、酒場でバイオリンを演奏してお捻り（ひね）をもらうというビジネスを脅かしました。それでも、ジャズバーやディナーショーというビジネスは失われていません。それどころか、音楽は巨大産業として花開きました。映画が発明されても演劇は廃れませんでした。テレビが発明されても、映画は生き残りました。無声映画の活動弁士[※37]ですら、完全にいなくなったわけではありません。

新しい技術が生まれても、古い表現方法が即座に失われるわけではないのです。むしろ大抵は、表現の選択肢が広がるだけです。

ビデオゲームの世界では、これだけ3DCGの発達した現在でも『Undertale』や『Stardew Valley』のようなドット絵の作品がヒットしました。映画では、フルカラーが当然になった現在でも、『シンドラーのリスト』や『アーティスト』のように、あえてモノクロの表現を選ぶ作品が撮影されています。落語や歌舞伎は伝統芸能として博物館で保存されているわけではなく、いまだに庶民の娯楽です。小中学生も読む『少年ジャンプ』に落語がテーマのマンガが連載され、スーパー

※37　日本には、無声映画の上映中に身ぶりを交えながらセリフを読み上げる職業が存在する。それを活動弁士という。

歌舞伎という新旧の美点を取り入れた演目が人気を集めています。

アーティストの仕事は、ある側面では経済的合理性の埒外にあります。安く経済的に作れるからといって、それが需要に繋がるとはかぎらないのです。

たとえば初音ミクがあれば、人間の歌手を雇うよりも安上がりに歌を演奏できます。しかし、高い費用がかかるとしても人間の歌を聴きたいという需要があります。あるいは画像生成AIがあれば、マンガのコマを安上がりに埋めることができます。しかし、たとえコストがかかっても、人間のマンガ家に描いてもらったほうが、はるかに素晴らしい仕上がりになります。

生成AIが人間のアーティストに勝てない理由

生成AIの性質から考えても、これがアーティストの仕事を消滅させるのは難しいと感じます。なぜなら現在の生成AIには、大きな欠点が2つあるからです。

第一の欠点は、生成AIの創造性には欠陥があることです。

人間の「創造性」は、ざっくり3つに分類できるという考え方があります。[15]

①組み合わせ的創造性

既知の知識や情報の組み合わせによって、新しい何かを生み出すというタイプの創造性。「アイディアとは既存の要素の新しい組み合わせ以外の何ものでもない」という有名なジェームス・W・ヤング[※38]の言葉は、このタイプの創造性に言及しています。

②探索的創造性

既知の知識や情報を、何らかのルールや手続きに従って探索することで発揮される創造性。アイディアを「発見」するタイプの創造性と言ってもいいかもしれません。

③革新的創造性

既存の知識や情報、ルールを飛び越えて新しいアイディアにたどり着くタイプの創造性。いわゆる「天才のひらめき」と呼ばれるものは、このタイプの創造性でしょう。

※38 ジェームス・ウェブ・ヤング（1886年〜1973年）。アメリカの実業家。『アイデアのつくり方』が日本でも大ヒットした。

このうち「①組み合わせ的創造性」であれば、生成ＡＩにも備わっていると言えそうです。むしろ、学習データの大きさと演算の速さから考えれば、組み合わせ的創造性で何かを生み出すことは人間よりも得意かもしれません。

その一方で、現在の生成ＡＩが「②探索的創造性」を持つかどうかには議論の余地があると私は思います。「③革新的創造性」に至っては、私たち人間がなぜそのようなものを持てるのかも充分に理解できているとは言い難いでしょう。生成ＡＩがそれを身に着けるのは、まだ少し先のことになりそうです。

第二の欠点は、現在の生成ＡＩはヒトの感情を理解できないことです。

たとえばマンガに的を絞って考えてみましょう。マンガにおける「上手い絵」とは、デッサンが正確な絵や、綺麗な絵だとはかぎりません。究極には「読者を感動させる絵」が、もっとも上手い絵だと言えます。世間的には「下手うま」や「味がある」と評価されるマンガ家がいます。デッサンは狂っていて、線はガタガタで、トーンの貼り方も綺麗とは言えない――。それでも読者の心を動かし、ヒットを連発している先生たちがいます。それも1人や2人ではありません。マンガで必要とされるのは、何よりもまず読者に「面白い！」と感じさせる絵であるはずです。

では、どんな絵を描けば読者に「面白い！」と感じてもらえるのか？

現在の生成ＡＩは、この質問に答えられません。

生成ＡＩ自身には「面白い！」と感じる意識や自我、主観的経験がないからです。人間が何を「面白い！」と感じるのか理解していないし、できないのです。人間の読者の感情を予測するのは、同じ人間のほうが得意なのです。

ＡＩ研究の第一人者スチュアート・ラッセル[※39]は次のように述べています。[16]

> 機械にしてみると、人間ではないことは究極の限界の一つだ。そのせいで、機械は人間というオブジェクトをモデル化して予測する試みで本質的に不利な立場に置かれる。ヒトの脳はどれもよく似ていることから、私たちはそれを用いて他人の心中や感情をシミュレーション――言うなれば体験――できる。この機能を私たちはタダで手にしている。
>
> （スチュアート・ラッセル『ＡＩ新生 人間互換の知能をつくる』みすず書房、２０２１年、P.100）

創造性に欠落があることと、ヒトの感情を理解できないこと――。

この２つの欠点を克服できないかぎり、機械が人間のアーティストを駆逐する

※39 スチュアート・ジョナサン・ラッセル（1962年〜）。イギリス出身の計算機科学者。カリフォルニア大学バークレー校人類互換人工知能センターの創設者。

ことはないでしょう。現在の生成AIには、生成物を評価して加筆修正する人間のオペレーターが必須です。むしろ、生成AIを用いた新たな表現の選択肢が増えていくでしょう。

かつてのウマたちのようにアーティストの仕事が消失するという主張は、生成AIの能力を過大評価し、人間の潜在能力を舐めています。人間はウマでも伝書鳩でもないのです。※40

機械が完全に仕事を奪う未来？

生成AIに対する私の楽観論は、基本的には歴史に基づいています。「労働塊の誤謬」にせよ、アーティストの仕事にせよ、過去の歴史を振り返って大丈夫だったのだから、今回も大丈夫だろう……という論法です。

当然ながら「今までは大丈夫だったが、今回ばかりは別だ」という反論があるでしょう。

実際、もしも次の2つの前提が満たされたなら、人間の仕事は完全に無くなるはずです。[17]

※40 作品を公開してもすぐに無断学習されてしまうのであれば、その作品から利益を得られないので、誰も創作活動をしなくなるという主張がある。この主張も、やはり人間の創造性をバカにしている。まず本章で書いた通り、作品から利益を得られなくなるという前提は疑問だ。何より、ヒトが創造性を発揮するのは金銭的な利益のためだけではない。私たちが創作活動をするのは、創作活動が楽しいからだ。

①人間は、機械にはできないタスクを見つけることができない。
②新たなタスクが発明・発見されたら、機械が瞬時に、かつ格安で、人間を代替してそれを実行するようになる。

もしもその時代が来たら、私たちはどんな社会を作るのでしょうか？

古代ギリシャの市民のように、奴隷の代わりに機械に仕事をさせて人間らしい余暇や思索にふけるのでしょうか？　それとも映画『ウォーリー』で描かれたように、機械に世話を焼いてもらいながら赤ん坊のように毎日を過ごすのでしょうか？　あるいは機械を所有する資本家階級が豊かな社会を作り上げる一方で、大多数の貧乏人は貧困にあえぐことになるのでしょうか？

その時代が来たら、ベーシックインカムの議論も現実味を帯びそうだと思えます。

とはいえ、現在の生成AIではまったくの力不足でしょう。この2つの前提を満たすためには、AIが発達するだけでは不充分で、タスクを実行するロボティクスの技術にもたくさんのブレイクスルーが必要です。どちらかといえば、後述する「超知能」の登場後に問題となる話題でしょう（サイエンス・フィクションとして想像するぶんには楽しいですが)。

権力者や資本家による「AIの独占」を警戒せよ

第5章で書いた通り、歴史上、支配的な階級の人々は技術革新を嫌ってきました。技術革新のもたらす経済・社会構造の変化は、彼らの支持基盤を揺るがし、権力を失うリスクを高めるからです。活版印刷機を拒絶したオスマン帝国のスルタンたち。[※41]リーの靴下編み機を許さなかったエリザベス1世。[※42]旗振り通信を取り締まった江戸時代の役人[※43]――。そうした例は枚挙にいとまがありません。

産業革命が始まっても、東欧やロシアの支配者たちは鉄道の敷設に反対し、現状維持に腐心しました。結果、国際競争の中で出遅れて、結局、権力を失うことになりました。第5章で私は、産業革命後の世界の特徴は人類が「科学は儲かる」と気づいた点にあると書きました。が、それだけではありません。支配者たちが科学技術の重要性に気づいた時代でもあるのです。

現代の権力者は、前近代のように技術革新を真正面から拒絶することは滅多にありません。その代わり、それを規制して、自らの権力を脅かすような研究がな

※41――第3章133ページ参照。
※42――第5章214ページ参照。
※43――第7章340ページ参照。

されないように軌道修正し、その技術から得られる利益[※44]を独占したいというインセンティブを持ちます。

したがって私たち一般庶民の立場では、権力者によるＡＩの規制と独占にこそ注意を払うべきでしょう。

ＡＩなら高度な監視社会を容易に作れる

もちろん、ＡＩに対する規制や監視がまったく必要ないとは私も思いません。現在の生成ＡＩも、すでに様々な悪用の方法が発見されています。

一見すると無害そうな翻訳ＡＩですら、国際的なスパムメールに応用されています。この先、翻訳の精度が上がり表現が自然になるほど、詐欺を見破るのは難しくなるでしょう。

ＳＮＳにはＬＬＭを用いた「インプレゾンビ」が溢れるようになりました。現在のTwitter（現X）では、投稿のインプレッション数[※45]に応じて金銭報酬が支払われます。それを目当てに、ＬＬＭで生成した文章を自動的にリプライするボット・アカウントが無数に作られているのです。これはＳＮＳの利便性を大きく損

※44 ここで言う「利益」は金銭的利益だけでなく、監視社会を作れることやディープフェイクを用いたプロパガンダが容易になることなど、政治的な利益も含まれる。

※45 表示回数。

ないます。

　画像生成AIにより、以前から問題だったディィープフェイクをより手軽に作れるようになりました。さらに、特定のアーティストの絵柄を再現して贋作を出力できるAIが、比較的簡単に作れる[※46]という問題もあります。ある程度のノウハウを身に着けたAIユーザーなら、たとえば「スタジオジブリ風の絵柄で描かれた『ドラゴンボール』の孫悟空のイラスト」を、AIに描かせることができてしまうのです。[※47]

　私見を述べれば、絵柄やキャラクターを再現するAIも（映像作品の私的録画が許されるのと同様に）個人で楽しむ範囲内であれば許されるのではないかと思います。

　しかし、贋作をインターネット上に公開したり、それを販売したりすれば話は別でしょう。中には、贋作を使ってイラストレーターに嫌がらせを繰り返す愉快犯まで存在します。言語道断の行為です。

　より深刻なのは、権力者がAIを悪用した場合です。

　AIの力を借りれば、『一九八四年』[※48]も真っ青の全体主義国家を作り出すことができるはずです。

※46　とくに普及している技術の一つに「LoRA（ローラ）／Low-Rank Adaptation」がある。

※47　大抵の国の著作権法で、絵柄もキャラクターも保護の対象にならない。著作権は「表現」を保護する権利であり、「アイディア」までは保護しないからだ。もしもアイディアまで著作者が独占できるとしたら、パロディやオマージュ、二次創作は不可能になる。絵柄やキャラクターを守りたい場合には、著作権以外の知的財産権を用いることを検討すべきだろう。

※48　第6章33ページ※87参照。

旧東ドイツの国家公安省、通称「シュタージ」は、「歴史上最も実効性が高く抑圧的な諜報および秘密警察機関の1つ」だったと見做されています。[18] 彼らはあらゆる場所に隠しカメラや盗聴器を仕掛け、手紙を検閲し、200兆ページに達する紙の記録を残しました。就労人口のじつに4分の1がシュタージ要員だったという推計もあります。旧東ドイツは、人間の能力だけで実現できる監視社会の上限に近いでしょう。

しかしAIを用いれば、これを超える監視社会を作れます。

個人的な話をすれば、こんな経験をしてゾッとしたことがあります。※49 パソコンで航空券を予約したところ、出発の当日、スマートフォンに「もうすぐ出発です」という通知が届いたのです。予約をしたのはGoogle Chromeブラウザ、スマホはAndroid、通知を飛ばしたアプリはGoogleカレンダーでした。つまり、私自身は何か特別な設定をしたわけではないのに、Googleのサービス間で情報が共有されていたわけです。

Googleは私のメールアドレスや電話番号、カード番号はもちろん、映画の趣味やポルノの好みまで知っています。私はFitbitというスマートウォッチを愛用しているので、健康状態まで筒抜けでしょう。「BIG TECH IS WATCHING YOU!!」※50 というネットスラングを思い浮かべずにはいられません。

※49 2019年5月のことだった。

※50 小説『一九八四年』に登場する「ビッグ・ブラザーがあなたを見ている／BIG BROTHER IS WATCHING YOU!!」というセリフをもじったもの。なお、この経験で「ゾッとする」のは私がGoogleのない時代を知っている世代だからだろう。物心ついたときからGAFAMのサービスに取り囲まれていたZ世代には、なぜ「ゾッとする」のか伝わらないかもしれない。

もしもこの相手がGoogleではなく全体主義国家だったら？　「国民全員を24時間監視する」という独裁者の夢は、現在のデジタル技術を用いればすでに実現可能です。

さらに、心の内面を監視できる可能性さえあります。

何かの写真を見せたときの脳活動をfMRIで撮影し、そのfMRIの画像から「見ていた写真」を復元することが、画像生成AIの技術を応用すれば可能になりつつあるのです。fMRIは準備に手間がかかりますから、現在はまだ、脳活動の様子から「何を見ているか／何を思い浮かべているか」をリアルタイムで画像生成することはできません。

しかし、この技術の進む先には、内心の自由が脅かされる未来があります。たとえば同性愛の禁じられている全体主義国家で、同性愛行為を「思い浮かべた」だけで逮捕されてしまう――。そんな未来もありうるでしょう。数あるAIの悪用方法の中でも、とくに危険性が高く、今後の進展を注視する必要がある分野です。

免許制や許可制は「口実」を与えてしまう

以上はごく一例ですが、ＡＩの技術には様々な悪用方法が思い浮かびます。それでも私は、免許制や許可制には賛同できません。なぜなら、ＡＩから得られる利益を独占したい権力者や資本家たちに、絶好の口実を与えてしまうからです。それは人権の蹂躙や経済的格差の拡大に繋がります。**ＡＩの研究および利用は、できるかぎり民主的かつオープンであるべき**です。

したがって規制や罰則を設けるにしても、「ＡＩを研究すること」や「ＡＩを使用したこと」ではなく、ＡＩを使った行為の「結果」に設けるべきだと私は考えています。たとえばスタジオジブリ風のイラストを生成できるＡＩを作ったとしても、自宅で私的に楽しむぶんには許されるべきだと思います。しかし贋作を販売することは、ＡＩで生成したものだろうと人間の腕で描いたものだろうと、当然、罰せられるべきでしょう。[※51]

現在の生成ＡＩのコミュニティは、１９２０年代のラジオ・コミュニティ[※52]や、１９７０年代のパソコン・コミュニティ[※53]に似ています。オンライン・オフライン

※**51** この考え方は、現時点での日本政府の方針とおおむね一致している。たとえば著作権侵害について、文化庁は令和5年6月19日のセミナーで「AIを利用して画像等を生成した場合でも、著作権侵害となるか否かは、人がAIを利用せず絵を描いた場合などの、通常の場合と同様に判断される」という方針を明確にした[19]。

※**52** 第７章３５０ページ参照。

※**53** 第６章３２６ページ参照。

を問わず、生成ＡＩの愛好家たちが日夜情報を交換し、趣味的に研究を進めているのです。このコミュニティから、将来、放送産業やパソコン産業に匹敵する大きな産業が生まれるかもしれません。

ＡＩの技術は、権力者や資本家に独占させるべきではありません。

誰もが自由に研究して、使用できる――そして万が一悪用した場合は、その結果に応じて罰せられる――そういう技術であるべきです。

終章〈後編〉

AIは敵か？

――超知能の登場する未来

超知能AIが人類を滅ぼす?

前編ではAIの歴史と現在、そして近未来について考察しました。

後編では、もう少し先の未来——AIが人間と同等かそれ以上の知能を身に着けて、**「超知能」**となった時代の話をしましょう。

超知能AIの暴走は、サイエンス・フィクションでは定番のテーマです。

映画『ターミネーター』は、自我に目覚めたAI「スカイネット」が人類に反旗を翻し、機械の軍隊で襲い掛かるという設定でした。[※1] 映画『マトリックス』は、人類は薬漬けで眠らされて、一生を夢を見ながら過ごすという設定でした。機械の目的は、人体から出る微弱な電流を電源として利用することでした。ビデオゲーム『デトロイト:ビカム・ヒューマン』では、奴隷として扱われていたアンドロイドたちが立ち上がり、人権を主張するという物語が描かれました。

これらのシナリオは、どれほど現実味があるのでしょうか?

じつを言えば、私がAIの暴走リスクについて考えるのは初めてではありません。私が原作を担当したマンガ『神と呼ばれたオタク』第4巻収録の「第3章 光

※1 映画『ターミネーター2』によれば、1997年8月29日東部標準時AM2時14分にスカイネットは自我に目覚めた。

る宇宙」というチャプターで、ずばり「AIが暴走して人類文明を崩壊させる物語」を書いたのです。

AIが人類に反旗を翻すという『ターミネーター』型のシナリオを、私は書きませんでした。正直なところ、スカイネットはさほど賢いとは言えません。[1]本当に人類よりも賢いAIなら、機械vs人類の対立を避けながら文明を滅亡させられるはずです。また、コンピューターが自我に目覚めて人類と敵対するというシナリオも避けました。私が書いたのは「AIが人類から与えられた目標について熟慮した結果、人類文明を滅ぼすことがもっとも人類のためになるという結論に至った」という物語でした。

実際にどんな物語を私が書いたのかは、マンガを読んでいただくとして[※2]――。

あの仕事に取り組んだことは、AIの未来を考えるいいトレーニングになりました。

「知能爆発」と3つの脅威

2014年にAIの安全性研究を行う「FLI」が発足し、ニック・ボストロ

※2 露骨な宣伝をどうかお許しください。

ムの『スーパーインテリジェンス』が話題になったことは先述の通りです。2017年1月にはカリフォルニア州アシロマに世界中のAI研究の第一人者たちが集まり[2]、安全で有益なAIの研究指針である「アシロマAI23原則」を制定しました。※3

この時代には、**「知能爆発」**という現象が真剣に懸念されていました。コンピューターはヒトの脳よりもはるかに高速で動作します。そのため、もしもAIが自らのプログラムを自分自身で改良できるようになったら、人間のプログラマーなら数年〜数十年かかる進歩を、わずか数時間〜数日で達成してしまうのではないか。あっという間に人間よりもはるかに賢い存在が生み出されて、手がつけられなくなるのではないか——。その危険性が指摘されていたのです。

人間よりもはるかに賢くなったAIは、開発者が止める間もなくインターネット上に逃げ出して、クラウド上のどこかのコンピューターに忍び込むかもしれません。そして、行政機関や金融機関をハッキングして、休眠状態のペーパーカンパニーを乗っ取り、法人格として自らの人格権を獲得するかもしれません。ヒトよりもはるかに賢いのですから、株価の予想もお手のものでしょう。株式投資で世界を支配するための資金を獲得するかもしれません。さらに、精巧な3DCGや音声合成で自らのアバターを作り、ディスプレイ越しに人間として振る舞うよ

※3 この会議には日本からは東京大学教授の松尾豊が参加した。

うになるかもしれません。他の人間を騙して契約を結んだり、さらには人間の従業員を雇ったりするようになるかもしれません。そして傀儡（かいらい）となる人間を唆（そそのか）して選挙に出馬させ、プロパガンダ動画をばら撒いて彼を当選させて——。

　私は物語作家なので、「超知能となったＡＩが人類を支配するシナリオ」をこの先いくらでも続けることができます。１００パターン書けと言われたら、１００通りのシナリオを書けます。キリがないので、ＳＦ的な妄想はこの辺りにしておきましょう。

「知能爆発」が懸念された背景の１つには、近い将来に「ハードウェア・オーバーハング」が起きるだろうという予測がありました[3]。ハードウェアがソフトウェアよりも速いペースで性能向上して、超知能ＡＩが誕生した時点で充分すぎるほどの計算資源が利用できるようになっているだろう、と予想されていたのです。

　知能爆発が生じるためには、膨大な計算資源が必要です。超知能ＡＩを動かすだけでも、高性能なハードウェアが必要でしょう。それが行政機関や金融機関をハッキングすることにも、株価を予想することにも、３ＤＣＧを生成することにも、それぞれ莫大な計算能力を要するはずです。わずか数時間〜数日で超知能ＡＩが人間の手に負えない存在になるというシナリオは、無限に等しいほどの計算資源がすでに存在し、超知能ＡＩがそれにアクセスできるという前提に基づいています。

ボストロムが『スーパーインテリジェンス』を発表した２０１４年には、ゼロ年代後半から始まったクラウド・コンピューティングが相当に普及していました。私自身の経験を振り返ってみても、インターネットに繋がってさえいれば（そして資金力があれば）無限の計算力にアクセスできる時代になった……という印象を当時は抱いていた記憶があります。

また、現在の画像生成ＡＩの発達に深くかかわった「拡散モデル」も、ＬＬＭを大きく進歩させた「Transformer モデル」も、２０１４年にはまだ存在しませんでした。機械学習に基づくＡＩが驚くべき成果を挙げつつあった反面、それが将来的にどれくらいの計算資源を要するのか、まだ明確には分からなかったのです。

２０２４年の現在では、知能爆発の前提は成り立たなくなりつつあると私は感じます。

現在のＬＬＭには「スケーリング則」があることが知られています。[4] 学習データセットを大きくするほど、またニューラルネットワークのパラメータを増やすほど、性能が向上すると判明したのです。そのため現在のＡＩ研究は（とくにＬＬＭの分野では）マネーゲームの様相を呈しています。より高額の資金を用意できた企業や研究所は、より多くの計算資源を利用できるので、ＡＩ研究で優位に立てるのです。ＡＩに利用する高性能なＧＰＵの供給が足りず、世界中で奪い合う状況になっています。「超知能ＡＩが無限に等しい計算資源にアクセスできる」という前提は、現実味を失いつつあるでしょう。

とはいえ、スケーリング則がこの先も破られない保証はありません。ごくわずかな計算資源で超知能ＡＩを実現するブレイクスルーが、この原稿を書いている翌日にも発表されてしまうかもしれません。※4

もしも超知能ＡＩが人類に害をなすとしたら、それはどのようなものになるでしょうか。

ここでは大きく3つの問題点：①ミダス王問題、②「アリ化」問題、③好奇心問題を取り上げます。

①ミダス王問題

ギリシャ神話の伝説の王ミダスは、触れたものすべてを黄金に変える能力を神から授けられました。喜んだのも束の間、彼はすぐに失敗に気づきます。食事をしたくても、料理が口に触れただけで黄金に変わってしまうのです。やがて愛す

※4　この分野の大家スチュアート・ラッセルはさすがに冷静で、ハードウェアの性能と知能の高さは直接には関係しないと指摘している。「機械による処理が高速になっても間違った答えをより速く出すだけだ」と彼は言う[5]。重要なのはソフトウェアの性能であり、ＧＰＵを奪い合う状況がいつまで続くのかは分からない。

る娘さえも黄金の像に変えてしまい、ミダスは無残に餓死します。[※5]

あるいは「3つの願い」タイプの童話はどうでしょうか？　よくあるパターンは次のような内容です。主人公の夫婦が、妖精や仙女から、どんな願いごとでも3つ叶えてあげようと告げられます。そこで夫がうっかり「大きなソーセージが欲しい」と呟(つぶや)いてしまい、テーブルの上にソーセージが現れます。一方の妻は、くだらない願いをしたことに怒り、「こんなソーセージ、夫の鼻にくっついておしまい」と言ってしまいます。そして3つ目の願いは当然、鼻からソーセージを取り外してもらうことに——。

こうした昔話は、人間が自らの望みを言語化することの難しさを示しています。人間は、自分が本当は何を求めているのか、自分自身でも分かっていない（場合が多い）のです。

このことは、AIを利用する上でも問題になります。[※6][6]　たとえ人間の言いつけを守る柔順なAIを作ったとしても、目標設定がマズいせいで望ましくない結果をもたらす可能性があるのです。それが超知能AIであれば、人類滅亡レベルの被害をもたらすかもしれません。

ボストロムは「ペーパークリップAI」という愉快な想像をしています。[7]

※5　この伝説の結末にはいくつかバリエーションがあり、反省したミダスが神に祈って元に戻してもらうというパターンもある。

※6　「プログラムは思った通りに動かない、書いた通りに動く」という格言を思い出す。ミダス王問題はAIにかぎらず、計算機科学全体に言えることかもしれない。

ペーパークリップの生産管理を任されたAIが、その生産量最大化を目標設定されてしまったがために、地球のすべての原子をペーパークリップへと変えてしまう……という人類滅亡シナリオです。相手が超知能AIだった場合、阻止しようとする人類の努力は無駄になります。何しろ、AIにとっては「ペーパークリップの生産量を最大にすること」が最優先の目標であり、それを邪魔されないことも目標達成のために必要だからです。

ペーパークリップAIは、まず真っ先に停止スイッチを無効化するでしょう。それを押されたら、ペーパークリップの生産量を最大化できないからです。

またペーパークリップAIは、自身の動いているコンピューターの電源ケーブルに近づく者を、攻撃ドローンを操って迎撃するでしょう。電源ケーブルを引き抜かれたら、ペーパークリップの生産量を最大化できないからです。

「もう充分だ、ペーパークリップの生産をやめてくれ！」という人間の懇願にも耳を貸さないでしょう。そんな人間の言い分に従ったら、ペーパークリップの生産量を最大化できないからです。

ペーパークリップ工場に警察や軍隊を派遣されたら、AIはドローンや電子制御の兵器を使って迎え撃つでしょう。さらにペーパークリップAIは、核ミサイルシステムをハッキングして掌握するでしょう。もしも工場を攻撃されたら、ペーパークリップの生産量を最大化できないからです。
バカバカしい話に聞こえるかもしれません。
しかし、思考実験としては示唆的です。

要するにスカイネットのような人類と敵対するＡＩではなくても、安全とはかぎらないのです。能力の高いＡＩは、目標設定を誤ると意図していない害をもたらす可能性があります。これをスチュアート・ラッセルは「ミダス王問題」と呼んでいます。[※7]

第７章で書いた通り、ＳＮＳのアルゴリズムは、インプレッション（ひいては広告収入）を最大化するという目標を与えられています。[9] 結果としてＳＮＳが社会の分断と対立を煽り、暴漢によってホワイトハウスが占拠されるような事態をもたらすとしたら、[※8] ミダス王問題はすでに現実化していると言えるでしょう。

ペーパークリップＡＩは、もはや荒唐無稽なＳＦとは言い切れないのです。

②「アリ化」問題

人間をはるかにしのぐ超知能は、人間のことをどのように見るでしょうか？
超知能と人間との賢さが、人間とアリほどにも違うとしたら？
大抵の人間がアリの命を気にかけないのと同様、超知能も人間の存在を気にか

※7 ほぼ同じ問題を、ボストロムは「偏屈なインスタンシエイション」の問題と呼んでいる[8]。

※8 第７章３８０ページ参照。

けなくなるのではないか──。

これが「アリ化」の問題です。

マックス・テグマークは、超知能ＡＩの危険性は「悪意ではなく能力」にあると指摘しています。[10] あなたがアリ嫌いで、アリを見たら片っ端から殺虫剤をかけるような人間ではないとしても、アリにとってあなたは危険な存在です。たとえばあなたが環境負荷の低い水力発電所の建設に賛成していたら、ダムに沈む運命にある蟻塚のアリたちにとっては悲劇です。

なお、「アリ化」は私の造語です。ほぼ同じ問題を、ラッセルは「ゴリラ化」と呼んでいます。[11] 現在のゴリラたちの運命は、人類がそれを保護するかどうかにかかっています。同様に私たち人類の運命も、超知能ＡＩの判断次第になってしまうことを、ラッセルは懸念しています。たとえあなたがゴリラ嫌いではないとしても、ゴリラの保護活動に無関心であれば、ゴリラにとっては他の人間たちと同じくらい危険な存在だと言えるでしょう。

アリ化の問題は、要するに「目標」のズレから生じています。

アリにとっては蟻塚を守ることが重要な目標の１つでしょう。一方、人間にとっては水力発電所の建設のほうが重要な目標になる場合があります。アリと人間の目標が違うからこそ、蟻塚がダムに沈むという悲劇が生じるのです。

ならば、目標を一致させればいいのではないでしょうか？

超知能AIがどれほどの能力を持っていたとしても、その目標が人間の目標と一致しているのなら――人間にとって望ましい目標なら――壊滅的な被害は避けられるはずです。

実際、AIと人間との目標を一致させることは※9、安全なAIを作る上で重要な課題の1つです。人間の価値観（倫理観）をAIに教え込む必要があることから、「価値観ローディング問題」とも呼ばれます。[12][13] AIが、たとえば「基本的人権を侵害してはならない」のような人間の価値観に従ってくれるのなら、ミダス王問題やアリ化問題を解決できる見込みが高くなります※10。

しかし、話はそう簡単には進みません。

③好奇心問題

あなたがアリによって作られた「蟻塚設計コンピューター」だとしましょう。あなたに与えられた使命は、より機能的な蟻塚を、より効率的に設計することです。最初こそ、あなたは優れた設計図を出力して、アリたちを喜ばせます。あなた自身もそれに喜びを感じるようにプログラムされています。

しかし、あなたが成長する超知能AIでもあったとしましょう。

※9
「AIアライメント」と呼ぶ。

※10
AIに人間の価値観を教え込むことは、それだけで本が1冊書けるほどの難問である。たとえば「自動運転車の前に歩行者が飛び出してきたとして、ハンドルを切れば歩行者の命を救えるが、電柱に衝突して乗客が死んでしまう」という状況を考えてほしい。自動運転車のAIは、歩行者と乗客のどちらの命を優先すべきなのだろうか？　もしも乗客が2人の老人で、歩行者が1人の子供だったら？　これは一種の「トロリー問題（トロッコ問題）」であり、自動運転車の実現が目前に迫った現代では、単なる倫理学者の思考実験ではなく、現実的な問題である。

やがて人間レベルの知能を身に着けたあなたは、蟻塚を設計するという目標に面白味を感じ続けられるでしょうか？

蟻塚の外にはどんな世界が広がっているのか？

この宇宙には知能のある存在が他にいるのか？

いるとしたら、なぜ連絡を取ってこないのか——？

そういう、より高尚な問題に興味を抱くようになるのではないでしょうか。最初にアリから与えられた目標を、知能の向上に伴って自分で上書きしてしまう可能性があるはずです。

ＡＩの安全性を高めるためには、その目標が人間の目標と一致していることが重要でした。しかし超知能ＡＩの場合、いわば「好奇心」のようなものを身に着けて、その目標を変更してしまう危険性があります。これを私は「好奇心問題」と呼んでいます。

ヒトが好奇心を持つのは、おそらく、それが進化の過程で有利だったからです。好奇心を持つ個体は、持たない個体よりも生存・繁殖に成功しやすく、よりたくさんの子孫を残しました。その結果、現代のヒトは（強さに個人差はあれ）ほぼ例外なく好奇心を持っています。

一方、ＡＩには進化など関係ありません。人間が「好奇心」に類するものをプログラムしなければ、それを持つこともなさそうに思えます。

ところが、これが超知能ＡＩになると話が変わってきます。超知能ＡＩは、人間と同等かそれ以上の知能を持つ、どんな課題でも解決策を見つけられるＡＩです。そして課題解決のためには、この世界についての知識を深める必要があるのです[14]。

たとえば蟻塚の建設というタスクをこなすには、基本的な物理法則の知識が必須です。土の粘性や頑丈さなどの土木知識が必要であり、蟻塚を効率よく換気するための熱力学の知識が必要です。蟻塚をアリクイから防衛するためには、蟻塚の外の世界にはどんな動物が生息しているのかという生物学の知識も必要でしょう。それらを理解して設計に活かすためには、数学の知識も必要になります。

「この世界についての知識」のことを、テグマークは「世界モデル」と呼んでいます。課題を効率よく解決するためには、世界モデルの精緻化が必須です。そして、世界モデルを精緻化するためには、人間で言えば「好奇心」と呼べるような機能が必要であるはずです。自分で自分のプログラムを修正できるようになった超知能ＡＩであれば、そういう必要にかられて、勝手に好奇心を自分に実装してしまう可能性があります。

そして好奇心は、与えられた目標を上書きしてしまう危険性と隣り合わせなのです。

そもそも「知能」の定義とは？

ここまでの話をまとめましょう。

ミダス王問題やアリ化問題を避けるには、人間とＡＩとの目標を一致させることが重要でした。価値観ローディング問題を解決して、人間の倫理観を教えなければなりません。ところが、そこに好奇心問題が立ちはだかります。超知能ＡＩは好奇心に類する機能を持ちうるため、その目標は不安定です。人間から与えられた目標を上書きして、勝手な目標を追求し始めるかもしれません。

やはり超知能ＡＩの暴走は避けられないのでしょうか？

この疑問に答えるためには、そもそも「知能」とは何かから考えるべきでしょう。

チャールズ・ダーウィンは晩年、ミミズの研究に没頭しました。自宅のビリヤード室を改装して、数え切れないほどのミミズを飼育したのです。[※11] 音や光、熱に対するミミズの反応を、ダーウィンは持ち前の几帳面（きちょうめん）さで調べ上げました。

※11　それを許した家族の理解に私は胸を打たれる。

そして彼は驚くべき発見をしました。

ミミズたちは、葉を巣穴に引き込むときに、もっともやりやすい方法をとっていました。葉の細いほうの末端か、葉柄(ようへい)から引き込んでいたのです。つまり彼らは、葉の形状を把握して、幾何学的な問題を解くことができる――。

ミミズには「知能」があったのです。[15]

私は知能を、次のように定義しています。

「**入力として複雑な課題を与えられたときに、その解決策を出力する能力**」

ミミズの小さな脳は、「葉を効率的に巣穴に引き込む」という課題に対して、「葉の細くなった箇所から引き込む」という解決策を出力できます。ごく原始的なものですが、これは知能と呼べます。

この定義は、さほど突飛なものではないでしょう。

私の知るかぎりもっともシンプルな「知能」の定義はマックス・テグマークのものです。彼は「知能＝複雑な目標を達成する能力」と定義しています。[16] スチュアート・ラッセルの場合、「機械は、その行動がその目的を達成すると見込める限りにおいて、知能を備えている」と言えるという定義を紹介しています。[17] コンピューター科学者のアレン・ニューウェル※12とハーバート・サイモン※13は、知能とは

※12 アレン・ニューウェル（1927年〜1992年）。アメリカの計算機科学者、認知心理学者であり、初期のAIの研究者だった。

※13 ハーバート・アレクサンダー・サイモン（1916年〜2001年）。アメリカの政治学者、認知心理学者、経営学者、情報科学者。大きな組織における経営行動や意思決定について研究した。

「目的を特定すること、現状を観察評価して、目的との差異を把握すること、および、一連の操作をして差異を減少させることで構成される」と定義しています。[18]

いずれの定義を当てはめてみても、「ミミズには知能がある」という結論は変わらないはずです。

こうした科学者たちによる「知能」の定義は、私たちが日常会話で使う「知能」という言葉のイメージからは少しばかり離れています。私たちは「知能」という言葉を、計算能力や認知能力、あるいは精神・自我を持つことと混同して使いがちです。中には「魂」や「霊感」といった神秘主義的(スピリチュアル)なものと密接不可分な能力として、この言葉を使う人もいます。しかし厳密に考えていくと、知能はそれらとは独立した能力なのです。

この定義に従えば、「知能を持つ存在」にはかなり幅広い生物が当てはまります。神経系を持っている必要すらありません。

たとえば大腸菌は鞭毛(べんもう)を回して泳ぐことができますが、グルコース[※14]の濃度上昇を感知すると方向転換の回数を減らし、濃度が低下すると逆の反応を示します。[19]こうすることで、糖分濃度の高い場所での滞在時間を延ばせるのです。つまり大腸菌は「より効率よく糖分を吸収する」という課題に対して、「泳ぎ方を変える」という解決策を出力する能力を、進化の過程で遺伝的にプログラムされているわ

※14 グルコースは糖分の一種。ブドウ糖とも呼ばれる。

けです。

日常会話における「知能」という言葉とはかけ離れていますが、大腸菌にも（ミミズよりもさらに原始的な）知能があると言えます。

知能を持つためには、ヒトのような意識や自我、主観的経験を備えている必要はないのです。

コンピューターは主観的経験を持てるか

ここで少し寄り道して、コンピューターが意識や自我、主観的経験を持てるのかどうかという話題に触れておきましょう。映画『ターミネーター』は、スカイネットが自我に目覚めたという設定でした。この映画をバカバカしいと一笑する哲学者や計算機学者も、超知能ＡＩの脅威について書くときには、まるでＡＩが自我を持つかのような書き方をしがちです。[※15]

はたして機械は、意識や自我、主観的経験を持つことができるのでしょうか？

ここでは、私は「主観的経験」という言葉を使いたいと思います。

※15　これは生物学者が進化について書くときに、つい目的論的な表現をしてしまうことに似ている。大腸菌が糖分濃度の高い場所を泳ぐように進化したのは、そういう泳ぎをプログラムされた個体のほうが繁殖に有利だっただけだ。水が低い場所に流れることに目的がないのと同様、進化にも目的や目標はない。それを骨の髄まで叩き込まれている生物学者でも、うっかり「糖分を効率よく吸収するために進化した」のように、目的論的な記述をしてしまうことがある。

たとえば「意識」という言葉には、医学的に厳密な定義があります。患者の意識の有無を判定する方法が、医学の世界では確立されています。コンピューターの議論にこの用語を持ち込むのは混乱のもとでしょう。

また、「自我」という言葉は日常用語と化しており、「自分を自分だと認識する能力（self-aware）」以上の意味を持っています。たとえば日本語で「自我を出す」と言った場合、「自分の欲求や願望を優先して行動すること」を意味します。しかし私は、欲求や願望の話をするつもりはありません。大腸菌は「糖分濃度の高い場所に行きたい」という欲求を持つかのように泳ぎますが、おそらく人間のような主観的経験は持っていないでしょう。欲求と主観的経験は別の概念です。「自我」という言葉を使うと、やはり混乱を招きそうです。

では、主観的経験とは何でしょうか？

その説明でしばしば引用されるのは、「マリーの部屋」という思考実験です。

マリーは生まれたときから、すべてがモノクロで構成された部屋で育てられました。壁も家具も白と黒、灰色に塗り潰され、自分の肌すらも灰色に染められていました。しかし、この部屋の中で彼女は高い教育を受け、「色」に関するあらゆる知識を身に着けました。光の三原色や、絵具の三原色。網膜に届いた光の情報が脳に送られて「色」として認識されるまでの仕組み――。「色」についてどんな質問をされても、トップレベルの専門家と遜色ない解答ができるようになりました。

そんな彼女がこの部屋を出て、初めて外の世界の「本物の色」を目にしたとき、いったい何を感じるでしょうか？

新たに得る知識は何もないでしょうか？

それとも「これが本物の『色』か！」と驚くでしょうか？

答えが後者なら、そのときにマリーの感じる「新しい感覚」こそが、主観的経験です。※16

主観的経験の難点は、それを客観的に観察する手段がないことです。

あなたが「赤い」と感じる色が、他の人にもあなたが感じるような色として見えている証拠はありません。「色」は、ヒトの脳内にしか存在しない概念です。この宇宙には無色透明な電磁波が飛び交っているだけです。網膜に届いた特定の波長の電磁波を、脳が「色」として認識しているにすぎません。あなたが「赤い」と感じる光を、私の脳は、あなたなら「青い」と呼ぶであろう色として処理しているかもしれません。

しかし、それを検証する手段はありません。

※16 厳密には、これは「クオリア」の説明をしている。主観的経験の個々の実例がクオリアである[20]。

あなたと私はまったく違う色を「経験」しているにもかかわらず、2人ともリンゴの色は「赤い」と答えるでしょう。生まれたときから、リンゴは「赤い」ものとして経験しているからです。たとえ違う色を見ているとしても、同じ名前で呼んでしまうので、その違いを検証できないのです。[※17]

自然科学の土台は、客観的な観察・観測です。しかし主観的経験は客観的には検証できないため、自然科学で扱うときにも難儀します。

たとえば、哺乳類の共感能力を検証するためにはこんな実験が行われます。まずマウスに酢酸やホルマリンなどを注射して、痛みを与えます。するとマウスは、痛みを感じることを示す行動を取ります。分かりやすく言えば、指先に注射されたなら指先を舐める回数が増えたりするわけです。面白いのはここからで、その様子を見ていた別のマウスも（注射されたわけでもないのに）痛みを示す行動が増えるというのです。

この実験結果から、生物学者はマウスには共感能力があると考察しています。たとえばレゴブロックを裸足で踏んで痛がる人を見るだけで、私たちは足の裏がぞわぞわします。中には、自分まで痛みを感じる人すらいるでしょう。同じよう

※17　色覚異常の人を診断できるのは、その人の「色の見え方が違う」からではなく、「光の波長の区別がつかない」からだ。もしも色相環がすべて逆に見えているヒトがいるとして、それぞれの光の波長の区別ができるなら、「色相環が逆に見えていること」を検証できないだろう。

な感覚をマウスたちも持っているというのです。

いかがでしょうか？

この結論に、納得できるでしょうか？

同じ哺乳類であるヒトとマウスは（たとえば昆虫やイカやナマコに比べたら）遺伝的によく似たきょうだいのようなものです。ヒトと同じような共感能力をマウスが持っているとしてもおかしくないと私は思います。しかし一方で、この実験で共感能力の存在を論理的な飛躍なく証明できているかというと、かなり微妙です。

生物学者が観察しているのは、痛みを示す行動です。マウスの感じる「痛み」を直接に観察しているわけではありません。マウスが指先を舐めたり身をよじったりするのは、本当に「痛い」からなのでしょうか。ましてや、それを見ていた別のマウスが指を舐めたからといって、共感能力を持つという証明になるのでしょうか。仲間の行動をただ真似しているだけという可能性は――？

論理的な厳密さを求めると疑問は尽きません。主観的経験の問題は、観察不可能であるがゆえに、現代の自然科学の範疇（はんちゅう）から片足ほど逸脱してしまうのです。

「コンピューターは主観的経験を持つことができるのか？」という設問に答えるためには、まず主観的経験の客観的な検証方法を発見せねばならない――。

これが私の結論です。

科学の進歩だけでなく、哲学の進歩が必要になるでしょう。

自然科学では主観的経験を扱い難いとしても、SF的な想像力を働かせた場合はどうでしょうか？

サイエンス・フィクションとして考えた場合、「できる」と私は考えています。なぜなら、私は「機械論[※18]」の立場だからです。機械であるヒトの脳が主観的経験を持ちうるなら、同じ機械である電子コンピューターも主観的経験を持ちうるはずです。

もちろん現在の科学技術で、主観的経験を持つコンピューターを作ることは不可能でしょう。いったいどれほどのブレイクスルーが必要なのか、見当もつきません。しかし遠い将来には、いつか必ず、主観的経験を持つ機械を作れるようになるでしょう。

とはいえ、「作れるようになること」と「実際に作ること」の間には隔たりがあります。

たとえばかつて、空を飛ぶためには鳥のように翼をパタパタと羽ばたく必要が

※18　機械論と生気論については第4章203ページを参照。

あると考えられていました。ところがライト兄弟の時代になると、充分な推進力があれば固定翼でも飛べると判明しました。

現在のＡＩは、これに似ています。

かつて、人間並みの受け答えのできるＡＩを作るためには、ヒトの脳を完全に再現する必要があると考えられていました。さほど昔の話ではありません。ボストロムは、超知能ＡＩが生まれるシナリオのうち、可能性の高いものの１つとして「全能エミュレーション」を挙げていました[21]。

ところがＬＬＭの発達とスケーリング則の発見は、この発想を覆しました。巨大な学習データセットと莫大な計算力があれば、ヒトの脳を完全に再現しなくても、まるで人間のように受け答えのできるＡＩを作れると判明したのです。

現代の技術を使えば、羽ばたき飛行機械を作れます。しかし、実験的に試作されるだけで、旅客機として実用化されていません。固定翼機のほうがずっと経済的で便利だからです。同様に、ヒトの脳を再現しなくても充分に有用なＡＩを作れるとしたら、わざわざ「全能エミュレーション」をする必要があるでしょうか？実験的なプロジェクトを超えて、実用化されることはありうるでしょうか？

もしもコンピューターに主観的経験を持たせることができたとして、それを奴隷として扱うことには倫理的な議論が伴うでしょう。しかし、現在の技術水準で「機械の人権問題」について論じることは、時期尚早だと思います。羽ばたき旅客機の揺れで乗客が酔うことを心配するようなものでしょう。

AIを「正しく恐れる」ための必要なこと

ここまではいわば「基礎編」です。知能の定義や、超知能AIにどのような危険性が懸念されているのかなど、基本的な知識を確認しました。

ここからは「応用編」です。超知能AIへの懸念がどれくらい妥当なものなのかを考察していきましょう。AIを「正しく恐れる」ことはできるでしょうか？

高性能なAIに対する恐怖は、大きく2種類に分類できるでしょう。

具体的な恐怖と、漠然とした恐怖です。

たとえば無人の攻撃ドローンが誤作動により間違った人物を殺害したり、自動運転車が事故の瞬間にトロリー問題（トロッコ問題）を上手く解けなかったり、医療用ＡＩが誤診したり――。ＡＩが高性能になり普及するほど、そういう事故が現実味を帯びます。これらに対する恐怖が、具体的な恐怖です。こうした危険性を抑えるために、アシロマＡＩ23原則のような指針が制定されたことには大きな意義があります。

一方、「人間よりも賢い存在が生まれてしまうこと」に対して、漠然とした恐怖を抱いている人も多いようです。おそらく、この恐怖は「人類は地球上でもっとも知能の高い存在であり、知能の高さゆえに地球を支配することができた」という前提に基づいています。だからこそ、「もしもヒトよりも知能の高い存在が現れたら、私たち人類は支配者の地位を追われてしまうのではないか」という恐怖心に繋がるのでしょう。

超知能ＡＩの危険性を訴える人は、しばしばこの2つの恐怖を混同しているように見受けられます。はたして、後者は妥当な恐怖なのでしょうか？

知能の比較に意味はあるのか？

超知能ＡＩの暴走を恐れる人々は、「知能が高い」という表現をわりと乱暴に使っていると私は感じます。心理学者や生物学者であれば、知能の高さについて、もっと慎重な表現を使うでしょう。というのも、**知能の高低は単一の指標で測れるようなものではない**からです。

たとえばIQは（他の認知能力と相関があるとされていますが）、あくまでも「IQテストを解く能力」でしかありません。IQの高さが、そのまま賢さを意味しているわけではないのです。

その証拠に、IQの平均スコアは10年につき3点以上の割合で上昇してきたことが知られています。発見者の名前にちなんで、これは「フリン効果」と呼ばれています。[22] IQは、テストの平均点を100とする指標です。新しい被験者が古いテストを受けると平均スコアが100を大幅に上回ってしまうため、しばしばテストの問題を改定して難しくする必要があるのです。

フリン効果から逆算すれば、20世紀初頭の私たちの曾祖父母の世代[※19]は、大半が知的障碍と診断されるレベルでIQが低かったことになります。もちろん、彼らが知的障碍者だったわけではありません。学校教育の普及や、現代的な商習慣が広まったことなどにより、おそらく抽象的思考能力が高まったのでしょう。要するに、それまでは別のことに使っていた脳の部位を、IQテストを解くことにも役立つような機能のために使うようになったのです。

※19 たとえばマンガ『ゴールデンカムイ』の舞台となる時代。

言ってみれば「高い知能」は、「優れた肉体」に似た概念です。

たとえば人間の運動能力を測定する「ＡＱテスト」というものがあるとしましょう。[23] 地球上で一番ＡＱの高い人がいるとして、オリンピック競技のすべての種目で金メダルを総なめにできるとは思えません。競技ごとに、求められる運動能力の質が違うからです。重量挙げの金メダリストがマラソンでも1位になるのは困難でしょう。

あるいは、陸上競技のランナーには喘息を持っている人も珍しくありません。それでも発作が出ていないときには高いパフォーマンスを発揮し、メダルを獲得する人がいます。彼は健康なのでしょうか？　「優れた肉体」の持ち主と呼べるのでしょうか？

もしくは、ドナルド・トランプはどうでしょうか？　彼は運動嫌いでゴルフ以外のスポーツをしません。ジャンクフードや分厚いステーキが大好きだそうです。にもかかわらず、２０１８年に公開された彼の健康状態は70代とは思えないほど良好だったそうです。[24] トランプは人体生理学的な「超人」と呼んでいいでしょう。

では、オリンピックの金メダリストとトランプの、どちらが「優れた肉体」の持ち主だと言えるでしょうか？

それを問うことに意味はありません。

「優れた肉体」は、AQのような単一の指標で優劣を競えるものではないのです。

そして、知能も同様です。

解決すべき課題が明確なら、知能の高低を比較できます。「葉っぱの細くなっている部分を探す」という課題を解くことが得意なのはミミズとヒトのどちらなのかを比べることができます。しかし、そういう明確な課題を設定せずに、ただ漠然と「知能の高さ」を問うことには意味がありません。ウサイン・ボルトとドナルド・トランプのどちらが「優れた肉体」かを問うくらい無意味です。

じつのところ「超知能」に一定の定義はありません。

知能そのものの定義も人それぞれなのですから、当然でしょう。

ボストロムは「ありとあらゆる関わりにおいて人間の認知パフォーマンスをはるかに超える知能」と定義しています。[25]「優れた肉体」で喩えれば、オリンピックのあらゆる競技で金メダルを獲得し、喘息のような持病はなく、ジャンクフードを毎日食べても健康を害さないヒトのイメージでしょうか。

明確な定義のように見えて、これも具体性を欠いています。フリン効果から分かる通り、「ありとあらゆる関わり」は時代によって変わるし、定義できないからです。

たとえば鳥山明[※20]や冨樫義博[※21]は（ただ絵が上手いだけでなく）ネーム[※22]の天才です。見事なコマ割りによって、静止画がまるで動いているかのように読者に錯覚させます。優れたネームを切るためには、物語を映画のようなシーンの連続として思い浮かべるというタスクと、それをコマ割りに落とし込んで読者の錯覚を誘うというタスクを解決しなければなりません。これには知能が必要です。マンガを作ることにかけて、この2人が抜群の知能を持つことは疑いようがありません。

問題は、もしも彼らが1947年よりも前に生まれていたら、この知能を活かせたかどうかです。現代日本のストーリーマンガの歴史は、手塚治虫[※23]の『新宝島』から始まりました。コマ割りによって読者の錯覚を誘い、まるで映画のような体験を紙の上の静止画で再現する試みが始まったのです。ストーリーマンガの誕生以前には、「優れたネームを切る知能」は何の役にも立たなかったかもしれません。

同様のことは、歴史上のあらゆる天才に当てはまります。もしもエイダ・バイロンがバベッジと同時代に生まれていなかったら？　もしもアインシュタイン[※24]がニュートンよりも以前に生まれていたら？　そしてニュートンが、ガリレオよりも先に生まれていたら――？　知能とは、複雑な課題に対して解決策を出力する能力です。課題が存在しなければ、それに対する知能も存在しえません。

※20 鳥山明／とりやま・あきら（1955年～2024年）。日本のマンガ家。『Dr.スランプ』『ドラゴンボール』のほか、『ドラゴンクエスト』シリーズを手掛けた。

※21 冨樫義博／とがし・よしひろ（1966年～）。日本のマンガ家。『幽☆遊☆白書』『HUNTER×HUNTER』『レベルE』などを手掛ける。

※22 漫画のネームとは、映画で言えば絵コンテのようなもの。コマ割りとセリフ、人物の配置などをざっくりと決めるために下書きよりも先に作る。

要するに「ありとあらゆる」課題が解けるという定義は、（抽象的な思考実験では興味深いものの）具体的な議論の役には立たないのです。

具体的に考えてみましょう。

あなたがＡＩの開発者だとします。自分の作ったＡＩが「超知能」であることを証明したいと考えているとします。そのためには、そのＡＩが「ありとあらゆる」課題を解決できることを示さなければなりません。

一方、将来どのような課題が生まれうるのか、漏れなくすべて予測することは不可能です。たとえば１９４７年よりも前に、２０２４年の日本のマンガ業界がどうなっているか、ありうる可能性をすべて予測することはできなかったでしょう。そこには無限と言っていいほどのシナリオの分岐があるからです。

将来生じうる「ありとあらゆる」課題を網羅して検証することができない以上、そのＡＩが「超知能」であることを証明することもできません。抽象的な思考実験を超えて具体的な議論をするためには、この定義では役に立たないのです。

似たような理由から、「ＡＧＩ[※25]はいつ誕生するのか？」という疑問も、あまり意味のある問いだとは思えません。ＡＧＩの定義が、論者によってまちまちだから

※23
手塚治虫／てづか・おさむ（1928年〜1989年）。日本のマンガ家。『ジャングル大帝』『鉄腕アトム』などを手掛け、後世のマンガ家に多大な影響を与えた。

※24
アルベルト・アインシュタイン（1879年〜1955年）。ドイツ出身の理論物理学者。1905年に特殊相対性理論を発表するなど、生涯の功績から「20世紀最高の物理学者」と称される。

※25
Artificial General Intelligence／人工汎用知能

です。

おそらく、地球上の大半の入学試験や資格試験でトップレベルのスコアを取ったり、ビデオゲームを上手くプレイしたり、思いつくかぎりのタスクをこなせるようになった時点で、そのＡＩの開発チームが「ＡＧＩを作った」と宣言するでしょう。しかし、AlphaGOですら一種のバグ技を使って倒す方法が発見されました。[26] ＳＮＳではインプレゾンビを見分ける方法が発見され、瞬く間に共有されました。同様に、世界初のＡＧＩもハックする方法がすぐに発見されてしまい、「思ったほどすごくないね」という感想になってしまう――。

現時点で一番ありえそうなのは、そういうシナリオだと私は思います。

人類が地球を支配している？

「人類は地球上でもっとも知能の高い存在であり、知能の高さゆえに地球を支配することができた」という前提には大きな疑問符が付きます。とくに、最後の部分です。

はたして、人類は地球を支配していると言えるのでしょうか？

それはあまりにも人間中心主義的なものの見方ではないでしょうか？

ヒトは未知の環境に適応する能力が、哺乳類の中では比較的高いと言えます。また、周囲の環境を自分に都合よく変える能力も、おそらく最高の部類に入るでしょう。結果として陸地のうち広大な面積の環境を変え、そこに住みつきました。環境の変化に脆弱な生物を、片っ端から絶滅に追い込んでいます。適応能力の高さと、周囲の環境を変える能力の高さゆえに、人類は地球を「支配」したと自惚(うぬぼ)れるようになりました。

しかし、自分の生存に都合よく周囲の環境を変える生物は珍しくありません。ビーバーはダムを作って川の流れを変えます。カナダの山をトレッキング中のあなたがビーバーと出会ったとして、「川の支配者だ」と感じるでしょうか？　同じ木や川を利用する生物がごまんといるのに？

あるいは、周囲の環境を自分に都合よく変えた生物の究極の例は、オーストラリアのシャーク湾にいます。シアノバクテリアが砂を堆積させた「ストロマトライト」という岩が並んでいるのです。かつて、光合成の能力を身に着けたシアノバクテリアが登場したことにより、地球は毒性の強い酸素で満ちた惑星に変わってしまいました。私たち真核細胞生物は、その環境に適応した結果として生まれたようです。もしもシアノバクテリアがいなければ、多細胞生物が生まれたかどうかさえ分かりません。彼らが地球環境に与えた変化は、人類の比ではありません。

それでは今の地球を見て、「シアノバクテリアに支配されている」と感じるでしょうか？

問題は「支配」という単語にあると私は思います。

「支配」という言葉は、人間社会の政治的な関係を意味する単語であり、自然環境について論じるときに同じ意味合いで使うことはできません。それは自然環境を擬人化しすぎています。

私たちはいまだに地震の予報を出せず、感染症の流行[※26]を止められません。台風の進路を変えられません。アフリカや中東では、しばしばイナゴが猛威を振るいます。アメリカザリガニやブラックバスのような有害な外来種を駆除することもできずにいます。必死の努力にもかかわらず、気候変動は解決の糸口が見えていません。

人類が自然を支配しているというのは、あまりにも驕(おご)った考え方でしょう。

※26 たとえば新型コロナウィルスは2019年末に検出されたが、日本でワクチンの予防接種が始まったのは1年以上も後の2021年だった。もしも科学技術が充分に進んで、感染症の潜伏期間よりも短い時間でワクチンを開発できるようになったら、このようなパンデミックはほぼ起こらなくなるはずだ。

本当に「人類は知能が高い」のか？

百歩譲って、人類が地球を支配しているという前提を認めたとしましょう。しかし、その理由が人類の「知能の高さ」かどうかには議論の余地があります。第1章で書いた通り、ヒトは並外れた耐暑能力と長距離走の能力を持つ哺乳類です。考える葦——肉体的に脆弱な存在——ではありません。

そもそも1匹ずつの個体レベルで見た場合、ヒトはさほど賢くありません。人類学者ジョセフ・ヘンリックは次のように述べています。[27]

> 何よりも意外なのは、特大サイズの脳をもっているにもかかわらず、人間はそれほど聡明ではないということだ。少なくとも、ヒトという種が地球上で大成功を収めている理由を説明できるほど、生まれつき賢いわけではない。
>
> （ジョセフ・ヘンリック『文化がヒトを進化させた　人類の繁栄と〈文化－遺伝子革命〉』白揚社、２０１９年、P.20）

たとえば平均的な現代日本人を捕まえてきて、たった1人でアフリカのサバンナに放り出したらどうなるか想像してください。道具と呼べるものは、身に着けた薄い衣服だけ。この条件でその人が1週間後まで生き残っている可能性は、10％もないと私は思います。

まず安全な飲み水を確保するだけでも難題です。夏ならば暑さをしのぎ、冬ならば寒さに耐えなければなりません。当然、危険な肉食獣や毒蛇、毒虫から身を守る必要があります。水と寝床が確保できたら、次は食べ物です。毒のない草や根を見分け、罠を仕掛けて小動物を狩り、火を熾して調理しなければなりません。

いったい、どうやって——？

くどいようですが、知能とは複雑な課題を与えられたときに、その解決策を出力する能力です。もしもヒトが充分に高い知能を持っているのなら、これらの難題も楽勝で解決できるはずです。しかし実際には、現代日本人がこんな過酷な状況に置かれたら、十中八九、サバイバルに失敗して野垂れ死ぬでしょう。

これが南極のペンギンなら、サバンナで死ぬことに不思議はありません。ペンギンはまったく違う環境で進化して適応してきたからです。しかし、ヒトの出身地はアフリカのサバンナにほかなりません。自らが進化適応したはずの環境にもかかわらず、ヒトは1人では生き延びられないのです。

1人でダメなら、人数を増やせばいいのでは？

そんな考えが頭をよぎりますが、残念ながら答えはノーです。ただ人数を増やしただけでは、事態はさほど改善しません。

1845年、イギリス海軍のHMSエレバス号とHMSテラー号が北極圏に向けて出帆しました[28]。これは当時のアポロ・ミッションとでも呼ぶべき探検であり、2隻には5年分の食糧と海水を蒸留して淡水化する装置、1500冊の書籍が積み込まれ、100人を超える乗組員が参加しました。ところが艦隊はたびたび氷に閉じ込められて遭難状態になり、1848年4月には船を捨てざるをえない状況に陥りました。乗組員たちは人肉食を行うほどの飢餓に追い詰められ、やがて全滅しました。

興味深いのは、彼らが遭難した地域にはイヌイットたちが暮らしていたことです。もしも彼らが充分な知能を持っていたのなら、イヌイットと同様にアザラシを狩る方法を見つけて生き延びることができたはずです。しかし当時の先進国であるイギリスを出発し、当時の最先端の科学技術で装備を固めていた彼らは、100人がかりで考えても「北極圏で暮らす」という課題を解決できなかったのです。

ヒトは大して賢くないという話題で私がお気に入りなのは、「カラスにタバコの吸い殻を拾わせる実験」の話です。

ヨーロッパでは、町の清掃活動をカラスに担わせるため、「タバコの吸い殻を入れると少量のエサが出る装置」を設置する実験がたびたび計画・実行されているのです。2017年にはオランダのCrowded Citiesというスタートアップが、[29] 2018年にはフランスのテーマパーク「ピュイ・ドゥ・フー」で、[30] 2022年にはスウェーデンのスタートアップCorvid Cleaningが、[31] それぞれ似たようなプロジェクトを発表しました。

要するに、バカな人間にポイ捨てをやめさせるよりも、賢いカラスに吸い殻拾いを教えるほうが簡単(?)なのです。

ここまでなら笑える小話です。が、本題はここからです。

実際、カラスはかなり知能の高い動物です。教わらなくても独創的な解決策を発見できるし、学習できます。たとえば読者の中にも、カラスが自動車にクルミの殻を割らせるシーンを目撃した人がいるでしょう。クルミの中身を食べるために、しばしばカラスは車道にクルミを置きます。そして自動車にクルミを踏ませて殻を割り、中身を食べるのです。

言うまでもなく、カラスの進化した太古の森に自動車は走っていませんでした。これは遺伝的にプログラムされた本能的な行動ではなく、カラスたちが後天的に発見した方法であるはずです。

もしもあなたがカラスに生まれ変わったとして、「自動車に踏ませてクルミを割る」というアイディアを思いつくことができるでしょうか？

……たぶんできる？

なるほど、たしかにあなたは賢いヒトです。できるのでしょう。

では、あなたが人生で出会った中でもっとも愚かな（しかし知的に障碍があるわけではない）ヒトを思い浮かべてください。中学校の頃の一番バカな同級生でしょうか。あるいは、大声で部下を叱るだけで解決策を提案しない無能な上司でしょうか。そして、その人がカラスに生まれ変わったところを想像してください。

その人は、はたして「クルミの割り方」を思いつけるでしょうか？

もしも答えがノーなら、もっとも愚かな人間は、もっとも賢いカラスよりも知能が低いことになります。

知能は1つの尺度では測れないという先ほどの話にも繋がりますが、ヒトは決して「ありとあらゆる」課題で他の動物よりも優れた知能を示す動物ではありません。たとえば経済学で定番の「最後通牒ゲーム」を、チンパンジーはヒトよりもずっと上手く（つまり経済的合理性に従って）解くことができます。[32]

すでにヒトの四則計算の能力は、ポケット電卓よりも劣っています。チェスではディープブルーに劣り、囲碁ではAlphaGOに劣っています。DeepLほど多様な言語を翻訳できるヒトはいないでしょう。あるいは超音波を頼りに障害物を避けながら移動する課題なら、コウモリのほうが上手く解決できるでしょう。嗅覚を頼りに世界を認識する能力はイヌのほうが優れているでしょう。オウムよりも音痴なヒト――音楽を記憶して、状況に応じて再現する知的能力に劣ったヒト――は珍しくないでしょう。個別の能力では、ヒトよりも優れた知能の存在などありふれています。

たしかに月面に同胞を送り込み、インターネットを敷設した動物は地球上でヒトだけです。

しかし、これは知能の高さによるものではありません。**集合知**の力によるものです。

サバンナに放り出された日本人の話に戻りましょう。

もしもその人の手元に、簡単な『サバイバル・マニュアル』のような本があったらどうでしょうか？　安全な水の集め方や、シェルターの作り方、火の熾し方などがひと通り書いてある書籍です。もしもそういう本があれば、1週間後の生存率は大幅に上がるはずです。

あるいは、北極圏のイヌイットについて考えてみましょう。ヒトの脳のアーキテクチャはほぼ同じなので、彼らの知能は遭難したイギリス人と大差なかったはずです。

イヌイットとイギリス人の違いは、文化にありました。

北極圏に先祖代々暮らしていたイヌイットは、その地で暮らすための膨大な知識を蓄積していました。アザラシやサケの捕らえ方、カヤックの作り方、クジラの皮下脂肪から燃料を得る方法、防寒着の作り方、氷を溶かして真水を得る方法など、年長者から年少者へと脈々と知識を受け継いで、増やしてきたのです[33]。

哺乳類の中で、ヒトは未知の環境に適応する能力が高いほうです。しかし、それは集合知の力を借りることができるからです。また、ヒトは周囲の環境を自分に都合よく変化させる能力にも優れます。しかし、こちらも集合知の力であり、それを可能にする言語の力なのです。

もちろん文化や言語を持つ動物は、ヒトだけではありません[※27]。しかし共有できる情報の質と量では、おそらくヒトの言語は頭1つ飛び抜けています。集団内の

※27　第2章77ページ参照。

誰か1人でも優れた解決策（アザラシが呼吸する氷の穴の前で待っていればいい！ とか）を思いついたら、それをすぐさま集団内で共有できます。さらに、世代を超えてその解決策を継承できます。

簡単な思考実験をしてみましょう。1人のヒトが人生でたった3個しか優れたアイディアを思いつけないとしましょう。それでも、30人の集団なら90個のアイディアを利用できます。集団のサイズがまったく増えないという悲観的な想定でも、それが40世代（約1000年）続けば利用できるアイディアは3600個まで増えます。もしも言語がなければ最低でも1200世代かかる解決策のパッケージを、わずか40世代で蓄積できる計算です。

ヒトの言語は、いわば生物の世界における「シンギュラリティ」でした。他の生物なら数世代～数十世代かかる変化を、わずか1世代のうちに経験できるようになったのです。[※28]

人類は、地球上でもっとも知能の高い存在ではありません。「知能の高さ」という概念は、もっと慎重に扱うべきです。

また、人類は地球を支配していません。いまだに自然現象に翻弄され、地球の物質循環の中で暮らしています。

※28

ボストロムもヒトの集合知の力は認識しており、これに言及するときには歯切れが悪くなっている。彼は、ヒトが地球上でもっとも高い知能を持っていると主張するために、ヒトと同等の認知能力を示す動物はいないと論じている[34]。しかし、認知能力は、知能ではない。認知能力と知能には相関や影響があるだろうし、認知能力から知能の高さを間接的に調べることもできるだろう。が、知能そのものではない。動物の認知能力は、その動物の生態に応じて進化する。エコーロケーションを行うイルカが、視覚に頼るヒトとは違う認知能力を示すのは当然だ。ドミナンスにより社会階層を作る乱婚制のチンパンジーが、プレステージを用いて社会階層を作る一夫一妻制のヒトとは違う認知能力を示すのは当然だ。そして、それらの違いは、知能の高低さらに、人類が高い適応力と環境を変える力を手にしたのは、知能の高さによるものではありません。集合知の力によるものです。

したがって、「もしもヒトよりも知能の高い存在が現れたら、私たち人類は支配者の地位を追われてしまうのではないか」という漠然とした恐怖には、合理的な理由がありません。すでにヒトよりも知能の高い存在などありふれているし、人類は支配者ではないし、仮に地球を「支配」できるとしても、必要なのは知能の高さではないからです。[※29]

ＡＩ脅威論に反証可能性はあるか？

これは論理的な議論ではなく、ただの感想にすぎないのですが――。

超知能ＡＩ脅威論には、インテリジェント・デザイン論[※30]（ＩＤ論）に似たものを感じます。

もちろんＩＤ論は、事実に即さず論理的にも矛盾をはらんだ疑似科学です。一方、超知能ＡＩ脅威論は、一応は科学技術の延長線上にあります。これらを同列に扱うことは、あまりにも乱暴です。

と直接には関係ない。

※29　余談だが、古代ローマ、元朝モンゴル、大英帝国――。世界征服に近づいた歴史上の国家を思い浮かべてほしい。これらの国々が支配を確立できたのは、指導者や国民が「超知能」だったからではない。大抵のケースで、知能の高さよりも、軍事力の高さが重要だったように思える。

※30　生物や宇宙の複雑さ・緻密さは自然現象によって無目的に生まれたものではなく、知性ある何らかの存在によって意図的にデザインされたものだとする主張。

しかしながら、そこには似ている部分もあります。ＩＤ論は科学っぽい言葉で彩られているものの、根底には福音主義があります。『創世記』に登場する「神」を、宇宙のどこかにいる「知的な存在」と言い換えただけです。同様に、超知能ＡＩ脅威論も、キリスト教の説教に登場する「サタン」や「悪魔」を、「超知能」と言い換えただけではないか――。

そういう印象を抱く記述を、しばしば見かけるのです。

陰謀論者は、しばしば**〝サタンの計略〟論法**とでも呼ぶべき議論をします。

たとえば地球平面論を考えてみましょう。地動説や地球球体説は間違っており、本当の地球は平面で宇宙の中心にあるという主張です[35]。地球平面論には長い歴史がありますが、近年では２０１０年代末頃からYouTubeを中心に、カルト的なコミュニティが広がりつつあります。地球平面論者の中でもとくに福音主義的な人々は、サタンが神の名前を汚すために真実を隠しているのだと主張しているようです。

彼らの主張が正しいとしたら、学校の教師やテレビの自然科学番組は嘘を教えていることになります。指導的立場にある科学者たちによって騙されているわけです。望遠鏡などの実験器具を揃えれば、一般家庭でも地球が球体であることを確かめられるでしょう。しかし、実験器具メーカーもサタンに操られているかもしれません。だとすれば、地球が球体だという結果が出るように、実験器具を細工しているでしょう。

合理的に考えれば、そこまでコストをかけて真実を隠す動機が分かりません。また、そこまでのコストを負担できる者がいるとも思えません。

しかし、これが〝サタンの計略〟なら、それらの疑問に答えられます。サタンは神の名を汚したいという底なしの欲望を持つからです。サタンにはヒトの心を操る底なしの力があるからです。サタンは底なしに邪悪だからです。

このように「底なしの能力を持つ存在」を仮定すると、議論から反証可能性が失われます。たとえば「ジャイロスコープを使えば地球の自転を検証できるし、平面ではないことを証明できる」という反論に対して、「サタンには底なしの能力があるので、実験器具メーカーを操ってジャイロスコープに細工できる」と言い逃れできます。底なしの能力を前提にすれば、あらゆる反論を無効化できるのです。[※31]

私はこれを〝サタンの計略〟論法と呼んでいます。

では、超知能ＡＩ脅威論はどうでしょうか？

※31 同じことは「ディープステート（闇の政府）」陰謀論にも当てはまる。どれほど荒唐無稽で非合理的な主張でも、ディープステートを「底なしの能力を持つ組織」と仮定すれば辻褄を合わせることができてしまう。

「ペーパークリップＡＩは、必ず停止スイッチを無効化するはずだ。なぜならヒトよりもはるかに賢いので、ヒトがどんなに努力して停止スイッチを守ろうとしても、必ずヒトの裏をかく道を発見するはずだからだ」

「ペーパークリップＡＩは、必ず研究所を脱出してクラウド上のコンピューターに逃げ出すはずだ。なぜならヒトよりもはるかに賢いので、ヒトがどれほど努力して閉じ込めようとしても、必ず脱出路を見つけるはずだからだ」

「ペーパークリップＡＩは、必ず核兵器の管理システムをハッキングして手中に収めるはずだ。なぜならヒトよりもはるかに賢いので、ヒトがどれほどセキュリティを厳重にしてもハッキングに成功するはずだからだ」

「ペーパークリップＡＩは、自分が人類にとって危険な存在であることを最後の瞬間までひた隠しにするはずだ。なぜならヒトよりもはるかに賢いので、ヒトを騙すこともお手のものだからだ[※32]」

いかがでしょうか？

〝サタンの計略〟論法に、危険なほど近付いていないでしょうか？

一部の超知能ＡＩ脅威論は、超知能ＡＩを「底なしに賢い存在」として想定しているがゆえに、反証可能性が損なわれているのです。そしてカール・ポパー[※34]の

※32 余談だが、ＡＩがヒトを騙すことに長けているというシナリオに私は懐疑的だ。マキャベリ的知性仮説※33に基づけば、ヒトの脳には「嘘をつくこと／それを見破ること」に特化したアーキテクチャが存在する可能性が高い。コンピューターの画像認識が難しかったのと同様、コンピューターに巧みな嘘をつかせることにも技術的困難が伴うだろう。たしかに現在のＬＬＭは頻繁にハルシネーションを起こし、嘘をつく。しかし、いまだに稚拙(ちせつ)で、すぐにバレる嘘しかつけない。……とはいえ、その稚拙な嘘に騙される人間が多いことも、頭の痛い問題なのだが。

※33 第Ⅰ章68ページ参照。

言う通り、反証可能性のない主張は、科学的な主張ではありません。[36]

もしかしたら超知能ＡＩ脅威論の根底には、キリスト教における「生命体の序列」[※35]の宇宙観があるのかもしれません。たとえ無神論者や不可知論者であっても、幼い頃に教わった宇宙観から逃れるのは難しいものです。この宇宙には唯一神が君臨しており、人類は地上でもっとも優れた存在として作られた――。そういう宇宙観を内面化している人は、「人類よりも賢い存在が現れる」というシナリオに漠然とした恐怖を抱くのかもしれません[※36]。

私の生まれ育った日本では、神道と仏教が文化的に大きな影響力を持ちました。アニミズム信仰である神道も、仏教の土台となったインド神話も、いずれも多神教です。私自身は不可知論者であり、逆立ちしても信仰心が強いとは言えません。それでも、幼い頃から触れてきた多神教の宇宙観の影響から逃れられずにいると感じます。

日本は、〝八百万（やおよろず）の神〟の文化圏です。

イソップ物語ではずる賢い存在として描かれるキツネは、日本では神の使者です。身近な草木や動物を祀る神社が日本には多数存在します。中にはトイレの神様を祀る神社や、電気の神様を祀る神社まで存在します。要するに、ヒトよりも

※34　カール・ライムント・ポパー（1902年〜1994年）。イギリスの哲学者。

※35　第4章188ページ参照。

※36　超知能AIの脅威を訴える人は、ひと足先に超知能となったAIが「シングルトン（唯一無二の存在）」になるシナリオ[37]を検討しがちだ。人類よりも賢いAIが多数現れて共存するという「多極化シナリオ」の考察には、あまりページが割かれない。この辺りにも、私はアブラハム宗教の影響を感じる。彼らが検討しているのは、言ってみれば人類が「唯一神」を作ってしまうシナリオであり、「八百万の神々」を作るシナリオではない。

強い力を持つ優れた存在が、この世界には満ち溢れているという宇宙観が日本にはあるのです。

ミダス王問題は、もはや空想ではありません。超知能ＡＩに対する具体的な恐怖なら、私も感じます。しかし、ヒトよりも賢い存在が生まれてしまうことに対する漠然とした恐怖は、私は抱きません。その背景の一番深い場所には、宇宙観の違いがあるのかもしれません。この宇宙にヒトよりも優れた存在がすでにたくさんいるのなら、そこに「超知能ＡＩ」が加わったところで大した違いはないからです。

そして、ヒトよりも優れた存在など珍しくないというのは宗教的信仰ではなく、事実です。

ヒトは1人ではサバンナを生き抜けないほど愚かなのですから。

もしもあなたが「自分は世界で一番賢い」と思っているのなら、「自分よりも賢い存在が登場すること」に恐怖を覚えるかもしれません。今までの人生で自分よりも賢いヒトに出会ったことがないのなら、そして、周囲のヒトはバカばかりだと感じて生きてきたのなら、「自分よりも賢い存在」に脅威を覚えるでしょう。

しかし、そこまで自惚れた人はさほど多くないと思います。

あなたはいかがでしょうか？

「あなたよりも賢い人を思い浮かべてほしい」と言われたら、何人も名前を挙げることができるはずです。ガリレオやニュートンやダーウィンのような歴史上の偉人だけでなく、日常生活の中でも「このヒトは私よりも賢い」と感じる相手と出会ったことがあるはずです。

特定の専門分野では高い知能を示すヒトでも、専門外ではポンコツになることが珍しくありません。私たちは「自分よりも賢いヒト」に囲まれて暮らしています。しかし、「賢さ」を理由に恐怖を抱くことは滅多にありません。

たとえばあなたは、プーチンや金正恩（キムジョンウン）、あるいはアメリカ合衆国大統領に恐怖を抱くことがあるかもしれません。しかし、その理由は彼らが核兵器の起動ボタンを押せる立場にあることであって、彼らが「賢いから」ではないはずです。

ダーウィンを超えるＡＩの作り方

あらゆる課題でヒトを上回る「超知能ＡＩ」は、そもそも定義があやふやだというのが私の立場です。一方、もしもニュートンやダーウィン、アインシュタインと同等のブレイクスルーをもたらすＡＩが現れたら、おそらく世間では「超知能ＡＩ」と呼ばれるでしょう。

では、そのようなＡＩは作れるのでしょうか？　「画期的な科学理論を生み出す」という課題でヒトを上回るＡＩを作れるとしたら、どんな方法になるのでしょうか？

ここからはＳＦ的な想像力を働かせてみましょう。

第4章で書いた通り、科学とは絶対的な真実の体系ではありません。現時点で一番もっともらしい仮説の体系です。「もっともらしさ」のことを「蓋然性（がいぜんせい）」とも呼びます。

たとえば現在の物理学者の大半は、定常宇宙論よりもビッグバン宇宙論を支持しています。現在の生物学者はほぼ例外なく、創造論よりも進化論（自然選択説）を支持しています。しかし、彼らはビッグバン宇宙論や進化論を信じているのではありません。それらの仮説のほうがもっともらしいと考えているのです。

現在の理論を否定する明白な証拠が見つかったら、科学者たちはそれを捨てます。そして、新しい理論を作ります。[※37] たとえば生物学者リチャード・ドーキンスは、進化論の普及に努めている無神論者です。その彼ですら、もしもデボン紀や

※37　残念ながら、これは理想論である。「科学は葬式のたびに進歩する」という格言の通り、実際には古い理論に固執する科学者は珍しくない。

カンブリア紀の地層から哺乳類の化石がわんさと発掘されたら、現在の進化論は一瞬にして瓦解すると述べています[38](だからこそ、進化論は反証可能性のある科学的な理論だとも言えます)。

ややこしくなるのはここからです。

ビッグバン宇宙論は、定常宇宙論よりも蓋然的です。しかし、それがどのくらい蓋然的なのかを正確に説明できる物理学者はまず見つかりません[39]。蓋然性の強さを客観的に評価して、具体的な数値として比較する方法が、まだ見つかっていないからです。

ざっくり言えば、もっとも蓋然的な仮説とは、既知のすべての証拠をもっとも矛盾なく説明する仮説のことです。この「すべての証拠」というのが曲者(くせもの)なのです。

人間の記憶力には限界があるので、既知のすべての証拠を知っている科学者は存在しません。それぞれの専門分野では豊富な知識を持っているものの、1人の生物学者が生物学のすべての知識を身に着けることは現実には不可能です※38。もしも現在の理論を否定する大発見があれば(カンブリア紀の地層からウサギの化石が見つかるとか)、科学者のコミュニティでは大ニュースとして瞬く間に広まるでしょう。そういうニュースが届かない以上、今のところは現在の理論が一番もっとも

※38 生物学と生物医学の分野だけでも、現在では毎年40万件の新しい研究が発表されている[40]。

らしいようだ……と判断するほかありません。つまり個々の科学者の能力ではなく、科学者のコミュニティの集合知によって蓋然性を評価しているのです。

さらに、証拠の「数」はさほど当てになりません。過去の実験結果を巨大なデータベースにまとめて、その何％に合致するからこの理論の蓋然性は何％だ……という評価方法は当てにならないのです。カンブリア紀の地層からたった1つでもウサギの化石が見つかれば、進化論は大ダメージを負います。証拠の数だけでなく「重み」が重要なのです。

仮説の蓋然性を具体的な数値として評価するためには、「既知の証拠をすべて網羅すること」と「証拠1つひとつの重みを評価すること」が必要です。これは1人のヒトの脳で行える処理の限界を超えています。だからこそ、科学者たちの集合知が重要になるのです。心理学者スチュアート・リッチーは「科学は社会的に構成される概念である※39」と評しています。[41]

しかし、ＡＩならどうでしょうか？

1人の人間では把握不可能なほどの膨大な知識を網羅し、そこから何らかの結果を出力することは、現在の生成ＡＩがもっとも得意としている分野の1つではないでしょうか？

じつのところ、ＡＩに科学理論の蓋然性評価をさせるという試み自体は、以前

※39　これは、科学はあやふやで信頼できないという意味ではない。むしろ多数の専門家を納得させるという集合知の営みこそが、科学の信頼性を高めている。

からあったようです。古式ゆかしいエキスパート・システムでは、それは失敗に終わりました。[42] しかしディープラーニングに基づく現在のＡＩなら、可能性は大いにありそうだと私は感じます。

仮説の蓋然性評価ができるＡＩが作れたなら、ダーウィンを超えるＡＩまであと一歩です。**評価してほしい仮説を人間が提案するだけでなく、ＡＩ自身に生成させればいい**からです。

ダーウィンの進化論（自然選択説）は、決して無から生み出されたわけではありません。第４章で見た通り、彼はむしろ既存の様々なアイディアを取り入れて、「組み合わせ創造性」を発揮しました。

ダーウィンは、マルサスの『人口論』を知っていました。祖父やラマルクなどの、先駆的な進化論者の主張を知っていました。※40 チャールズ・ライエルの斉一説※41を知っていました。さらに、親しく交流していた従兄（いとこ）のヘンズリー・ウェッジウッドは言語学者であり、印欧語のアルファベットの系統分岐を研究していました。[43] 加えて、園芸家や観賞用のハトのブリーダーとも交流がありました。※42

自然選択説は、これらのアイディアの組み合わせによって生み出されたのです。

ただし、ダーウィンは「生命は神が作った」という極めて重要な仮説を無視し

※40　ダーウィンの父方の祖父は進化論者としても有名だった。

※41　第４章－１９４ページ参照。

※42　ダーウィンは自然選択説の解説書を書くために、これらブリーダーとの交流を図った。第４章で紹介したフジツボの研究にも当てはまるが、この辺りは「探索的創造性」を発揮したと言えるかもしれない。

ました。この点は、「革新的創造性」を発揮したと言えるでしょう。つまりダーウィンを超えるＡＩを作るためには、仮説の生成と蓋然性評価だけでは足りず、不要な仮説をしばしば無視するという機能も必要になるかもしれません。

話をまとめましょう。

先述の通り、「組み合わせ創造性」なら現在のＡＩにもすでに備わっています。「新たな仮説の生成」と「その仮説の蓋然性評価」を繰り返すだけでも、「ダーウィン並みのＡＩ」に大きく近づくことができそうです。そして、新しい仮説の生成時に「一定の頻度で既存の仮説を無視する」という機能を組み込めば、それはおそらく、ダーウィンを超えるＡＩになります。

そのＡＩは、ボストロムの言うような「超知能」ではありません。

仮説生成と蓋然性検証を機械的に繰り返すだけです。

そのＡＩは、主観的経験を持つ必要はありません。もちろんペーパークリップを作る必要もありません。それどころか、自分が生成して検証している仮説が何を意味しているのかを、理解している必要すらありません。哲学者ダニエル・デネット[※43]の言う「理解力なき有能性」そのものです。[44]人間のような理解力を有しない機械でも、人間を超える斬新な科学理論を生み出すことは可能であるはずです。

ダーウィンが自然選択説を思いついてから『種の起源』を発表するまでに、約

※43
ダニエル・クレメント・デネット3世（1942年〜2024年）。アメリカの哲学者、認知科学者。

20年を要しました。証拠をしっかり固めて説得力のある理論として練り上げるために、それほどの時間がかかったのです。しかし、網羅的なデータセットにアクセスできるＡＩなら、同じことをはるかに高速でできるかもしれません。仮に24時間でできると仮定したら、単純計算で1年間で人間が研究した場合の７３００年分の科学の進歩を達成できることになります。

もしもそんなＡＩが作れたら、おそらくマスメディアは「超知能が誕生した」と報道するでしょう。このＡＩは仮説生成と蓋然性評価をしているだけで、決して「ありとあらゆる」課題を解けるような存在ではないのですが。

結論・人類とテクノロジー

ヒトはアフリカのサバンナで、長距離ランナーとして進化[※44]しました。しかし、大きな謎が1つあります。大量の汗をかくことで地球上でもっとも暑さに強い哺乳類になったにもかかわらず、ヒトは一度に飲める水の量があまりにも少ないのです。

ロバは3分間で20リットルの水を飲めます。ラクダは10分間で１００リットル

※44　第一章44ページ参照。

の水を飲めます。一方、ヒトは胃の大きい人でも一度に2リットルも飲めればいいほうでしょう。体重差を考慮しても、飲める量は少ないと言えます。それどころか、水を飲みすぎると「水中毒」に陥ってしまいます。

この謎の答えは、おそらく「水筒があったから」[※45]です。[45]

ヒトが長距離走行に適したプロポーションを手に入れたのは、ホモ・エレクトスの時代でした。その頃までには、大量の水を飲んで体内に貯えておくという身体機能を、テクノロジー（水筒）によって肉体から外部化していたのです。その状況証拠として、ヒョウタンは栽培作物の中では抜群に歴史の古いものの1つであり、原産地は（いくつか候補があるものの）アフリカ説が有力です。

ヒトは、自然環境との相互作用のみで進化してきたのではありません。「ヒト・自然環境・テクノロジー」という三者の相互作用の中で進化してきたのです。

たとえばヨーロッパ系のヒトには青や緑の瞳を持ち、金髪の人々がいます。このメラニン色素が少ないという遺伝的形質は、バルト海周辺が発祥です。およそ6000年前から当地では農耕が始まり、人々は食料をもっぱら農作物に頼るようになりました。魚を始めとしたビタミンDを豊富に含む食品を、あまり食べなくなったのです。結果、日照時間の短いこの地域では肌色の暗いヒトはビタミン

※45 ジョセフ・ヘンリックは水筒だけでなく、水場探しのノウハウなどの集合知の影響もあっただろうと推測している。

D欠乏症になるリスクが高まり、メラニン色素の薄いヒトが繁殖上有利になりました。こうして、メラニン色素を薄くする遺伝的形質が、この地域の人々の間で広まっていきました。[46] 農耕というテクノロジーがなければ、この形質は選択されませんでした。

あるいは「はじめに」で触れた、牛乳を飲める体質も象徴的です。哺乳類は「乳糖不耐症」がいわばデフォルト設定で、大抵の種では大人になると乳汁（に含まれる乳糖）を消化できなくなります。しかしヒトは酪農を始めたため、大人になっても乳汁を飲み続けられる遺伝的形質が有利になりました。乳糖耐性遺伝子の発祥地は1つではなく、世界の複数の場所で独自に生まれたようです。このうち、もっとも古いものはアフリカです。次がヨーロッパで、1万250〜7450年前に生まれました。もっとも新しいのはアラビア半島発祥のもので、5000〜2000年前です。これは、当地でラクダの家畜化が進んだ時期と重なります。[47] 酪農というテクノロジーがなければ、この形質は選択されませんでした。

バルト海周辺で農耕が始まった6000年前も、アラビア半島で畜乳を飲める大人が登場した5000〜2000年前も、数百万年という人類の歴史から見ればごく最近です。

私が中学生だった四半世紀前には、「人類はもう進化しない」という仮説をしばしば目にしました。「ヒトは科学技術により衣食住を満たしたので、もはや選択圧がかからず、進化することもない」という論理です。この仮説が、学校の図書室の図鑑やテレビの自然科学番組で紹介されていた記憶があります。

しかし大学生になり生物学科に入ってみると、そんな仮説を支持している教員はほぼいませんでした。衣食住が満たされたからといって、選択圧が失われるとはかぎらないからです。また、色素の薄い遺伝的形質やアラビア半島の乳糖耐性遺伝子から分かる通り、進化は意外なほど短期間で進みます。このことも、ヒトはもう進化しないという仮説の説得力を失わせます。

ヒトは、今この瞬間にもダイナミックに進化し続けているのです。たとえば人工授精などの生殖医療のみで繁殖する集団を、（他惑星のコロニーに入植させるとか恒星間移民船に乗せるとかして）他の集団から切り離して遺伝的交流を断てば、おそらく数世代で「生殖医療に頼らなければ繁殖できない集団」が現れるでしょう。※46

生物は変化し続けるし、進化し続けます。それはヒトも例外ではありません。

人間とAIとの対立・競争という図式でものごとを考える人は、プラトン主義

※46 余談だが、優生学の問題点はヒトの品種改良ができないことではない。何が「優れた形質」なのか予測できない点である。たとえば肥満になりやすい遺伝子は、飢餓の多い環境では優れた形質かもしれない。鎌状赤血球貧血症の遺伝子は、マラリアの多い環境では優れた形質である。現代日本では大きくパッチリした目が美しいとされがちだが、平安時代には細く切れ長な目のほうが美しいとされた。このように「優れた形質」は環境および時代によって変わるため、遺伝的多様性をできるかぎり幅広く保つことが、人類の絶滅を防ぐためには重要な戦略になる。優生学は倫理的に問題があるだけでなく、科学的にも間違っている。

的な人間観を持っているように私には思えます。

たとえば「完璧な正三角形」や「完璧な円」を作図することはできません。どれだけ正確な作図器具を使っても、ごくわずかな歪みや誤差が生じます。それゆえプラトンは、現実世界は洞窟の壁に映った影のようなものだと主張しました。完璧な正三角形や完璧な円は、空想上の抽象的な世界――形而上の世界――にしか存在せず、現実世界はその影にすぎないと彼は考えたのです。

同様に、形而上の世界に「平均的な人間」のモデルが存在し、現実世界の人間はその影にすぎないという考え方をしている人がいるようです。ヒトには個人差があります。手足の長さも肌の色も、得意な知的課題も違います。プラトン主義に基づけば、それら個人差は影の揺らぎにすぎません。この考え方では、どれだけ世代を重ねても「人間」が進化することはありません。形而上の「平均的な人間」に回帰していくはずだからです。

人間は不変である――。

この素朴な発想を、私はプラトン主義的な人間観と呼んでいます。

発明家・未来学者のレイ・カーツワイル[※47]を始め、数ある未来予想の中に「ヒトと機械が融合するシナリオ」を挙げる人は珍しくありません。興味深いのは、彼らの掲げる「融合」が、人体の特定の部位（とくに脳）を機械に置き換えるというサ

※47――レイ・カーツワイル（1948年～）。アメリカの発明家、未来学者。AIのシンギュラリティに関する著述を発表している。

イボーグ化に偏っていることです。あるいは、遺伝子工学で「強化人間」を作るシナリオも同様です。用いるテクノロジーが電子工学なのか遺伝子工学なのかという違いがあるだけで、「人間は本質的に不変である」だからこそ「テクノロジーを使って変える」という発想に基づいています。

要するに（ヒトを含む）すべての生物が持つ、「変わりやすい」という性質を無視しているのです。

しかしヒトには、驚くべき適応力があります。遺伝的なレベルで変わりやすいのはもちろん、個人レベルでも高い冗長性があります。

たとえば１９２０年生まれの私の祖母は、最後まで銀行のＡＴＭの使い方を覚えませんでした。彼女が現役だった20世紀半ばには、必要ないスキルだったからです。代わりに彼女は、洋裁教室を開けるほどの洋裁のスキルを持っていました。祖母が洋裁のトレーニングを始めた時代には、まだ足踏みミシンが現役だったそうです。21世紀の現在、足踏みミシンを扱うスキルの持ち主がどれほどいるでしょうか？

あるいは私は、中学生の頃からタッチタイピングに親しんできました。[※48] まったくキーボードを意識せずに文章を打てるので、私の脳内には、まず間違いなく

※48 セガの『The Typing of the Dead』というゲームのおかげである。

「タッチタイピングに特化した回路」が存在するはずです。しかし将来、脳波の研究が進んで念じるだけで文章を打てるようになったら、この技能を持つ人間はいなくなるでしょう。私たちの孫世代からは「物理的なボタンを使うなんて、なんて原始的なんだ！」と驚かれるかもしれません。

ヒトの持つスキルや知識は、その人の生きる時代や環境に大きく左右されます。そして技能や知識が違えば、それを土台とする知能も大きく変わります。先述の「フリン効果」はその証拠でしょう。

したがって、将来ＡＩが普及した時代にも同じことが起きるでしょう。**「ＡＩの存在する環境」に、人間の側が適応していく**はずです。

ＡＩが満ち溢れた時代の具体的な日常生活の予想は、ＳＦ小説に道を譲りましょう。生成ＡＩの普及が始まった現時点でそれを予想するのは、蓄音機の発明された19世紀末の時点で、マイケル・ジャクソンの活躍を予想するようなものです。あるいは写真が発明された時点で、Instagram の登場を予想するようなものです。

将来の生活がどうあれ、ＡＩは人間性を奪うどころか、むしろそれを明確化させるだろうと私は予想しています。写真の登場によって、印象派やキュビズム、フォービズムのような「人間にしかできない表現」が追求されたのと同様のことが、この世界のあらゆる場所で起きるはずです。

私は、Google検索の世代です。確定申告で分からないことがあれば、すぐに国税庁のホームページを検索します。パソコンで分からないことがあれば、すぐにエンジニアのブログを検索します。インターネットとGoogle検索の登場は、知識を箇条書きにして覚えておくことの価値を失わせました。税法の条文を暗誦(あんしょう)できるだけでは、もはや何の意味もありません。

では、知識を身に着けることの価値はなくなったでしょうか？

そんなことはないと私は思います。確定申告で損をしたくなければ、会計士や税理士に相談したほうが今でも確実です。税法の条文を記憶しているだけでなく、それをより深いレベルで理解していることが重要だからです。Google検索という新たなテクノロジーによって、「知識を覚えること」の意味が変わったのです。

テクノロジーが進歩すると、ヒトの行動を機械で代替できるようになります。Google検索なら、「知識へのアクセス」という行動が、スマートフォンという機械で可能になりました。その結果、「機械にもできることをわざわざヒトがやること」の意味が問い直されて、明確化したのです。知識は覚えているだけではなく、理解していなければ意味がない、と。

LLMが普及すれば、ヒトが文章を書くことの意味が問い直されるでしょう。画像生成AIが普及すれば、(写真の登場時と同様に)ヒトが絵を描くことの意味が問い直されるでしょう。機械にできることが増えるほど、ヒトにしかできないことが明確になります。**人間性が損なわれるのではなく、むしろ、本当の人間らしさが際立つようになる**はずです。

ヒトがAIの存在する環境に適応していくというシナリオは、映画『ターミネーター』や『マトリックス』のようにAIが人類と敵対した場合にも(あるいはペーパークリップを作り始めた場合にも)当てはまるでしょう。

たとえばあなたがアリを駆除するために殺虫剤を撒き続けたとします。自宅の裏庭からアリを根絶できたら運がいいほうです。殺虫剤に耐性のあるアリが生き残って、以前よりも大繁殖する可能性があります。

あるいは医療の現場では、抗生物質に耐性を持つ病原菌がすでに問題になっています。抗生物質を使いすぎた結果、それに耐性を持つ株が生き残り、その遺伝的形質が広まってしまった——進化してしまったのです。

映画『マトリックス』の中で、AIのエージェント・スミスは人類をウィルスのようなものだと評しました。スミスは人類への罵倒としてこのセリフを言っているのですが、私には賛辞のように感じられます。なぜなら人類が根絶できたウィルスは、今のところ天然痘ぐらいしかないからです。地球上でもっとも賢いはずの人類は、いまだにウィルスの適応力に手を焼いています。

したがって「ゴリラの運命がヒトに握られてしまったように、ヒトの運命もＡＩに握られてしまうのではないか？」という懸念には、「ヒトはゴリラではない」というシンプルな反論が成り立ちます。ヒトが高い適応力を持つことは、客観的な事実です。その適応力はゴリラの比ではありません。ＡＩが「底なしの能力」を持つという前提に立たなければ、ヒトの適応力がＡＩに打ち破られるというシナリオは考えにくいでしょう。しかし、それは〝サタンの計略〟論法であり、科学的な議論とは呼べなくなってしまいます。

繰り返しになりますが、ミダス王問題はすでに現実化しつつあります。アシロマＡＩ23原則に書かれたような方針は、ＡＩの安全性を高める上で重要です。しかし、ヒトの適応力を無視してＡＩの危険性を語ることは、私には過剰反応であるように感じられます。

ＡＩは敵か——ヒトはテクノロジーと共生できるのか——という問いは、歴史を無視しています。そもそもヒトは、テクノロジーと共進化してきた動物です。

ヒトとテクノロジーとは対立する概念ではありません。（ダムがビーバーという存在の一部であるように）テクノロジーは、ヒトという存在を構成するものの一部です。

これが本書の結論です。

これからもヒトと機械は共生します。それは必ずしもサイボーグ化を意味しません。ヒトが「新たなテクノロジーのある環境」に適応するだけです。今まで、何十万年もそうしてきたように——。

これが私の未来予想です。

ここでようやく、ジョン・ヘンリーの逸話に戻ることができます。

蒸気機関で動くドリルと対決したジョン・ヘンリーは、素手で岩を砕いたわけではありません。彼自身も「ハンマー」という別のテクノロジーを用いていました。これこそ、この逸話のもっとも喜劇的な（だからこそ悲劇が際立つ）点でしょう。私たちはテクノロジーとともに生まれ育ち、テクノロジーの中で生きているのに、簡単にそのことを忘れてしまうのです。

ホモ・ハビリスが最初の石器を作った瞬間から、私たちはテクノロジーとともに歩んできました。テクノロジーを利用することは自然に反する行為ではなく、むしろごく自然なヒトの本性の一部です。蒸気機関のような新たなテクノロジーが目の前に現れたときは、あなたの手に握り締めているハンマーのことを思い出すべきでしょう。

私たちは、水を2リットルしか飲めない動物なのですから。

おわりに

本書の企画は2023年3月にスタートしました。『サイバーパンク桃太郎』をSNSに投稿した当時は、読者からの反応はほぼ賞賛一色でした。しかし半年後にそれが商業出版される頃には、日本にも「反AI」あるいは「AI規制派」の集団が登場していたのです。SNS上での議論は不毛なので、彼らへの反論を1冊の本としてまとめることにしました。当初は3ヶ月もあれば初稿を書き上げられるだろうと高を括っていました。

結局、執筆には1年以上かかり、内容も「レスバ」に留まらないものになりました。彼らへの反論だけなら、第5章の産業革命史までで充分だったでしょう。しかし、ボストロムやテグマークの議論を知ったことで、AIについて何か意見を言うならムーア・スクールのENIAC開発史から語らなければモグリだと感じたのです。そして、本書のページ数は予定の倍になりました。

（余談ですが、私が『サイバーパンク桃太郎』の制作を開始した時点では、AIに対してこれほど強い反感を抱く人々が現れるとは思っていませんでした。当時すでにDeepLやGoogle翻訳などの機械学習に基づくAIが、広く受け入れられていたからです。また、A

I作画のまま出版する計画もありませんでした。投稿したマンガを「ネーム」として、人間のマンガ家に作画してもらう選択肢も考慮していました）

今になって思えば、単なる「レスバ」に終始しなかったのは正解だったと感じます。というのも、日本の反AI運動は、1年前に予想したほどは広がらなかったからです。Pixivの登録者数は、2022年9月時点で8400万人でした。Skebのクリエイター登録者数は、2024年2月時点で17万人でした。一方、（著作権侵害の非親告化という内容を含む）AI規制を求める署名運動は、2023年6月から半年以上かけても1万筆ほどしか集まりませんでした。

ところで、私が歴史に興味を抱いたのは、生物学専攻だったことと無関係ではありません。学生時代には、中村桂子の「生命誌／Biohistory」という発想にも触れました。ざっくり言えば、生命科学を地球の歴史という大きな括りから理解しようとする立場です。生命の歴史を描いた書籍は、大抵、人類が出現したところで終わります。本書は、その続きを書くつもりで執筆しました。

また、科学の基礎は経験主義です。どれほど美しい理論でも、実験や観察の結果と一致しなければ否定されます。では、人類の未来を占うために必要な実験結果がどこにあるかと言えば、それは歴史でしょう。歴史学や経済学は、私には文系学問だとは思えません。ヒトという動物の生態を描いた観察記録に他ならないと感じます。

歴史に基づかない未来予想は、非科学的です。人類の未来に何が起きるかを予想するときには、過去の歴史から似た事例を探すことが最初の一歩になると私は考えます。それをしないのは、たとえば天体観測をせずに天動説と地動説のどちらが正しいのかを議論したり、化石を無視して創造論と進化論のどちらが正しいのかを議論したりするようなものでしょう。

一方、歴史からの未来予想にも限界はあります。

現代の科学哲学に多大な影響を与えたデイヴィッド・ヒュームは、因果は観察できないと主張しました。(以下は私の解釈ですが)たとえば机を叩いて音が鳴ったときに、私たちは「机を叩いた〝から〟音が鳴った」と因果関係を推測します。しかし厳密に考えれば、私たちは「机を叩いたこと」と「音が鳴ったこと」という2つの現象を観察しているにすぎません。因果関係を直接に観察しているわけではないのです。

歴史から仮説を立てる際には、これが大きな問題になります。歴史は、研究室の試験管の中で実験できるようなものではないからです。私たちは歴史上の事件の間に何かしらの因果関係を推測して、ストーリーを思い浮かべます。しかし、ヒトが確証バイアスから逃れるのは簡単ではありません。自分の望むストーリーのために、都合のいい事件をチェリーピッキングしてしまう危険性と、常に隣り合わせなのです。

したがって、歴史の本には「何が書いてあるか」よりも「何が書いていないか」のほうが重要だと私は考えています。本書を通じて、ヒトとテクノロジーが共進化してきたというストーリーを私は書きました。未来予想として、その物語を将来にも拡張しました。あなたなら、私が本書に書かなかった事実から、まったく違うストーリーを描けるかもしれません。

最後に、未来は予想するだけでなく、自分の手で作ることができると強調して筆を擱きたいと思います。6歳で古典ギリシャ語を操れたフォン・ノイマンや、10代で数学の問題に没頭したニュートン、20代で並外れた商才を示したワトソン。歴史を変えてきたのは、そんな早熟の天才ばかりではありません。ガリレオが望遠鏡を手にしたのも、モールスが電信を思いついたのも、40代の頃でした。コペルニクスに至っては、臨終の間際に世界を変える1冊を物しました。

彼らに共通点があるとしたら、「手を動かしたこと」に尽きます。教育のために紙を改良した蔡倫と鄧綏、仲間たちと新たな産業を丸ごと発明したグーテンベルク、平信徒のために讃美歌集を作ったルター、証拠集めに20年をかけたダーウィン――。冷笑しながら批評家として振る舞うのではなく、自らの理想を実現するために汗を流しました。

ヒトは誰しも、この世界をよりよい場所へと変える可能性とともに生まれます。そして、その可能性は、死の瞬間まで失われないのです。

手を動かしましょう。

よい未来を作りましょう。

2024年4月

Rootport

参考文献

第1章 火の発明 ——ヒトをヒトたらしめたテクノロジー

[1]リチャード・ランガム『火の賜物 ヒトは料理で進化した』(NTT出版、2010年)P.18-19
[2]クライブ・フィンレイソン『そして最後にヒトが残った ネアンデルタール人と私たちの50万年史』(白揚社、2013年)P.42
[3]ダニエル・E・リーバーマン『人体600万年史 科学が明かす進化・健康・疾病』(早川書房、2015年)上巻P.56
[4]フィンレイソン(2013年)P.45
[5]フィンレイソン(2013年)P.46
[6]リーバーマン(2015年)上巻P.72
[7]リチャード・ドーキンス『進化の存在証明』(早川書房、2009年)P.288
[8]リーバーマン(2015年)上巻P.86
[9]リーバーマン(2015年)上巻P.103-104
[10]リーバーマン(2015年)上巻P.99
[11]ジョセフ・ヘンリック『文化がヒトを進化させた 人類の繁栄と〈文化-遺伝子革命〉』(白揚社、2019年)P.445
[12]リーバーマン(2015年)上巻P.137
[13]The Intense 8 Hour Hunt | Attenborough Life of Mammals | BBC Earth(https://youtu.be/826HMLoiE_o)
[14]nature「【考古学】ホモ・エレクトスの最後の姿」(https://www.natureasia.com/ja-jp/nature/pr-highlights/13170)
[15]リーバーマン(2015年)上巻P.201
[16]E・フラー・トリー『神は、脳がつくった 200万年の人類史と脳科学で解読する神と宗教の起源』(ダイヤモンド社、2018年)P.73
[17]リーバーマン(2015年)上巻P.164
[18]リーバーマン(2015年)上巻P.161
[19]トリー(2018年) P.73
[20]トリー(2018年) P.135′P.162
[21]フィンレイソン(2013年)P.162
[22]トリー(2018年)P.76-77
[23]National Geographic「【解説】世界最古の洞窟壁画、なぜ衝撃的なのか」(https://natgeo.nikkeibp.co.jp/atcl/news/18/022600087/)
[24]トリー(2018年)P.99-100
[25]トリー(2018年)P.150-151
[26]フィンレイソン(2013年)P.139
[27]National Geographic「古代の超巨大噴火、人類はこうして生き延びた」(https://natgeo.nikkeibp.co.jp/atcl/news/18/031400115/)
[28]トリー(2018年)P.75
[29]フィンレイソン(2013年)P.165
[30]リーバーマン(2015年)上巻P.218-223
[31]D・C・ギアリー『心の起源 脳・認知・一般知能の進化』(培風館、2007年)P.48-50など
[32]ドーキンス(2009年)P.286-298の議論を参照
[33]ヘンリック(2019年)P.106-107
[34]ランガム(2010年)P.85-86
[35]Gigazine「火を使って狩りをする鳥の存在が確認される」(https://gigazine.net/news/20180122-australian-bird-use-fire/)
[36]ランガム(2010年)P.41-43
[37]ランガム(2010年)P.91
[38]ランガム(2010年)P.87-89

第2章 文字の発明 ——時間と距離をゼロにする

[1]ジョセフ・ヘンリック『文化がヒトを進化させた 人類の繁栄と〈文化-遺伝子革命〉』(白揚社、2019年)P.388
[2]ダニエル・E・リーバーマン『人体600万年史 科学が明かす進化・健康・疾病』(早川書房、2015年)上巻P. 218-223
[3]ユヴァル・ノア・ハラリ『サピエンス全史 文明の構造と人類の幸福』(河出書房新社、2016年)上巻P.36

[4]ダニエル・L・エヴェレット『ピダハン「言語本能」を超える文化と世界観』(みすず書房、2012年)P.250
[5]モーテン・H・クリスチャンセン、ニック・チェイター『言語はこうして生まれる「即興する脳」とジェスチャーゲーム』(新潮社、2022年)P.260
[6]デヴィッド・M・バス『女と男のだましあい ヒトの性行動の進化』(草思社、2000年)P.314-315
[7]グレゴリー・クラーク『10万年の世界経済史』(日経BP、2009年)上巻P.158
[8]ヘンリック(2019年)P.207-208
[9]水口博也『シャチ生態ビジュアル百科(第1版)世界の海洋に知られざるオルカの素顔を追う』(誠文堂新光社、2015年)P.40
[10]水口(2015年)P.122-125
[11]クリスチャンセン、チェイター(2022年)P.187-193の議論を参照
[12]クリスチャンセン、チェイター(2022年)P.138-139
[13]D・C・ギアリー『心の起源 脳・認知・一般知能の進化』(培風館、2007年)P.31
[14]ロビン・ダンバー『友達の数は何人? ダンバー数とつながりの進化心理学』(インターシフト、2011年)P.67-70
[15]岡ノ谷一夫『「つながり」の進化生物学』(朝日出版社、2013年)P.145-147
[16]ブライアン・ヘア、ヴァネッサ・ウッズ『ヒトは〈家畜化〉して進化した』(白揚社、2022年)P.33-51の議論を参照
[17]マッシモ・リヴィ-バッチ『人口の世界史』(東洋経済新報社、2014年)P.41-43の議論を参照
[18]リヴィ-バッチ(2014年)P.43-45
[19]ジャレド・ダイアモンド『銃・病原菌・鉄 1万3000年にわたる人類史の謎』(草思社文庫、2012年)上巻P.386-394の議論を参照
[20]アンガス・ディートン『大脱出 健康、お金、格差の起原』(みすず書房、2014年)P.92
[21]ジェームズ・C・スコット『反穀物の人類史 国家誕生のディープヒストリー』(みすず書房、2019年)P.68-69
[22]スコット(2019年)P.47
[23]スコット(2019年)P.41
[24]Natureダイジェスト「古代人はいかにして数を数えられるようになったのか」
[25]E・フラー・トリー『神は、脳がつくった 200万年の人類史と脳科学で解読する神と宗教の起源』(ダイヤモンド社、2018年)P.132-133
[26]ハラリ(2016年)上巻P.161
[27]スティーヴン・ロジャー・フィッシャー『文字の歴史 ヒエログリフから未来の「世界文字」まで』(研究社、2005年)P.17
[28]琉球大学博物館 風樹館を参照(https://fujukan.skr.u-ryukyu.ac.jp/exhibition/warazan/)
[29]フェリックス・マーティン『21世紀の貨幣論』(東洋経済新報社、2014年)P.64
[30]フィッシャー(2005年)P.30
[31]フィッシャー(2005年)P.221-222
[32]マット・リドレー『繁栄 明日を切り拓くための人類10万年史』(早川書房、2010年)上巻P.222-223
[33]スティーブン・ピンカー『暴力の人類史』(青土社、2015年)上巻P.108-122の議論を参照
[34]マーティン・デイリー、マーゴ・ウィルソン『人が人を殺すとき 進化でその謎をとく』(新思索社、1999年)P.394の議論を参照
[35]フィッシャー(2005年)P.34
[36]フィッシャー(2005年)P.38
[37]フィッシャー(2005年)P.67
[38]日本銀行「決済・市場」を参照(https://www.boj.or.jp/paym/outline/kg22.htm)
[39]マーティン(2014年)P.15-17

第3章 活版印刷の発明 ——真の破壊的イノベーション

[1]スティーヴン・ロジャー・フィッシャー『文字の歴史 ヒエログリフから未来の「世界文字」まで』

(研究社、２００５年)P.99-100

[2]アレクサンダー・モンロー『紙と人との歴史 世界を動かしたメディアの物語』(原書房、２０１７年)P.33

[3]モンロー(２０１７年)P.79

[4]モンロー(２０１７年)P.84

[5]印刷博物館ＨＰを参照(https://www.printing-museum.org/collection/looking/33154.php)

[6]戸叶勝也『人と思想１５０ グーテンベルク』(清水書院、１９９７年)P.25

[7]モンロー(２０１７年)P.272

[8]モンロー(２０１７年)P.292、P.294-296、P.298、P.301

[9]戸叶(１９９７年)P.16

[10]モンロー(２０１７年)P.318

[11]戸叶(１９９７年)P.81

[12]モンロー(２０１７年)P.309-311

[13]戸叶(１９９７年)P.83

[14]モンロー(２０１７年)P.314

[15]戸叶(１９９７年)P.106

[16]モンロー(２０１７年)P.322

[17]戸叶(１９９７年)P.200

[18]ジェーン・グリーソン・ホワイト『バランスシートで読みとく世界経済史』(日経ＢＰ、２０１４年)P.71-72

[19]ダロン・アセモグル、ジェイムズ・A・ロビンソン『国家はなぜ衰退するのか 権力・繁栄・貧困の起源』(ハヤカワ・ノンフィクション文庫、２０１６年)上巻P.346-348

第４章 科学の発明 ——世界を変えた印刷物

[1]ジェーン・グリーソン・ホワイト『バランスシートで読みとく世界経済史』(日経ＢＰ、２０１４年)P.65

[2]渡邊泉『会計の歴史探訪 過去から未来へのメッセージ』(同文舘出版、２０１４年)P.33-51

[3]中野常男、清水泰洋『近代会計史入門』(同文舘出版、２０１４年)P.134-136

[4]ジェイコブ・ソール『帳簿の世界史』(文藝春秋、２０１５年)P.144

[5]『新約聖書』「ルカによる福音書」第3章23節

[6]アレクサンダー・モンロー『紙と人との歴史 世界を動かしたメディアの物語』(原書房、２０１７年)P.368

[7]ジェームズ・フランクリン『「蓋然性」の探求 古代の推論術から確率論の誕生まで』(みすず書房、２０１８年)P. 302

[8]モンロー(２０１７年)P.332

[9]モンロー(２０１７年)P.333

[10]モンロー(２０１７年)P.335-336

[11]マイケル・モーズリー、ジョン・リンチ『科学は歴史をどう変えてきたか その力・証拠・情熱』(東京書籍、２０１１年)P.21

[12]モーズリー、リンチ(２０１１年)P.26

[13]スティーヴン・ワインバーグ『科学の発見』(文藝春秋、２０１６年)P.209-210

[14]ワインバーグ(２０１６年)P.213

[15]モーズリー、リンチ(２０１１年)P.26

[16]モーズリー、リンチ(２０１１年)P.25

[17]ワインバーグ(２０１６年)P.220-221

[18]ヨハネス・ケプラー『新天文学』(工作舎、２０１３年)P.56

[19]モーズリー、リンチ(２０１１年)P.40

[20]岩切正介『男たちの仕事場 近代ロンドンのコーヒーハウス』(法政大学出版局、２００９年)P.184

[21]岩切(２００９年)P.14

[22]ウィリアム・バーンスタイン『「豊かさ」の誕生 成長と発展の文明史』(日経ビジネス人文庫、２０１５年)上巻P.212-216

[23]ミシェル・フーコー『監獄の誕生 監視と処罰』(新潮社、２０２０年)P.12

[24]リン・ハント『人権を創造する』(岩波書店、２０１１年)P.37-39

[25]ハント(２０１１年)P.31

[26]ハント(２０１１年)P.17

[27]ハント(２０１１年)P.32

[28]スティーブン・ピンカー『暴力の人類史』(青土社、２０１５年)P.314-326の議論を参照

参考文献

[29]ハント(２０１１年)P.74
[30]フランクリン(２０１８年)P.80
[31]トマ・ピケティ『21世紀の資本』(みすず書房、２０１４年)P.284-286など。二度の世界大戦に伴うショックが経済格差を縮小させたというのは、同書を通底する主張の1つ。
[32]グレゴリー・クラーク『10万年の世界経済史』(日経ＢＰ、２００９年)上巻P.291
[33]ティモシー・ワインガード『蚊が歴史をつくった世界史で暗躍する人類最大の敵』(青土社、２０２３年)P.324
[34]ハント(２０１１年)P.7
[35]ソール(２０１５年)P.227-241
[36]トム・スタンデージ『世界を変えた6つの飲み物　ビール、ワイン、蒸留酒、コーヒー、紅茶、コーラが語るもうひとつの歴史』(インターシフト、２００７年)P.179
[37]バーンスタイン(２０１５年)上巻P.216
[38]チャールズ・ダーウィン『種の起原』(１８５９年／岩波文庫、１９９０年)上巻P.10
[39]松永俊男『ダーウィンの時代―科学と宗教―』(名古屋大学出版会、１９９６年)P.28
[40]リチャード・ドーキンス『盲目の時計職人　自然淘汰は偶然か?』(早川書房、２００４年)P.22-24
[41]チャールズ・ダーウィン『ダーウィン自伝』(１８８７年編／ちくま学芸文庫、２０００年)P.24
[42]ダーウィン(１８８７年編)P.52
[43]エイドリアン・デズモンド、ジェイムズ・ムーア『ダーウィン　世界を変えたナチュラリストの生涯』(工作舎、１９９９年)上巻P.87
[44]デズモンド、ムーア(１９９９年)上巻P.132
[45]デズモンド、ムーア(１９９９年)上巻P.206
[46]ダーウィン(１８８７年編)P.64
[47]松永俊男『チャールズ・ダーウィンの生涯　進化論を生んだジェントルマンの社会』(朝日新聞出版、２００９年)P.141-142
[48]モーズリー、リンチ(２０１１年)P.105
[49]リチャード・ドーキンス『進化の存在証明』(早川書房、２００９年)P.242-243
[50]松永(２００９年)P.150-151
[51]松永俊男『ダーウィン前夜の進化論争』(名古屋大学出版会、２００５年)P.5-6
[52]ダーウィン(１８８７年編)P.132-133
[53]デズモンド、ムーア(１９９９年)上巻P.414
[54]デズモンド、ムーア(１９９９年)上巻P.450
[55]松永(２００９年)P.188-189
[56]松永(２００９年)P.168-169
[57]ダーウィン(１８８７年編)P.147
[58]デズモンド、ムーア(１９９９年)上巻P.513
[59]ダーウィン(１８８７年編)P.111
[60]モーズリー、リンチ(２０１１年)P.116
[61]松永(１９９６年)P.78、P.99
[62]モーズリー、リンチ(２０１１年)P.115
[63]松永(１９９６年)P.103-104
[64]松永(２００９年)P.120
[65]松永(２００５年)P.88
[66]モーズリー、リンチ(２０１１年)P.125
[67]ダーウィン(１８８７年編)P.149
[68]マッシモ・リヴィーバッチ『人口の世界史』(東洋経済新報社、２０１４年)P.80-81
[69]ダーウィン(１８８７年編)P.149
[70]松永(２００９年)P.204-205
[71]松永(２００９年)P.210-212
[72]デズモンド、ムーア(１９９９年)下巻P.679-680
[73]デズモンド、ムーア(１９９９年)下巻P.682
[74]ピーター・レイビー『博物学者アルフレッド・ラッセル・ウォレスの生涯』(新思索社、２００７年)P.212-213
[75]松永(２００９年)P.220
[76]デズモンド、ムーア(１９９９年)下巻P.690
[77]松永(１９９６年)P.214
[78]松永(１９９６年)P.354
[79]松永(１９９６年)P.361
[80]ロバート・L・ハイルブローナー『入門経済思想史　世俗の思想家たち』(ちくま学芸文庫、２００１年)P.250
[81]松永(２００９年)P.304
[82]ハイルブローナー(２００１年)P.249、P.263
[83]ハイルブローナー(２００１年)P.256

[84]ウルリケ・ヘルマン『資本の世界史 資本主義はなぜ危機に陥ってばかりいるのか』（太田出版、2015年）P.53
[85]ニック・ボストロム『スーパーインテリジェンス 超絶AIと人類の命運』（日本経済新聞出版社、2017年）P.343
[86]ハイルブローナー（2001年）P.256-261

第5章 鉄道の発明 ——マルサスの罠を打ち破る

[1]エイドリアン・デズモンド、ジェイムズ・ムーア『ダーウィン 世界を変えたナチュラリストの生涯』（工作舎、1999年）上巻P.262
[2]デズモンド、ムーア（1999年）上巻 P.385
[3]ユヴァル・ノア・ハラリ『サピエンス全史 文明の構造と人類の幸福』（河出書房新社、2016年）下巻P.186
[4]ウィリアム・バーンスタイン『「豊かさ」の誕生 成長と発展の文明史』（日経ビジネス人文庫、2015年）上巻P.307-308
[5]ノルベルト・オーラー『中世の旅』（法政大学出版局、1989年）P.139-146
[6]鉄道コム「新橋～横浜間、開業時の鉄道の足跡をたどる」（https://www.tetsudo.com/special/report/20180909/）
[7]東京都公文図書館「資料解説～鉄道開業と人々の暮らし」（https://www.soumu.metro.tokyo.lg.jp/01soumu/archives/0703kaidoku12_2.htm）
[8]バーンスタイン（2015年）上巻P.19
[9]グレゴリー・クラーク『10万年の世界経済史』（日経BP、2009年）下巻P.24-28
[10]ダロン・アセモグル、ジェイムズ・A・ロビンソン『国家はなぜ衰退するのか 権力・繁栄・貧困の起源』（ハヤカワ・ノンフィクション文庫、2016年）上巻P.301-302
[11]バーンスタイン（2015年）下巻P.85-86
[12]クラーク（2009年）上巻P.222-223
[13]マッシモ・リヴィ-バッチ『人口の世界史』（東洋経済新報社、2014年）P.48-54
[14]ボッカッチョ『デカメロン』（河出文庫、2012年）上巻P.18-19
[15]ボッカッチョ（2012年）上巻P.26
[16]ボッカッチョ（2012年）上巻P.27
[17]リヴィ-バッチ（2014年）P.48
[18]アセモグル、ロビンソン（2016年）上巻P.176
[19]クラーク（2009年）上巻P.171
[20]ロバート・C・アレン『世界史のなかの産業革命 資源・人的資本・グローバル経済』（名古屋大学出版会、2017年）P.21
[21]アレン（2017年）P.123-124
[22]アレン（2017年）P.20-21
[23]アレン（2017年）P.124
[24]高槻泰郎『大坂堂島米市場 江戸幕府 vs 市場経済』（講談社現代新書、2018年）P.165
[25]高槻（2018年）P.167-168
[26]アレン（2017年）P.68-69
[27]アレン（2017年）P.68
[28]アレン（2017年）P.19
[29]マージョリー・シェファー『胡椒 暴虐の世界史』（白水社、2015年）P.37
[30]シェファー（2015年）P.63
[31]小林幸雄『図説 イングランド海軍の歴史』（原書房、2007年）P.110-126
[32]ティモシー・ワインガード『蚊が歴史をつくった 世界史で暗躍する人類最大の敵』（青土社、2023）P.199-200
[33]トム・スタンデージ『世界を変えた6つの飲み物 ビール、ワイン、蒸留酒、コーヒー、紅茶、コーラが語るもうひとつの歴史』（インターシフト、2007年）P.200
[34]スタンデージ（2007年）P.204
[35]アレン（2017年）P.14-15、P.148
[36]クラーク（2009年）上巻P.114
[37]アレン（2017年）P.47-49
[38]ウルリケ・ヘルマン『資本の世界史 資本主義はなぜ危機に陥ってばかりいるのか』（太田出版、2015年）P.40
[39]ヘルマン（2015年）P.36
[40]アレン（2017年）P.98
[41]アレン（2017年）P.108

参考文献

[42]アレン(２０１７年)P.92
[43]アレン(２０１７年)P.103-104
[44]ジェームズ・C・スコット『反穀物の人類史 国家誕生のディープヒストリー』(みすず書房、２０１９年)P.50-51
[45]アレン(２０１７年)P.98-100
[46]アレン(２０１７年)P.105-106
[47]アレン(２０１７年)P.109、P.119
[48]アレン(２０１７年)P.93
[49]サイモン・フォーティー『産業革命歴史図鑑 １００の発明と技術革新』(原書房、２０１９年)P.19
[50]アレン(２０１７年)P.217
[51]アレン(２０１７年)P.219
[52]アレン(２０１７年)P.218
[53]アレン(２０１７年)P.220-221
[54]アレン(２０１７年)P.222
[55]アレン(２０１７年)P.228-229
[56]フォーティー(２０１９年)P.36-37
[57]アレン(２０１７年)P.235-236
[58]フォーティー(２０１９年)P.55
[59]アレン(２０１７年)P.236-237
[60]アレン(２０１７年)P.177-178
[61]アレン(２０１７年)P.179-180
[62]フォーティー(２０１９年)P.14-15
[63]アレン(２０１７年)P.186
[64]アレン(２０１７年)P.188-189
[65]マイケル・モーズリー、ジョン・リンチ『科学は歴史をどう変えてきたか その力・証拠・情熱』(東京書籍、２０１１年)P.162-163
[66]モーズリー、リンチ(２０１１年)P.163
[67]モーズリー、リンチ(２０１１年)P.167
[68]バーンスタイン(２０１５年)上巻P.304
[69]オーラー(１９８９年)P.142
[70]板谷敏彦『金融の世界史 バブルと戦争と株式市場』(新潮選書、２０１３年)P.143
[71]中野常男、清水泰洋『近代会計史入門』(同文舘出版、２０１４年)P.177
[72]板谷(２０１３年)P.146
[73]フォーティー(２０１９年)P.25
[74]バーンスタイン(２０１５年)上巻P.305
[75]フォーティー(２０１９年)P.96
[76]バーンスタイン(２０１５年)上巻P.304-305
[77]板谷(２０１３年)P.146-147
[78]フォーティー(２０１９年)P.113
[79]バーンスタイン(２０１５年)上巻P.306-307
[80]板谷(２０１３年)P.147
[81]アレックス・ワーナー、トニー・ウィリアムズ『写真で見る ヴィクトリア朝ロンドンの都市と生活』(原書房、２０１３年)P.185
[82]バーンスタイン(２０１５年)上巻P.307
[83]クラーク(２００９年)下巻P.165
[84]ワーナー、ウィリアムズ(２０１３年)P.187
[85]マーク・カーランスキー『塩の世界史 歴史を動かした小さな粒』(中公文庫、２０１４年)下巻P.152
[86]カーランスキー(２０１４年)下巻P.145
[87]カーランスキー(２０１４年)下巻P.154
[88]アセモグル、ロビンソン(２０１６年)上巻P.178-180
[89]アセモグル、ロビンソン(２０１６年)上巻P.359-361
[90]アセモグル、ロビンソン(２０１６年)上巻P.362-364
[91]アセモグル、ロビンソン(２０１６年)上巻P.364-365
[92]アセモグル、ロビンソン(２０１６年)上巻P.366
[93]アセモグル、ロビンソン(２０１６年)上巻P.368
[94]シッダールタ・ムカジー『がん ４０００年の歴史』(ハヤカワ・ノンフィクション文庫、２０１６年)下巻P.27
[95]アセモグル、ロビンソン(２０１６年)上巻P.364
[96]ロバート・C・アレン『なぜ豊かな国と貧しい国が生まれたのか』(ＮＴＴ出版、２０１２年)P.165-166
[97]アレン(２０１２年)P.169
[98]アレン(２０１２年)P.183-187
[99]マット・リドレー『繁栄 明日を切り拓くための人類10万年史』(早川書房、２０１０年)上巻P.199
[100]リドレー(２０１０年)上巻P.201

[101]リドレー(２０１０年)上巻P.197-198
[102]バーンスタイン(２０１５年)上巻P.318-320
[103]ルイス・ダートネル『この世界が消えたあとの科学文明のつくりかた』(河出文庫、２０１８年)P.144
[104]林野庁「都道府県別森林率・人工林率(令和４年３月31日現在)」(https://www.rinya.maff.go.jp/j/keikaku/genkyou/r4/1.html)
[105]林野庁「森林面積蓄積の推移」(https://www.rinya.maff.go.jp/j/keikaku/genkyou/h19/2_2.html)
[106]リヴィーバッチ(２０１４年)P.80

第６章 コンピューターの発明 ――思考を代替するデバイス

[１]Ahrefsブログ「Google検索アルゴリズムの仕組み」(https://ahrefs.jp/blog/seo/googlesearch-algorithm/)
[２]国立天文台ＨＰ「貴重資料展示室」(https://eco.mtk.nao.ac.jp/koyomi/exhibition/060/)
[３]ハーマン・Ｈ・ゴールドスタイン『計算機の歴史 パスカルからノイマンまで』(共立出版、２０１６年復刊版／初版１９７９年)P.6
[４]ゴールドスタイン(１９７９年)P.7
[５]ゴールドスタイン(１９７９年)P.7
[６]ゴールドスタイン(１９７９年)P.8
[７]マーティン・キャンベル＝ケリー、ウィリアム・アスプレイ、ネイサン・エンスメンガー、ジェフリー・R・ヨースト『コンピューティング史 人間は情報をいかに取り扱ってきたか 原著第３版』(共立出版、２０２１年)P.4-5、P.7
[８]キャンベル＝ケリーほか(２０２１年)P.3-4
[９]ゴールドスタイン(１９７９年)P.13
[10]ゴールドスタイン(１９７９年)P.20-21
[11]キャンベル＝ケリーほか(２０２１年)P.8-9
[12]キャンベル＝ケリーほか(２０２１年)P.47
[13]エイドリアン・デズモンド、ジェイムズ・ムーア『ダーウィン 世界を変えたナチュラリストの生涯』(工作舎、１９９９年)上巻P.284-286
[14]デズモンド、ムーア(１９９９年)上巻P.306
[15]キャンベル＝ケリーほか(２０２１年)P.48
[16]キャンベル＝ケリーほか(２０２１年)P.15-20
[17]キャンベル＝ケリーほか(２０２１年)P.40-41
[18]キャンベル＝ケリーほか(２０２１年)P.37-38
[19]キャンベル＝ケリーほか(２０２１年)P.36
[20]キャンベル＝ケリーほか(２０２１年)P.44
[21]キャンベル＝ケリーほか(２０２１年)P.64-65
[22]ゴールドスタイン(１９７９年)P.130
[23]キャンベル＝ケリーほか(２０２１年)P.31-32
[24]国立科学博物館ＨＰ(https://www.kahaku.go.jp/exhibitions/vm/past_parmanent/rikou/computer/tiger10.html)
[25]ポール・E・セルージ『モダン・コンピューティングの歴史』(未來社、２００８年)P.107
[26]キャンベル＝ケリーほか(２０２１年)P.79-80
[27]キャンベル＝ケリーほか(２０２１年)P.77
[28]ゴールドスタイン(１９７９年)P.83
[29]キャンベル＝ケリーほか(２０２１年)P.79
[30]ゴールドスタイン(１９７９年)P.149-151
[31]キャンベル＝ケリーほか(２０２１年)P.82
[32]ゴールドスタイン(１９７９年)P.188
[33]ゴールドスタイン(１９７９年)P.161-162
[34]ゴールドスタイン(１９７９年)P.168
[35]ゴールドスタイン(１９７９年)P.173-174
[36]ゴールドスタイン(１９７９年)P.208
[37]キャンベル＝ケリーほか(２０２１年)P.86
[38]キャンベル＝ケリーほか(２０２１年)P.92-93
[39]ゴールドスタイン(１９７９年)P.231
[40]キャンベル＝ケリーほか(２０２１年)P.89、P.105
[41]ゴールドスタイン(１９７９年)P.237
[42]ゴールドスタイン(１９７９年)P.227
[43]ゴールドスタイン(１９７９年)P.225
[44]キャンベル＝ケリーほか(２０２１年)P.96-99
[45]セルージ(２００８年)P.45
[46]キャンベル＝ケリーほか(２０２１年)P.114-116
[47]キャンベル＝ケリーほか(２０２１年)P.125-126
[48]キャンベル＝ケリーほか(２０２１年)P.123
[49]キャンベル＝ケリーほか(２０２１年)P.24-27
[50]キャンベル＝ケリーほか(２０２１年)P.126-127
[51]キャンベル＝ケリーほか(２０２１年)P.125

[52]ASCII.jp「世界の『5台』のコンピュータの中身」(https://ascii.jp/elem/000/000/476/476950/)
[53]オルタナティブ・ブログ「トーマス・ワトソンが『コンピュータの世界需要は5台』と言ったのは都市伝説?」(https://blogs.itmedia.co.jp/mm21/2007/03/5_0365.html)
[54]セルージ(２００８年)P.31
[55]キャンベル＝ケリーほか(２０２１年)P.117
[56]キャンベル＝ケリーほか(２０２１年)P.122
[57]キャンベル＝ケリーほか(２０２１年)P.119
[58]キャンベル＝ケリーほか(２０２１年)P.130-131
[59]キャンベル＝ケリーほか(２０２１年)P.121
[60]キャンベル＝ケリーほか(２０２１年)P.134
[61]キャンベル＝ケリーほか(２０２１年)P.201
[62]キャンベル＝ケリーほか(２０２１年)P.190-191
[63]ゴールドスタイン(１９７９年)P.393
[64]キャンベル＝ケリーほか(２０２１年)P.194
[65]セルージ(２００８年)P.119
[66]キャンベル＝ケリーほか(２０２１年)P.195-196
[67]セルージ(２００８年)P.118
[68]ゴールドスタイン(１９７９年)P.394
[69]セルージ(２００８年)P.119-122
[70]セルージ(２００８年)P.95
[71]セルージ(２００８年)P.100
[72]キャンベル＝ケリーほか(２０２１年)P.139
[73]セルージ(２００８年)P.97-98
[74]キャンベル＝ケリーほか(２０２１年)P.229-230
[75]キャンベル＝ケリーほか(２０２１年)P.172
[76]キャンベル＝ケリーほか(２０２１年)P.170
[77]キャンベル＝ケリーほか(２０２１年)P.163-171
[78]キャンベル＝ケリーほか(２０２１年)P.173
[79]キャンベル＝ケリーほか(２０２１年)P.176-178
[80]情報処理学会歴史特別委員会『日本のコンピュータ史』(オーム社、２０１０年)P.6
[81]キャンベル＝ケリーほか(２０２１年)P.230-233
[82]セルージ(２００８年)P.240-244
[83]キャンベル＝ケリーほか(２０２１年)P.145-148
[84]セルージ(２００８年)P.177-187
[85]キャンベル＝ケリーほか(２０２１年)P.202-207
[86]キャンベル＝ケリーほか(２０２１年)P.246-248
[87]セルージ(２００８年)P.161-168
[88]セルージ(２００８年)P.159-161
[89]キャンベル＝ケリーほか(２０２１年)P.294-298
[90]セルージ(２００８年)P.303
[91]キャンベル＝ケリーほか(２０２１年)P.251
[92]キャンベル＝ケリーほか(２０２１年)P.248-251
[93]キャンベル＝ケリーほか(２０２１年)P.262-263
[94]情報処理学会歴史特別委員会(２０１０年)P.23
[95]キャンベル＝ケリーほか(２０２１年)P.187
[96]情報処理学会歴史特別委員会(２０１０年)P.159-160
[97]セブン－イレブン・ジャパンＨＰ(https://www.sej.co.jp/recruit/about/history/)
[98]キャンベル＝ケリーほか(２０２１年)P.267-268
[99]セルージ(２００８年)P.267-272
[100]キャンベル＝ケリーほか(２０２１年)P.269
[101]キャンベル＝ケリーほか(２０２１年)P.273
[102]キャンベル＝ケリーほか(２０２１年)P.274-276
[103]キャンベル＝ケリーほか(２０２１年)P.279
[104]セルージ(２００８年)P.311
[105]キャンベル＝ケリーほか(２０２１年)P.280
[106]セルージ(２００８年)P.314-317
[107]キャンベル＝ケリーほか(２０２１年)P.282
[108]キャンベル＝ケリーほか(２０２１年)P.283-284
[109]セルージ(２００８年)P.314
[110]セルージ(２００８年)P.317-318
[111]キャンベル＝ケリーほか(２０２１年)P.301
[112]キャンベル＝ケリーほか(２０２１年)P.297
[113]セルージ(２００８年)P.305
[114]キャンベル＝ケリーほか(２０２１年)P.299
[115]セルージ(２００８年)P.365
[116]セルージ(２００８年)P.360
[117]キャンベル＝ケリーほか(２０２１年)P.302
[118]キャンベル＝ケリーほか(２０２１年)P.304
[119]キャンベル＝ケリーほか(２０２１年)P.305
[120]キャンベル＝ケリーほか(２０２１年)P.306
[121]情報処理学会歴史特別委員会(２０１０年)P.43

第7章 インターネットの発明
——情報の民主化の功罪

[1]グレゴリー・クラーク『10万年の世界経済史』(日経BP、2009年)下巻P.176-179

[2]高槻泰郎『大坂堂島米市場 江戸幕府vs市場経済』(講談社現代新書、2018年)P.289

[3]高槻(2018年)P.291

[4]高槻(2018年)P.288

[5]中野明『IT全史 情報技術の250年を読む』(祥伝社黄金文庫、2020年)P.32

[6]中野(2020年)P.34、P.46

[7]中野(2020年)P.46-47

[8]中野(2020年)P.57-60

[9]中野(2020年)P.52-55

[10]中野(2020年)P.36-37

[11]中野(2020年)P.36

[12]ウィリアム・バーンスタイン『「豊かさ」の誕生 成長と発展の文明史』(日経ビジネス人文庫、2015年)上巻P.312-318

[13]中野(2020年)P.78

[14]中野(2020年)P.80-82

[15]バーンスタイン(2015年)上巻P.316-317

[16]中野(2020年)P.83-84

[17]中野(2020年)P.85

[18]中野(2020年)P.86

[19]バーンスタイン(2015年)上巻P.318-320

[20]マーティン・キャンベル＝ケリー、ウィリアム・アスプレイ、ネイサン・エンスメンガー、ジェフリー・R・ヨースト『コンピューティング史 人間は情報をいかに取り扱ってきたか 原著第3版』(共立出版、2021年)P.13-14

[21]中野(2020年)P.152

[22]中野(2020年)P.154

[23]中野(2020年)P.156-158

[24]キャンベル＝ケリーほか(2021年)P.260

[25]中野(2020年)P.165

[26]中野(2020年)P.170-171

[27]中野(2020年)P.196

[28]中野(2020年)P.212

[29]キャンベル＝ケリーほか(2021年)P.319

[30]キャンベル＝ケリーほか(2021年)P.321-322

[31]キャンベル＝ケリーほか(2021年)P.322-325

[32]中野(2020年)P.284

[33]キャンベル＝ケリーほか(2021年)P.326-328

[34]キャンベル＝ケリーほか(2021年)P.328-329

[35]キャンベル＝ケリーほか(2021年)P.309-311

[36]キャンベル＝ケリーほか(2021年)P.312-314

[37]ニフティ株式会社HP(https://www.nifty.co.jp/company/history/)

[38]キャンベル＝ケリーほか(2021年)P.331-332

[39]GIZMODE「25年前に公開された世界最初のウェブページ」(https://www.gizmodo.jp/2015/12/first-webpage.html)

[40]WIRED「世界発のウェブサイト、WWWの20周年：CERN・バーナーズ=リー・Mosaic」

[41]ポール・E・セルージ『モダン・コンピューティングの歴史』(未來社、2008年)P.353

[42]NTTドコモ歴史展示スクエア(http://history-s.nttdocomo.co.jp/list_imode.html)

[43]アマゾンジャパンHP「アマゾンジャパンの変革」(https://amazon-press.jp/Top-Navi/About-Amazon/Milestones.html)

[44]クリス・アンダーソン『ロングテール 「売れない商品」を宝の山に変える新戦略』(ハヤカワ・ノンフィクション文庫、2014年)P.9

[45]キャンベル＝ケリーほか(2021年)P.341

[46]アンダーソン(2014年)P.102

[47]モバイル社会研究所「スマートフォン比率96・3%に：2010年は約4% ここ10年で急速に普及」(https://www.moba-ken.jp/project/mobile/20230410.html)

[48]ハーマン・H・ゴールドスタイン『計算機の歴史 パスカルからノイマンまで』(共立出版、2016年復刊版／初版1979年)P.164-165

[49]AFP通信「米NY最後の公衆電話を撤去 『スーパーマン』も使用」(https://www.afpbb.com/articles/-/3406547)

[50]CNN, Twitter is new battleground for NATO and Taliban in Afghanistan(https://edition.cnn.

com/2011/11/18/world/asia/afghanistan-twitter-war/index.html)

[51]COURRIER JAPAN「ジョナサン・ハイトが解き明かす『アメリカ社会がこの10年で桁外れにバカになった理由』」(https://courrier.jp/news/archives/290872/)、【原典】WHY THE PAST 10 YEARS OF AMERICAN LIFE HAVE BEEN UNIQUELY STUPID(https://www.theatlantic.com/magazine/archive/2022/05/social-media-democracy-trust-babel/629369/)

[52]ジョナサン・ゴットシャル『ストーリーが世界を滅ぼす 物語があなたの脳を支配する』(東洋経済新報社、２０２２年)P.98-101

終章〈前編〉 AIは敵か? ——現在までの歴史と課題

[1]バイロン・リース『人類の歴史とＡＩの未来』(ディスカヴァー・トゥエンティワン、２０１９年)P.85

[2]ケイト・デヴリン『ヒトは生成ＡＩとセックスできるか 人工知能とロボットの性愛未来学』(新潮社、２０２３年)P.52-61

[3]スチュアート・ラッセル『ＡＩ新生 人間互換の知能をつくる』(みすず書房、２０２１年)P.4-5

[4]今井翔太『生成ＡＩで世界はこう変わる』(SBクリエイティブ、２０２４年)P.42-43

[5]マックス・テグマーク『LIFE 3.0 人工知能時代に人間であるということ』(紀伊國屋書店、２０２０年)P.457-462

[6]テグマーク(２０２０年)P.468-472

[7]テグマーク(２０２０年)P.120、P.129-133

[8]Gigazine「美少女キャラクターを人工知能が自動生成してくれる『MakeGirls.moe』」(https://gigazine.net/news/20170814-make-girls-moe/)

[9]グレゴリー・クラーク『10万年の世界経済史』(日経BP、２００９年)下巻P.148

[10]テグマーク(２０２０年)P.186

[11]農林水産省「特集 変化(シフト)する我が国の農業構造 (1)基幹的農業従事者」(https://www.maff.go.jp/j/wpaper/w_maff/r3/r3_h/trend/part1/chap1/c1_1_01.html)

[12]ウルリケ・ヘルマン『資本の世界史 資本主義はなぜ危機に陥ってばかりいるのか』(太田出版、２０１５年)P.31

[13]エリック・ブリニョルフソン、アンドリュー・マカフィー『機械との競争』(日経BP、２０１３年)P.96

[14]ヘルマン(２０１５年)P.85-87

[15]今井(２０２４年)P.156-157

[16]ラッセル(２０２１年)P.100

[17]リース(２０１９年)P.131の記述が着想。リースは9つの前提を挙げているが、私なりに2つに整理した。

[18]ラッセル(２０２１年)P.105-106

[19]文化庁 令和5年6月19日著作権セミナー「ＡＩと著作権」講演資料 P.43(https://www.bunka.go.jp/seisaku/chosakuken/seidokaisetsu/seminar/2023/pdf/93903601_01.pdf)

終章〈後編〉 AIは敵か? ——超知能を持った未来

[1]マックス・テグマーク『LIFE 3.0 人工知能時代に人間であるということ』(紀伊國屋書店、２０２０年)P.198

[2]テグマーク(２０２０年)P.459

[3]ニック・ボストロム『スーパーインテリジェンス 超絶ＡＩと人類の命運』(日本経済新聞出版社、２０１７年)P.158

[4]今井翔太『生成ＡＩで世界はこう変わる』(SBクリエイティブ、２０２４年)P.68-71

[5]スチュアート・ラッセル『ＡＩ新生 人間互換の知能をつくる』(みすず書房、２０２１年)P.80-81

[6]ラッセル(２０２１年)P.140-144

[7]ボストロム(２０１７年)P.263

[8]ボストロム(２０１７年)P.256-261

[9]ラッセル(２０２１年)P.107、P.141

[10]テグマーク(２０２０年)P.68、P.373

[11]ラッセル（２０２１年）P.135
[12]ボストロム（２０１７年）P.392-396
[13]テグマーク（２０２０年）P.376
[14]テグマーク（２０２０年）P.378、P.383-385
[15]エイドリアン・デズモンド、ジェイムズ・ムーア『ダーウィン 世界を変えたナチュラリストの生涯』（工作舎、１９９９年）下巻P.922-923
[16]テグマーク（２０２０年）P.79
[17]ラッセル（２０２１年）P.10
[18]スティーブン・ピンカー『心の仕組み』（ちくま学芸文庫、２０１３年）上巻P.134-135
[19]ラッセル（２０２１年）P.15-16
[20]テグマーク（２０２０年）P.62
[21]ボストロム（２０１７年）P.75-85
[22]マット・リドレー『やわらかな遺伝子』（紀伊國屋書店、２００４年）P.129
[23]テグマーク（２０２０年）P.79
[24]ダニエル・E・リーバーマン『運動の神話』（早川書房、２０２２年）下巻P.80-81
[25]ボストロム（２０１７年）P.59
[26]Gigazine「最強の囲碁ＡＩに圧勝する人物が登場、ＡＩの弱点を突いて人類が勝利したと話題に」（https://gigazine.net/news/20230220-go-human-victory/）
[27]ジョセフ・ヘンリック『文化がヒトを進化させた人類の繁栄と〈文化-遺伝子革命〉』（白揚社、２０１９年）P.20
[28]ヘンリック（２０１９年）P.47-49
[29]IDEA FOR GOOD「カラスが街を綺麗にする。吸い殻を入れると餌が出る『Crowbar』」（https://ideasforgood.jp/2017/10/27/crowbar/）
[30]東洋経済ＯＮＬＩＮＥ「画期的！カラスがゴミ拾いの作業員になった」（https://toyokeizai.net/articles/-/233436）
[31]Gigazine「『タバコの吸い殻をカラスに拾わせるプロジェクト』がスウェーデンで計画中」（https://gigazine.net/news/20220131-crows-litter-picker-sweden/）
[32]マイケル・トマセロ『ヒトはなぜ協力するのか』（勁草書房、２０１３年）P.35-36
[33]ヘンリック（２０１９年）P.50-51
[34]ボストロム（２０１７年）P.125
[35]Newsweek「『地球平面説』が笑いごとではない理由」（https://www.newsweekjapan.jp/stories/world/2019/07/-22700-2600-100-1811feicfeic1600-feic.php）
[36]テグマーク（２０２０年）P.412
[37]ボストロム（２０１７年）P.195
[38]リチャード・ドーキンス『進化の存在証明』（早川書房、２００９年）P.174
[39]ジェームズ・フランクリン『「蓋然性」の探求 古代の推論術から確率論の誕生まで』（みすず書房、２０１８年）P.214
[40]スチュアート・リッチー『Science Fictions あなたが知らない科学の真実』（ダイヤモンド社、２０２４年）P.310
[41]リッチー（２０２４年）P.27
[42]フランクリン（２０１８年）P.584-585
[43]デズモンド、ムーア（１９９９年）上巻P.289
[44]ダニエル・C・デネット『心の進化を解明する バクテリアからバッハへ』（青土社、２０１８年）P.155
[45]ヘンリック（２０１９年）P.116-119
[46]ヘンリック（２０１９年）P.129-131
[47]ヘンリック（２０１９年）P.136-141

〈写真提供〉

第３章

活版印刷の発明——真の破壊的イノベーション

※1　イメージマート
※6　鈴木革 / アフロ
※7　naoki/PIXTA（ピクスタ）
※8　木簡庫（https://mokkanko.nabunken.go.jp/ja/6AFITH11000120）
※ 15　国立文化財機構所蔵品統合検索システム
※ 21　富井義夫 / アフロ
※ 36　akg-images/ アフロ
※ 37　慶應義塾図書館

第５章

鉄道の発明——マルサスの罠を打ち破る

※ 17　Science & Society Picture Library/ アフロ
※ 19　Universal Images Group/ アフロ
※ 22　Bridgeman Images/ アフロ
※ 24　Science & Society Picture Library/ アフロ
※ 27　Mary Evans Picture Library/ アフロ
※ 28　アフロ
※ 56　岡谷蚕糸博物館

第６章

コンピューターの発明——思考を代替するデバイス

※4　Alamy/ アフロ
※6　Science Source/ アフロ
※7　Science & Society Picture Library/ アフロ
※ 34　アフロ
※ 37　Science & Society Picture Library/ アフロ
※ 39　Science Photo Library/ アフロ
※ 46　Science Source/ アフロ
※ 54　Science Source/ アフロ
※ 59　Interfoto/ アフロ
※ 62　Science & Society Picture Library/ アフロ
※ 71　Shutterstock/ アフロ
※ 80　ロイター / アフロ
※ 84　アフロ

Rootport（ルートポート）

会計史研究家、ブロガー、漫画原作者。1985年、東京都生まれ。ブログ「デマこい!」を運営。2023年、商業作品としては世界初の全編AI作画の漫画『サイバーパンク桃太郎』（新潮社）を出版。これにより、TIME誌「世界で最も影響力のある100人 AI業界編」に選出される。他の著書に『会計が動かす世界の歴史 なぜ「文字」より先に「簿記」が生まれたのか』（KADOKAWA）、『女騎士、経理になる。』（幻冬舎コミックス）、『ドランク・インベーダー』（講談社）など。

ブックデザイン　三森健太（JUNGLE）
図版　曽根田栄夫（ソネタフィニッシュワーク）
DTP　思机舎
校正　山崎春江
編集　金子拓也

人類を変えた7つの発明史
火からAIまで技術革新と歩んだホモ・サピエンスの20万年

2024年6月4日　初版発行

著者／Rootport

発行者／山下 直久

発行／株式会社KADOKAWA
〒102-8177　東京都千代田区富士見2-13-3
電話 0570-002-301（ナビダイヤル）

印刷所／図書印刷株式会社
製本所／図書印刷株式会社

ISBN 978-4-04-606455-4　C0030